A
Rainha
Branca

Philippa Gregory

A Rainha Branca

Tradução de
Ana Luiza Borges

9ª edição

Editora Record
RIO DE JANEIRO • SÃO PAULO
2022

CIP-BRASIL. CATALOGAÇÃO NA FONTE
SINDICATO NACIONAL DOS EDITORES DE LIVROS, RJ

Gregory, Philippa, 1954-

G833t   A rainha branca / Philippa Gregory; tradução de Ana Luiza Dantas Borges. – 9ª ed.
9ª ed.   – Rio de Janeiro: Record, 2022.

Tradução de: The White Queen
ISBN 978-85-01-08972-4

1. Rainhas – Grã-Bretanha – Ficção. 2. Romance inglês. I. Borges, Ana Luiza. II. Título.

CDD: 823
12-0336   CDU: 821.111-3

TÍTULO ORIGINAL EM INGLÊS:
The White Queen

Texto revisado segundo o novo Acordo Ortográfico da Língua Portuguesa.

Impresso no Brasil

ISBN 978-85-01-08972-4

Seja um leitor preferencial Record.
Cadastre-se no site www.record.com.br e receba informações
sobre nossos lançamentos e nossas promoções.

Atendimento e venda direta ao leitor:
sac@record.com.br

EDITORA AFILIADA

Para Anthony

Batalhas da Guerra
das Duas Rosas

🌹 Vitórias dos Lancaster

✿ Vitórias dos York

Skye

Inverness

Aberdeen

Dundee

Stirling

Glasgow   Edimburgo

Hedgeley Moor
1464

Carlisle

Mar do Norte

Hexham
1464

Ilha de Man

Lancaster

Towton
1461

York

Preston

Ferrybridge
1461

Wakefield
1460

Chester

Lincoln

Caernarfon

Mar da Irlanda

Blore Heath
1459

Shrewsbury

Losecote Field
1470

Aberystwyth

Ludford Bridge
1459

Bosworth
1485

Northampton
1460

Fishguard

Mortimer's Cross
1461

Edgecote Moor
1469

St. Albans
1455, 1461

Ipswich

Swansea

Cardiff

Tewkesbury
1471

Barnet
1471

LONDRES

Dover

Bristol

Taunton

Winchester

Lewes

Calais

Southampton

Hastings

Exeter

Chichester

Plymouth

Dorchester

FRANÇA

Penzance

Canal da Mancha

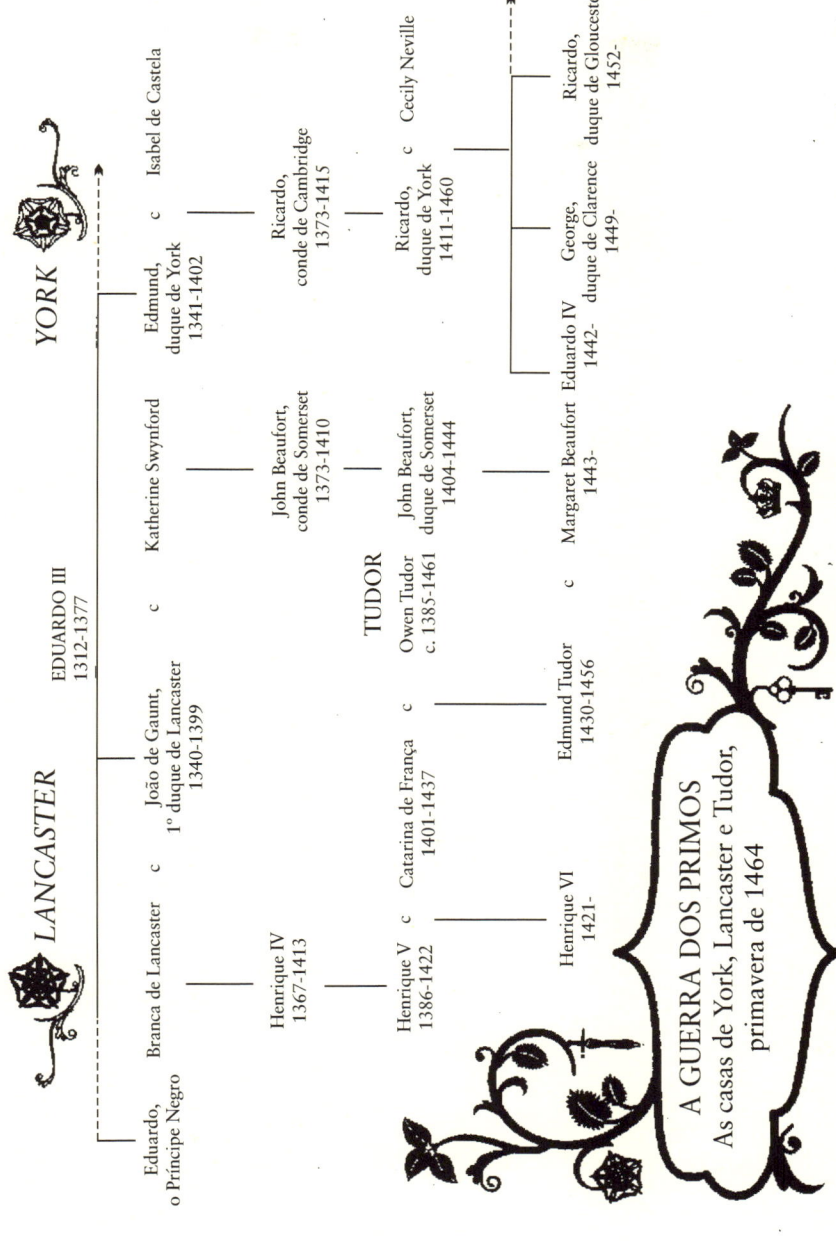

LANCASTER

YORK

EDUARDO III
1312-1377

Eduardo,
o Príncipe Negro

Branca de Lancaster   c   João de Gaunt,
1º duque de Lancaster
1340-1399

c   Katherine Swynford

c   Edmund,
duque de York
1341-1402

c   Isabel de Castela

Henrique IV
1367-1413

John Beaufort,
conde de Somerset
1373-1410

Ricardo,
conde de Cambridge
1373-1415

TUDOR

Henrique V   c   Catarina de França   c   Owen Tudor
1386-1422   1401-1437   c. 1385-1461

John Beaufort,
duque de Somerset
1404-1444

Ricardo,
duque de York   c   Cecily Neville
1411-1460

Henrique VI
1421-

Edmund Tudor
1430-1456

Margaret Beaufort
1443-

Eduardo IV   George,
1442-   duque de Clarence
              1449-

Ricardo,
duque de Gloucester
1452-

A GUERRA DOS PRIMOS
As casas de York, Lancaster e Tudor,
primavera de 1464

No escuro da floresta, o jovem cavaleiro ouviu o barulho da água na fonte muito antes de ver o fraco clarão do luar refletido na superfície imóvel. Estava prestes a avançar; ansiava por molhar a cabeça, absorver o frescor, quando ficou sem fôlego ao perceber algo obscuro movendo-se no fundo do lago. Havia uma sombra esverdeada submersa, parecida com um peixe grande, um corpo afogado. Então o vulto se mexeu e se levantou, e ele viu, espantosamente nua, uma mulher se banhando. Quando ela se ergueu, a água escorrendo pelo corpo, sua pele era ainda mais pálida do que o mármore branco da borda do lago, seu cabelo molhado, escuro como uma sombra.

Ela é Melusina, a deusa da água, e é encontrada em fontes e quedas-d'água escondidas por todas as florestas da cristandade, até mesmo naquelas tão distantes quanto as da Grécia. Ela também se banha nas fontes mouras. Nos países do norte, onde a superfície dos lagos é coberta por uma camada de gelo que se fende quando ela se ergue, é conhecida por outro nome. Um homem pode amá-la, se guardar o seu segredo e deixá-la sozinha quando ela quiser se banhar, e ela pode retribuir o seu amor até ele quebrar sua promessa, como os homens sempre fazem. Ela puxa-o para o fundo, com seu rabo de peixe, e transforma seu sangue desleal em água.

A tragédia de Melusina, em qualquer língua que seja contada, em qualquer melodia que seja cantada, mostra que um homem sempre promete mais do que é capaz de cumprir a uma mulher que ele não pode compreender.

Primavera de 1464

Meu pai é Sir Richard Woodville, senhor de Rivers, um nobre inglês, proprietário de terras e partidário dos verdadeiros reis da Inglaterra, a linhagem lancastriana. Minha mãe descende dos duques de Borgonha e, portanto, carrega o sangue aquoso da deusa Melusina, que fundou sua casa real com seu extasiado amante ducal e ainda pode ser encontrada em momentos de extrema desgraça; seus gritos, por cima dos telhados do castelo, avisam quando um filho e herdeiro está à beira da morte e a família, condenada, ou pelo menos é o que dizem aqueles que acreditam nessas histórias.

Com uma ascendência tão contraditória como a minha — a terra sólida inglesa e a deusa da água francesa —, podia-se esperar qualquer coisa de mim: uma feiticeira ou uma mulher normal. Há quem diga que sou ambas. Mas hoje, enquanto penteio meu cabelo com um cuidado especial, ajeito-o sob meu toucado mais alto, pego as mãos de meus dois meninos órfãos de pai e me dirijo à estrada que vai para Northampton, eu daria tudo, só desta vez, para ser simplesmente irresistível.

Tenho de atrair a atenção de um jovem que cavalga para mais uma batalha contra um inimigo que não pode ser derrotado. Talvez ele nem mesmo me veja. Provavelmente não estará com disposição para mendigos ou flertes. Tenho de estimular a sua compaixão por minha condição, inspirar a sua simpatia por minhas necessidades e permanecer em sua memória por tempo suficiente para que ele faça algo em relação a essas duas coisas. E esse é um homem que tem belas mulheres se atirando para ele todas as noites, e uma centena de requerentes para cada posto em seu poder.

Ele é um usurpador e um tirano, meu inimigo e filho do meu inimigo, mas sou leal apenas a meus filhos e a mim mesma. Meu próprio pai foi para a batalha de Towton contra esse homem que agora se diz rei da Inglaterra, embora seja pouco mais que um menino arrogante. Nunca vi um homem tão alquebrado quanto meu pai ao retornar de Towton, o sangue do braço direito atravessando a manga de seu gibão, o rosto lívido, dizendo que aquele rapaz era um comandante como nunca se vira antes, que a nossa causa estava perdida, e que nós todos não teríamos esperança enquanto ele vivesse. Vinte mil homens foram mortos em Towton por ordem desse rapaz. Nunca se tinha visto tal matança na Inglaterra. Meu pai disse que foi uma ceifa de lancastrianos, não uma batalha. O rei legítimo, Henrique, e sua mulher, a rainha Margarida de Anjou, fugiram para a Escócia, devastados pelas mortes.

Aqueles de nós que ficaram na Inglaterra não se renderam prontamente. A batalha prosseguiu, em resistência ao falso rei, esse garoto de York. Meu marido foi morto comandando a nossa cavalaria, há somente três anos, em St. Albans. Agora sou uma viúva, e a terra e a fortuna que antes eu chamava de minhas foram extorquidas por minha sogra com a benevolência do vencedor, o senhor desse rei-menino, o grande manipulador conhecido como o Fazedor de Reis: Richard Neville, conde de Warwick, que transformou esse garoto vaidoso, de apenas 22 anos, em rei, e que tornará a Inglaterra um inferno para aqueles que continuarem a defender a Casa de Lancaster.

Agora, todas as casas importantes do país são yorkistas, e todos os negócios lucrativos, cargos e impostos estão em seu poder. Seu rei-menino está no trono e seus partidários compõem a nova corte. Nós, os derrotados, somos indigentes em nossas próprias casas e estrangeiros em nosso próprio país; nosso rei é um exilado, nossa rainha, uma estrangeira vingativa que conspira com nosso velho inimigo, a França. Temos de fazer um acordo com o tirano de York e rezar para que Deus se volte contra ele e o nosso rei legítimo venha para o sul com um exército, para mais uma batalha.

Nesse meio-tempo, como muitas mulheres cujos maridos foram mortos e o pai, derrotado, tenho de remendar minha vida, como uma colcha de retalhos. Tenho de reaver minha fortuna de alguma maneira, embora pareça que nenhum parente nem amigo possa tomar qualquer atitude em meu favor. Somos todos considerados traidores. Fomos perdoados, mas não amados. Somos impotentes. Terei de ser meu próprio defensor e expor meu caso para um garoto que respeita tão pouco a justiça, que ousou conduzir um exército contra o próprio primo: um rei ordenado. O que pode ser dito a um selvagem como esse que ele seja capaz de compreender?

Meus filhos Thomas, de 9 anos, e Richard, de 8, estão usando suas melhores roupas; seus cabelos foram umedecidos e assentados, os rostos reluzentes após serem lavados com sabão. Com cada um de um lado, seguro firme suas mãos, pois são meninos de verdade, e por isso atraem sujeira para si como que por mágica. Se eu soltá-los por um segundo, um arranhará os sapatos e o outro rasgará a meia, os dois ficarão com folhas no cabelo e lama no rosto, e Thomas certamente cairá no riacho. Assim como estão, seguros por meu punho, pulam de uma perna para a outra em um tédio agonizante, e ficam eretos só quando digo: "Silêncio, ouço cavalos."

Primeiro, soa como chuva e, então, em um instante ressoa como um trovão. O tinido dos arreios e o tremular dos estandartes, o tilintar da cota de malha e o bufar dos cavalos, o som, o cheiro e o estrondo de uma centena de cavalos conduzidos com firmeza são esmagadores e, embora eu esteja determinada a avançar e detê-los, acabo recuando. Como deve ser enfrentar esses homens cavalgando para combater, com suas lanças estendidas, como um muro de estacas galopantes? Como alguém pode enfrentar isso?

Thomas vê a cabeça loura descoberta no meio de toda a fúria e barulho, e grita: "Hurra!", como o menino que ele é. Ao ouvir sua voz aguda, vejo a cabeça do homem virar, ver a mim e os meninos, sua mão puxar as rédeas e ele gritar: "Parem!" Seu cavalo empina, forçado a se deter, e todos os outros cavaleiros giram, param e praguejam com a parada súbita. E então, abruptamente, tudo silencia e uma nuvem de poeira eleva-se ao nosso redor.

Seu cavalo bufa, balança a cabeça, mas o cavaleiro em seu dorso é como uma estátua em um pedestal. Ele está olhando para mim e eu para ele, e o silêncio é tal que é possível ouvir um tordo nos galhos do carvalho que se estendem acima de mim. Como canta! Meu Deus, canta como um murmúrio glorioso, como alegria transformada em som. Nunca ouvi um pássaro cantar dessa maneira, como se fosse um hino à felicidade.

Dou um passo à frente, sem largar as mãos de meus filhos, e abro a boca para expor a minha causa, mas nesse momento, nesse instante crucial, não sei o que dizer. Pratiquei intensamente. Tinha um pequeno discurso preparado, mas agora não me lembro de nada. É quase como se eu não precisasse de palavras. Simplesmente olho para ele e, não sei como, espero que ele compreenda tudo — o meu medo do futuro, minhas esperanças por meus meninos, minha falta de dinheiro, a piedade irritante de meu pai, que a vida sob o mesmo teto que ele é algo insuportável para mim, a frieza da minha cama à noite, meu anseio por outro filho, a sensação de que minha vida acabou. Meu Deus, só tenho 27 anos, minha causa foi derrotada, meu marido está morto. Serei uma das muitas viúvas pobres que passarão o resto de suas vidas ao pé da lareira de outra pessoa, esforçando-se para ser uma hóspede agradável? Nunca mais serei beijada? Nunca sentirei alegria? Nunca mais?

O pássaro continua a cantar, como se quisesse dizer que o deleite é fácil para aqueles que o desejam.

Ele faz um gesto com a mão para o homem mais velho ao seu lado, o qual grita uma ordem; os soldados tiram os cavalos da estrada e vão para a sombra das árvores. Mas o rei salta de seu grande cavalo, solta as rédeas e caminha na minha direção. Sou uma mulher alta, mas minha cabeça bate no ombro dele, deve ter mais de 1,80m. Meus filhos esticam o pescoço para olhá-lo, ele lhes parece um gigante. Tem o cabelo louro, os olhos cinza, um rosto bronzeado, franco e sorridente, encantador, com uma graça natural. Esse é um rei como nunca vimos na Inglaterra: é um homem que o povo amará só de olhar para ele. Ele me fita como se eu soubesse de um segredo que precisasse ser guardado, como se nos conhecêssemos desde sempre, e sinto minha face queimar, mas não consigo desviar os olhos de seu rosto.

Uma mulher modesta baixaria os olhos, os manteria fixos nos sapatos; uma suplicante faria uma reverência profunda e estenderia uma de suas mãos suplicantes. Mas eu permaneço ereta, espantada comigo mesma, analisando-o como uma camponesa ignorante, e percebo que não consigo tirar meus olhos dos dele, de sua boca sorridente, de seu olhar que queima o meu rosto.

— Quem é essa? — pergunta ele, ainda me observando.

— Vossa Graça, esta é minha mãe, Lady Elizabeth Grey — responde meu filho Thomas de forma cortês, tirando o chapéu e apoiando um dos joelhos no chão.

Richard, do outro lado, também se ajoelha e murmura, como se não pudesse ser ouvido:

— Este é o rei? De verdade? É o homem mais alto que já vi na minha vida!

Faço uma reverência profunda, mas ainda não consigo desviar o olhar. Pelo contrário, encaro-o, como uma mulher que dirige um olhar excitado ao homem que ela adora.

— Levante-se — diz ele. Seu tom é baixo, para que só eu o escute. — Veio até aqui para me ver?

— Preciso de sua ajuda — replico. Mal consigo articular as palavras. É como se a poção do amor com que minha mãe embebeu o lenço que ondulava de meu toucado estivesse entorpecendo a mim, não a ele. — Não consigo reaver as terras de meu dote agora que enviuvei. — Atrapalho-me diante de seu sorriso interessado. — Sou uma viúva agora. Não tenho do que viver.

— Viúva?

— Meu marido era Sir John Grey. Ele morreu em St. Albans — digo. É o mesmo que confessar sua traição e a danação de meus filhos. O rei reconhecerá o nome do comandante da cavalaria de seu inimigo. Mordo o lábio. — O pai deles cumpriu seu dever como o concebia, Vossa Graça. Foi leal ao homem que achava ser rei. Meus filhos são inocentes de tudo.

— Ele lhe deixou estes dois filhos? — O rei sorri para meus meninos.

— A melhor parte da minha fortuna — replico. — Este é Richard, e este é Thomas Grey.

Ele acena com a cabeça para os meninos, que o olham fixamente, como se ele fosse uma espécie de cavalo de raça: grande demais para afagarem, mas digno de admiração e reverência. Então ele se volta para mim.

— Estou com sede — diz ele. — Sua casa é perto daqui?

— Nós nos sentiríamos honrados... — Olho de relance para a guarda que o acompanha. Devem ser mais de cem homens. Ele dá um risinho.

— Eles podem prosseguir — decide. — Hastings! — O homem mais velho vira-se e espera. — Siga para Grafton. Eu os alcanço. Smollet pode ficar comigo, e Forbes também. Chegarei em mais ou menos uma hora.

Sir William Hastings me olha de cima a baixo, como se eu fosse um bonito pedaço de fita à venda. Dou-lhe, em resposta, um olhar duro, e ele tira o chapéu e faz uma mesura para mim, saúda o rei e ordena que a guarda siga adiante.

— Aonde está indo, senhor? — pergunta ele ao rei.

O rei-menino olha para mim.

— Estamos indo para a casa do meu pai, o senhor de Rivers, Sir Richard Woodville — respondo com orgulho, embora eu saiba que o rei reconhecerá o nome de um homem que gozava de grande prestígio na corte Lancaster, que combateu por eles e ao qual certa vez dirigiu palavras duras quando as famílias York e Lancaster já estavam com as armas em punho. Sabemos o suficiente um do outro, mas é uma cortesia comum esquecer que fomos leais a Henrique VI, até esses o tornarem traidor.

Sir William ergue o sobrolho ao ouvir o lugar que o rei escolheu para parar.

— Então não creio que vá querer se demorar — diz ele de maneira desagradável, e segue seu caminho. O solo estremece quando passam, e permanecemos em um silêncio confortável enquanto a poeira se assenta.

— Meu pai foi perdoado e teve seu título restaurado — explico, defensivamente. — Vossa Graça mesmo o perdoou, depois de Towton.

— Lembro-me de seu pai e de sua mãe — replica o rei, equânime. — Eu os conheço desde que era menino, estive com eles em bons e maus tempos. Só estou surpreso por nunca terem me apresentado à senhora.

Tenho de reprimir o riso. Esse é um rei famoso pela sedução. Ninguém com algum juízo deixaria sua filha conhecê-lo.

— Gostaria de me acompanhar? — pergunto. — É uma curta caminhada até a casa de meu pai.

— Querem uma carona, meninos? — indaga ele. Os dois levantam a cabeça como patinhos, implorando. — Podem montar, os dois — diz. Ele ergue Richard e o coloca sobre o cavalo, depois faz o mesmo com Thomas, na sela. — Agora segurem firme. Você no seu irmão, e você... Thomas, não é? Você segura na maçaneta. — Enrola as rédeas em um braço e me oferece o outro, e assim caminhamos em direção a minha casa, pela floresta, à sombra das árvores. Sinto o calor de seu braço através do tecido da manga de sua camisa. Tenho de me controlar para não me inclinar sobre ele. Olho para a frente, para a casa, para a janela de minha mãe, e percebo, pelo ligeiro movimento por trás da vidraça, que ela esteve observando e torcendo para que isso acontecesse.

Ela está na porta da frente quando nos aproximamos, o cavalariço da casa ao seu lado. Faz uma reverência profunda.

— Vossa Graça — diz ela cortesmente, como se o rei a visitasse todos os dias. — É muito bem-vindo a Grafton Manor.

O cavalariço vem correndo e pega as rédeas do cavalo para conduzi-lo ao estábulo. Meus filhos seguram firme na sela ao longo dos últimos metros restantes, enquanto minha mãe recua e faz uma reverência ao rei no hall.

— Aceita um copo de cerveja? — pergunta ela. — Ou temos um vinho muito bom produzido por meus primos na Borgonha.

— Vou aceitar a cerveja, obrigado — replica ele gentilmente. — Cavalgar me dá sede. Está quente para primavera. Bom dia para a senhora, Lady Rivers.

A mesa alta no salão está posta com os melhores copos e uma jarra de cerveja, assim como vinho.

— Está esperando alguém? — pergunta o rei.

Ela sorri.

— Nenhum homem no mundo deixaria de parar para a minha filha — retruca ela. — Quando ela me disse que queria lhe expor seu caso pessoalmente, eu os fiz tirarem nossa melhor cerveja. Supus que Vossa Graça pararia.

Ele ri do orgulho de minha mãe e se vira para mim.

— Realmente, só um cego passaria sem vê-la.

Quando vou fazer um breve comentário, acontece de novo. Nossos olhares se encontram e não me ocorre nada a lhe dizer. Simplesmente ficamos ali, fitando-nos por um longo momento, até minha mãe lhe passar um copo e dizer:

— Saúde, Vossa Graça.

Ele sacode a cabeça, como se tivesse sido despertado.

— E seu pai está? — pergunta ele.

— Sir Richard foi visitar nossos vizinhos. Nós o esperamos de volta na hora do jantar.

Minha mãe pega um copo limpo, ergue-o contra a luz e solta um gemido de contrariedade, como se tivesse encontrado alguma falha nele.

— Com licença — diz ela, e sai. O rei e eu ficamos a sós no salão. A luz do sol atravessava a grande janela atrás da mesa comprida e a casa estava em silêncio, como se todos suspendessem a respiração para escutar algo atenciosamente.

Ele vai para trás da mesa e se senta na cadeira principal.

— Por favor, sente-se. — O rei indica a cadeira ao seu lado. Sento-me como se fosse a sua rainha, no seu lado direito, e ele me serve um pouco de cerveja. — Vou examinar a sua reivindicação das suas terras. Quer ter a sua própria casa? Não é feliz vivendo aqui, com sua mãe e seu pai?

— Eles são bons comigo — respondo. — Mas estou acostumada a ter a minha própria casa e a administrar minhas terras. E meus filhos ficarão sem nada se eu não reclamar as terras do pai deles. É a herança deles. Tenho de defender meus filhos.

— Estes têm sido tempos difíceis. Mas se eu conseguir me manter no trono, vou providenciar para que a lei da terra vigore em todo o país mais uma vez, de uma costa a outra da Inglaterra, e seus filhos crescerão sem temer as guerras.

Confirmo com um sinal de cabeça.

— A senhora é leal ao rei Henrique? — pergunta. — Segue a sua família como lancastrianos leais?

Nossa história não pode ser negada. Sei que houve uma disputa furiosa em Calais entre este rei, na época nada mais do que um jovem filho de York, e meu pai, então um dos eminentes lordes lancastrianos. Minha mãe foi a primeira dama de honra na corte de Margarida de Anjou. Ela deve ter cuidado do belo e jovem filho da Casa de York dezenas de vezes. Mas quem poderia imaginar que o mundo viraria de cabeça para baixo e que a filha do senhor de Rivers teria de suplicar a esse mesmo garoto que suas terras lhe fossem restauradas?

— Minha mãe e meu pai eram importantes na corte do rei Henrique, mas a minha família e eu aceitamos o seu governo agora — replico rapidamente.

Ele sorri.

— Uma atitude sensata de vocês, uma vez que eu venci — diz. — Aceito a sua deferência.

Dou um sorriso e, no mesmo instante, seu rosto se enternece.

— Deve acabar logo, se Deus quiser — continua. — Henrique não tem nada além de um punhado de castelos nas terras sem lei do norte. Ele pode reunir bandidos, como qualquer outro proscrito, mas não pode levantar um exército decente. E sua rainha não pode mais continuar trazendo os inimigos do país para combater seu próprio povo.

Aqueles que lutam por mim serão recompensados, porém, mesmo os que lutaram contra mim verão que posso ser justo na vitória. Meu governo se estenderá ao norte da Inglaterra, mesmo às suas fortalezas, até a fronteira com a Escócia.

— Vai para o norte agora? — pergunto. Bebo um gole da cerveja. É a melhor já feita por minha mãe, mas tem um gosto forte. Ela deve ter pingado uma tintura, um filtro do amor, alguma coisa para fazer o desejo crescer. Não preciso de nada disso. Já estou sem ar.

— Precisamos de paz. Paz com a França, com os escoceses, paz entre irmãos, entre primos. Henrique deve se render, sua mulher tem que parar de trazer soldados franceses para lutar contra ingleses. Não devemos mais ficar divididos, York contra Lancaster: somos todos ingleses. Não há nada que afunde mais um país do que seu próprio povo lutando entre si. Destrói famílias, nos mata diariamente. Isso tem que acabar, e eu porei fim a essa situação. Ainda este ano.

Sinto o medo terrível que o povo deste país experimenta há quase uma década.

— Haverá outra batalha?

Ele sorri.

— Tentarei afastá-la da sua porta, milady. Mas tem de acontecer, e logo. Perdoei o duque de Somerset e lhe ofereci a minha amizade, mas agora ele fugiu para o lado de Henrique, mais uma vez, um vira-casaca lancastriano, desleal como todos os Beaufort. Os Percy estão liderando levantes no norte contra mim. Eles odeiam os Neville, meus maiores aliados. Agora é como uma dança: os dançarinos estão em seus lugares, têm de dar os primeiros passos. Haverá a batalha, não pode ser evitada.

— O exército da rainha passará por aqui? — Apesar de minha mãe amá-la e de ter sido a primeira de suas damas de honra, tenho de admitir que seu exército é uma força de absoluto terror. Mercenários que não se importam nem um pouco com o país, franceses que nos odeiam, e homens selvagens do norte da Inglaterra que acham nossos campos férteis e cidades prósperas bons somente para serem saqueados. Na última vez, ela trouxe escoceses para a batalha com a promessa de que poderiam ficar com tudo que roubassem como pagamento. Foi o mesmo que contratar lobos.

— Eu vou detê-los — responde ele simplesmente. — Vou encontrá-los no norte da Inglaterra e os derrotarei.

— Como pode ter tanta certeza?

Ele me lança um amplo sorriso, e prendo a respiração.

— Porque nunca perdi uma batalha. Nunca perderei. Sou ágil no campo, sou hábil. Sou corajoso e tenho sorte. Meu exército move-se mais rápido do que qualquer outro. Eu os faço marchar velozmente, e completamente armados. Antecipo o movimento inimigo, supero-o. Não perco batalhas. Tenho sorte na guerra e tenho sorte no amor. Nunca perdi em nenhum dos dois. Não perderei a luta contra Margarida de Anjou. Eu vencerei.

Rio da sua confiança, como se não estivesse impressionada, mas, na verdade, ele me encanta.

O rei termina o copo de cerveja e se levanta.

— Obrigado por sua gentileza — diz ele.

— O senhor já está indo embora? Já vai? — gaguejo.

— Vai anotar para mim os detalhes de sua reivindicação?

— Sim. Mas...

— Nomes, datas, e tudo mais? A terra que diz ser sua e os detalhes de sua posse?

Quase agarro a manga de sua camisa para que fique comigo, como uma pedinte.

— Sim, mas...

— Então, me despeço.

Não há nada que eu possa fazer para detê-lo, a menos que minha mãe tenha pensado em tornar seu cavalo coxo.

— Sim, Vossa Graça, e obrigada. Mas é bem-vindo se ficar. Vamos jantar logo... ou...

— Não, tenho de ir. Meu amigo William Hastings está me esperando.

— É claro, é claro. Não quero atrasá-lo...

Acompanho-o até a porta. Estou agoniada com sua partida tão súbita, mas não consigo pensar em nada que o faça ficar. Na soleira, ele se vira e pega minha mão. Baixa sua cabeça loura e, deliciosamente, beija minha palma, dobrando meus dedos como que para guardar o beijo. Quando ergue a cabeça, sorrindo, percebo que ele sabe perfeitamente que esse gesto me derreteu, e que manterei a mão fechada até ir para a cama, quando levarei seu beijo aos meus lábios.

Ele olha para o meu rosto extasiado, para a minha mão que se estende, contra a minha vontade, para tocar na manga de sua camisa. Então ele cede:

— Virei buscar amanhã, pessoalmente, o documento que a senhora vai preparar — diz. — É claro. Achou que não? Como pôde? Achou que eu poderia ir para longe da senhora, e não voltar? É claro que vou voltar. Amanhã ao meio-dia. Eu a verei então?

Ele deve ter ouvido a minha respiração forte. Um rubor toma conta do meu rosto, e minhas bochechas ardem.

— Sim — gaguejo. — A... amanhã.

— Ao meio-dia. E ficarei para jantar, se me permitirem.

— Nós nos sentiremos honrados.

Ele faz uma mesura, vira-se e atravessa as portas duplas, saindo para o sol brilhante. Ponho as mãos para trás e me apoio na grande porta de madeira. Na verdade, meus joelhos estão fracos demais para me sustentarem.

— Ele foi embora? — pergunta minha mãe, entrando silenciosamente pela pequena porta lateral.

— Vai voltar amanhã — digo. — Ele vai voltar amanhã. Ele voltará para me ver amanhã.

~

Quando o sol se põe e meus filhos estão fazendo suas orações noturnas ao pé de suas camas de madeira, as cabeças louras apoiadas nas mãos unidas, minha mãe segue para a porta da frente da casa, sai e desce o caminho sinuoso até a ponte, algumas pranchas de madeira que se estendem acima do rio Tove. Ela a atravessa, seu toucado em forma de cone roçando nas árvores que se projetam, e faz sinal para que eu a acompanhe. No outro lado, ela põe a mão em um grande freixo, e percebo um fio escuro de seda enrolado ao redor do tronco grosso, áspero e granulado.

— O que é isto?

— Puxe. — É tudo o que diz. — Puxe, mais ou menos 30 centímetros, todos os dias.

Seguro a linha e movo-a com delicadeza. Ela cede facilmente. Há alguma coisa leve e pequena amarrada na outra ponta onde o fio se mistura aos juncos e à água funda na margem oposta. Não consigo ver o que é.

— Magia — digo sem rodeios. Meu pai baniu essas práticas em casa: a lei as proíbe. A comprovação de bruxaria leva à morte por afogamento, na qual o réu é amarrado num banco e imerso no rio, ou estrangulamento pelo ferreiro na encruzilhada da aldeia. Mulheres como minha mãe não têm permissão para usar suas habilidades na Inglaterra de hoje. Somos consideradas proibidas.

— Magia — concorda ela, imperturbável. — Magia poderosa, por uma boa causa. Vale o risco. Venha todos os dias e a puxe, 30 centímetros de cada vez.

— O que vai aparecer na ponta dessa sua linha de pesca? — pergunto.
— Que grande peixe pescarei?

Ela sorri para mim e acaricia minha face.

— O desejo do seu coração — diz ela suavemente. — Não a criei para ser uma pobre viúva.

Vira-se e volta a atravessar a ponte. Eu puxo o fio como ela mandou, 30 centímetros, amarro-o de novo e sigo-a.

— Então, para que me criou? — pergunto, enquanto andamos, uma do lado da outra, para casa. — O que vou ser em seu grande plano? Em um mundo em guerra, pelo que parece, apesar de sua presciência e magia, estamos empacados no lado perdedor.

A lua nova está nascendo, com o formato de uma pequena foice. Sem falarmos nada, nós duas fazemos um pedido e uma mesura, e ouço o tinido quando revolvemos as pequenas moedas em nossos bolsos.

— Criei você para ser o melhor que puder — retruca ela simplesmente.

— Não sabia o que seria, e continuo sem saber. Mas não a criei para ser uma mulher solitária, que sente a falta do marido, que luta pela segurança dos filhos. Uma mulher sozinha em uma cama fria, desperdiçando sua beleza em terras ermas.

— Amém — replico, meus olhos fixos na foice fina. — Assim seja. Que a lua me traga algo melhor.

~

No dia seguinte, ao meio-dia, estou em meus aposentos privativos quando a criada chega apressada para dizer que o rei está descendo a estrada na direção da nossa propriedade. Não vou correndo à janela para vê-lo, não corro para o espelho de moldura de prata no quarto de minha mãe. Deixo minha costura de lado e desço a grande escada de madeira, de modo que, quando a porta se abre e ele entra no hall, estou serena, como se tivesse sido afastada de minhas tarefas domésticas para receber um hóspede de surpresa.

Vou até ele com um sorriso e ele me saúda com um beijo cortês na bochecha. Sinto o calor de sua pele e vejo, por meus olhos entreabertos, a maciez do cabelo que ondula em sua nuca. Seu cabelo tem o cheiro sutil de especiarias, e a pele de seu pescoço está limpa. Quando me olha, percebo o desejo em seu rosto. Ele solta minha mão bem devagar, eu recuo com relutância. Faço uma mesura, enquanto meu pai e meus dois irmãos mais velhos, Anthony e John, avançam para também fazerem uma reverência.

A conversa durante o jantar é formal como deve ser. Minha família é respeitosa com esse novo rei da Inglaterra, mas não negamos que apostamos nossas vidas e toda a nossa fortuna na batalha contra ele. Meu marido não foi o único de nossa família e nossos amigos que não voltou para casa. Mas é isso o que acontece em um conflito que chamam de "Guerra dos Primos", no qual irmão luta contra irmão, e seus filhos os seguem até a morte. Meu pai foi perdoado, meus irmãos também, e agora o vencedor divide o pão com eles, como se quisesse esquecer que triunfou sobre eles em Calais, que meu pai se acovardou e fugiu de seu exército na neve manchada de sangue de Towton.

O rei Eduardo está à vontade. Ele é encantador com minha mãe e divertido com meus irmãos Anthony e John, e com Richard, Edward e Lionel quando estes se juntam a nós mais tarde. Três de minhas irmãs mais novas estão em casa e jantam em silêncio, os olhos arregalados de admiração, mas amedrontadas demais para dizer uma palavra sequer. A esposa de Anthony, Elizabeth, elegante e silenciosa, está sentada do lado de minha mãe. O rei é respeitador com meu pai e lhe pergunta sobre a caça e a terra, sobre o preço do trigo e a regularidade da mão de obra. Quando as frutas em conserva e os frios são servidos, ele está conversando como um amigo da família, e posso observá-lo de minha cadeira.

— E agora, os negócios — diz ele a meu pai. — Lady Elizabeth me disse que perdeu as terras a que tem direito como viúva.

Meu pai confirma.

— Lamento incomodá-lo com isso, mas tentamos argumentar com Lady Ferrers e lorde Warwick, e foi em vão. Foram confiscadas depois — ele pigarreia —, depois de St. Albans, entende. O marido de Elizabeth foi morto lá. E agora ela não consegue que devolvam as terras que lhe pertencem como viúva. Mesmo que considere seu marido um traidor, ela é inocente e deveria obter, pelo menos, a propriedade sobre a qual tem direito.

O rei vira-se para mim.

— Anotou seu título e a reivindicação da terra?

— Sim — respondo. Entrego-lhe o papel e ele o olha de relance.

— Falarei com Sir William Hastings e pedirei que isso seja providenciado — diz ele simplesmente. — Ele será o seu advogado.

Parece simples assim. Em um piscar de olhos me livrarei da pobreza e terei minha propriedade de volta, meus filhos terão uma herança e eu deixarei de ser um fardo para a minha família. Se alguém me pedir em casamento, levarei uma propriedade como dote. Não preciso mais de caridade. Não terei de ser grata a nenhum pretendente. Não precisarei agradecer a um homem por ter se casado comigo.

— É generoso, sire — diz meu pai, com descontração, e me faz um sinal com a cabeça.

Obedientemente, me levanto da cadeira e faço uma reverência profunda.

— Obrigada — eu digo. — Isso significa tudo para mim.

— Serei um rei justo — diz ele, olhando para o meu pai. — Não quero que nenhum inglês sofra com a minha subida ao trono.

Meu pai faz um esforço visível para silenciar sua resposta de que alguns de nós já sofreram.

— Mais vinho? — Minha mãe interrompe-o rapidamente. — Vossa Graça? Meu marido?

— Não, tenho de ir — replica o rei. — Estamos reunindo soldados por toda a região de Northamptonshire e armando-os. — Ele afasta a cadeira e nós todos, meu pai, meus irmãos, minha mãe, minhas irmãs e eu, nos levantamos como marionetes e ficamos de pé ao mesmo tempo. — Poderia me mostrar o jardim antes de eu partir, Lady Elizabeth?

— Eu me sentiria honrada — replico.

Meu pai abre a boca para oferecer sua companhia, mas minha mãe interfere imediatamente:

— Sim, mostre a ele, Elizabeth. — Nós dois escapulimos da sala sozinhos.

O clima está quente como no verão quando saímos da escuridão do hall, e ele me oferece seu braço. Descemos os degraus para o jardim, de braços dados, em silêncio. Enquanto caminhamos ao redor do pequeno jardim ornamentado, observamos as sebes aparadas, as pedras brancas que se sobressaem. Mas eu não vejo nada. Ele puxa minha mão para um pouco mais perto e sinto o calor do seu corpo. As lavandas estão florescendo e sinto o perfume delas, doce como um botão de laranjeira, penetrante como o de limões.

— Tenho pouco tempo — diz ele. — Somerset e Percy estão reunindo tropas contra mim. O próprio Henrique sairia de seu castelo para liderar seu exército se estivesse em seu juízo perfeito, em condições de comandar.

Pobre coitado, disseram-me que está bem agora, mas que pode perder a razão de novo a qualquer momento. A rainha deve estar planejando o desembarque de um exército de franceses para apoiá-los, e teremos de enfrentar o poder da França em solo inglês.

— Rezarei por Vossa Graça — digo.

— A morte está próxima de nós todos — continua ele seriamente. — Mas é uma companheira constante de um rei que chegou à coroa pelo campo de batalha e que agora parte para lutar de novo.

Ele faz uma pausa e me detenho. Somente o canto de um único pássaro rompe o silêncio. Sua expressão é grave.

— Posso enviar um pajem para buscá-la hoje à noite? — pergunta ele em tom baixo. — Sinto um desejo pela senhora, Lady Elizabeth Grey, como nunca senti por nenhuma outra mulher. Virá até mim? Peço isso não como um rei, nem mesmo como um soldado que pode morrer em batalha, mas como um simples homem à mulher mais bela que ele já viu. Venha, imploro, venha me encontrar. Talvez seja o meu último desejo. Virá até mim hoje à noite?

— Perdoe-me, Vossa Graça, mas sou uma mulher honrada.

— Talvez nunca mais lhe peça isso. Só Deus sabe, talvez eu nunca mais esteja com uma mulher. Não pode haver desonra nisso. Na semana que vem, poderei estar morto.

— Ainda assim.

— Não se sente solitária? — pergunta ele. Seus lábios quase roçam minha testa, de tão próximo que ele está, sinto o calor de seu hálito em minha bochecha. — Não sente nada por mim? É capaz de dizer que não me quer? Apenas uma vez? Você me quer agora?

Ergo os olhos para o seu rosto o mais lentamente possível. Meu olhar demora-se em sua boca, antes de se dirigir para o rosto.

— Meu Deus, preciso tê-la — sussurra ele.

— Não posso ser sua amante — replico simplesmente. — Preferiria morrer a desonrar meu nome. Não posso causar essa vergonha à minha família. — Faço uma pausa. Não quero desencorajá-lo demais. — Independentemente do que eu sinta em meu coração — digo bem baixinho.

— Mas me deseja? — pergunta ele de maneira pueril, e deixo que perceba o rubor em meu rosto.

— Ah — replico. — Eu não deveria dizer...

Ele espera.

— Não deveria dizer o quanto.

Percebo o fulgor do triunfo, o qual o rei reprime prontamente. Ele pensa que me terá.

— Então, virá?

— Não.

— Devo ir embora? Devo deixá-la? Não poderia... — Inclina a cabeça na minha direção e eu ergo o rosto. Seu beijo é delicado como o roçar de uma pluma em minha boca macia. Meus lábios se separam ligeiramente e o sinto estremecer como um cavalo seguro por rédeas apertadas. — Lady Elizabeth... juro que... preciso...

Recuo um passo, nessa dança deliciosa.

— Se eu pudesse... — digo.

— Virei amanhã — retruca ele abruptamente. — Ao anoitecer. Ao pôr do sol. Poderia se encontrar comigo onde a vi pela primeira vez? Sob o carvalho? Poderia me encontrar lá? Eu me despedirei antes de seguir para o norte. Tenho de vê-la novamente, Elizabeth. Nem que seja só para vê-la. Preciso.

Concordo com um movimento da cabeça, em silêncio, e o observo se virar e caminhar de volta para a casa. Vejo-o dar a volta e ir para o pátio das cavalariças e, momentos depois, seu cavalo estrondeia pela trilha, seus dois pajens esporeando os animais para conseguir acompanhá-lo. Ele fica fora de vista, e então atravesso a pequena ponte sobre o rio e procuro a linha ao redor do freixo. Concentrada, puxo-a 30 centímetros e a amarro. Depois, vou para casa.

∼

No dia seguinte, à hora do jantar, há uma espécie de conferência de família. O rei mandou uma carta para dizer que seu amigo William Hastings defenderá a reivindicação de minha casa e de minha terra em Bradgate, e posso ter certeza de que reaverei minha fortuna. Meu pai está satisfeito, mas meus irmãos — Anthony, John, Richard, Edward e Lionel — estão unidos pela desconfiança em relação ao rei. Todos eles são dotados do orgulho vigilante típico dos homens.

— Ele é um notório libertino. Pediu para se encontrar com ela; fatalmente a chamará para a corte — afirma John.

— Ele não vai devolver suas terras por caridade. Vai querer um pagamento — concorda Richard. — Não há uma mulher na corte com quem ele não tenha se deitado. Por que não conquistaria Elizabeth?

— Uma lancastriana — diz Edward, como se isso fosse o bastante para garantir nossa hostilidade, e Lionel balança a cabeça, concordando sabiamente.

— Um homem a quem é difícil não ceder — afirma Anthony, pensativamente. — Ele é muito mais experiente do que John, viajou por todo o mundo cristão, estudou com grandes pensadores e meus pais sempre o escutam. Acho, Elizabeth, que talvez se sinta comprometida. Temo que acredite que esteja lhe devendo um favor.

Encolho os ombros.

— De jeito nenhum. Não vou ter de volta nada que já não fosse meu. Pedi justiça ao rei e a recebi como devia, como qualquer suplicante receberia, com o direito ao seu lado.

— Não obstante, se ele mandar chamá-la, você não irá à corte — diz meu pai. — Esse é um homem que conquistou metade das esposas de Londres e agora está se insinuando para as mulheres lancastrianas também. Não é um homem santo como o abençoado rei Henrique.

Nem é tolo como o abençoado rei Henrique, penso, mas em voz alta, digo:

— É claro, meu pai, como ordenar.

Ele me olha seriamente, desconfiado dessa obediência sem qualquer resistência.

— Não acha que lhe deve um favor, acha? Um sorriso, ou ainda pior?

Encolho os ombros.

— Pedi-lhe a justiça de um rei, não um favor — replico. — Não sou um criado cujo serviço pode ser comprado ou um camponês que se torna um vassalo. Sou uma mulher de boa família. Tenho minhas próprias lealdades e obrigações, que respeito e honro. Não são as dele. Não estão à disposição de qualquer homem.

Minha mãe baixa a cabeça para ocultar seu sorriso. Ela é uma filha de Borgonha, descendente de Melusina, a deusa da água. Nunca se sentiu obrigada a fazer nada em sua vida, e nunca acharia que a sua filha fosse obrigada a fazer qualquer coisa.

Meu pai olha de relance para ela e para mim e dá de ombros, como se admitisse a independência inveterada de mulheres voluntariosas. Faz um movimento com a cabeça para o meu irmão John e diz:

— Estou indo à Old Stratford. Pode vir comigo? — E os dois saem juntos.

— Quer ir para a corte? Você o admira, apesar de tudo? — pergunta Anthony em tom baixo, quando meus irmãos saem da sala.

— Ele é rei da Inglaterra — replico. — É claro que irei, se ele me convidar. O que mais eu faria?

— Recusaria porque papai acabou de dizer que não vai e porque eu a aconselho a não ir.

Dou de ombros.

— Eu ouvi.

— De que outra maneira uma pobre viúva sobreviveria em um mundo perverso? — provoca.

— É verdade.

— Seria uma tola se se vendesse por tão pouco — alerta.

Olho para ele de soslaio.

— Não estou me colocando à venda, de maneira nenhuma. Não sou um tecido. Não sou um pernil. Não estou à venda para ninguém.

Ao pôr do sol, eu o espero sob o carvalho, oculta nas sombras esverdeadas. Fico aliviada ao ouvir o som de apenas um cavalo na estrada. Se ele tivesse vindo com uma guarda, eu teria voltado furtivamente para casa, pois temeria por minha própria segurança. Por mais gentil que ele tenha sido nos jardins de meu pai, não me esqueço de que ele é o rei do exército york, cujos soldados normalmente violentam mulheres e assassinam seus maridos. Ele deve ter se tornado mais cruel ao ver situações que ninguém testemunharia, deve ter cometido os pecados mais sinistros. Não posso confiar nele. Por mais que seu sorriso faça meu coração parar, por mais francos que sejam seus olhos, por mais que eu pense nele como um garoto lançado à grandeza por sua própria ambição, não posso confiar nele. Estes não são tempos de cortesia, não são tempos de cavaleiros vagando pela floresta escura e belas mulheres em fontes iluminadas pelo luar, de promessas de amor que serão para sempre lembradas em canções.

Mas ele parece um cavaleiro em uma floresta escura quando para seu cavalo e salta da sela, em um movimento natural.

— A senhora veio! — exclama ele.

— Não posso me demorar.

— Estou tão feliz por ter vindo. — Ri de si mesmo, quase desconcertado. — Passei o dia parecendo um menino, não consegui dormir a noite passada pensando na senhora, e passei o tempo todo me perguntando se viria, e a senhora veio!

O rei passa as rédeas de seu cavalo por um galho de árvore e desliza a mão ao redor de minha cintura.

— Minha doce senhora — diz ele em meu ouvido. — Seja boa para mim. Pode tirar o toucado e soltar o cabelo?

É a última coisa que achei que me pediria e fico tão surpresa que consinto no mesmo instante. Minha mão vai imediatamente à minha cabeça.

— Eu sei, eu sei, a senhora está me deixando louco. Passei o dia todo pensando em se deixaria eu soltar o seu cabelo.

Em resposta, desato os laços do toucado em formato de cone e o tiro. Com cuidado, o coloco no chão e me viro para ele. Delicadamente, como uma dama de honra, ele põe a mão na minha cabeça e retira os grampos de marfim, colocando-os, um por um, no bolso do seu gibão. Sinto o beijo sedoso de meu cabelo basto caindo como uma cascata sobre o meu rosto. Sacudo a cabeça e a jogo para trás, como uma espessa crina dourada, e ouço-o suspirar de desejo.

Ele desata seu manto e o estende no solo a meus pés.

— Sente-se comigo! — ordena, embora queira dizer: "Deite-se comigo!" Nós dois sabemos disso.

Sento-me cautelosamente na beira de sua capa, meus joelhos dobrados, meus braços ao redor deles, meu belo vestido de seda drapejado à minha volta. Ele acaricia meu cabelo solto e seus dedos penetram cada vez mais fundo neles até que tocam o meu pescoço. Então, ele vira meu rosto para beijá-lo.

Delicadamente, deita-se sobre mim. Sinto sua mão puxando meu vestido, levantando-o, e coloco as duas mãos em seu peito gentilmente.

— Elizabeth — murmura ele.

— Eu disse que não — replico com firmeza afastando-o. — Falei sério.

— A senhora veio ao meu encontro!

— Porque me pediu. Agora posso ir?

— Não! Fique! Fique! Não fuja, juro que não vou... Deixe-me apenas beijá-la de novo.

Meu coração está batendo tão forte e estou tão desejosa de seu toque, que começo a pensar na possibilidade de me deitar com ele só uma vez, de me permitir esse prazer... Mas me afasto:

— Não. Não. Não.

— Sim — diz ele, com voz firme. — Nenhum mal vai lhe acontecer, juro. Poderá ir para a corte. O que quiser. Meu Deus, Elizabeth, deixe-me tê-la, estou louco pela senhora. Desde o momento em que a vi aqui...

Seu corpo pesa sobre mim, ele me pressiona para baixo. Viro o rosto, mas a sua boca está no meu pescoço, no meu peito. Arfo de desejo, e então sinto, inesperadamente, um arroubo de raiva ao perceber que ele não está mais me abraçando, e sim me forçando, me agarrando como seu eu fosse uma prostituta atrás de um monte de feno. Está levantando o meu vestido como se eu fosse uma meretriz, afastando meus joelhos, como se eu tivesse consentido, e meu humor tornou-se tão furioso que o empurro com força de novo, e sinto, em seu cinto grosso de couro, o cabo de seu punhal.

Ele levanta meu vestido e está tateando seu gibão, sua calça. Daqui a um instante será tarde demais para lamentar. Puxo sua adaga da bainha. Ao ruído do metal ele recua de joelhos, espantado. Contorço-me, me afasto dele e fico em pé em um pulo, com a lâmina refletindo os últimos raios do sol.

Ele se levanta em um instante, dando voltas, alerta, um guerreiro.

— Aponta a lâmina para o seu rei? — pergunta ele. — Sabe que isso é traição?

— Aponto a lâmina para mim mesma — replico rapidamente. Pressiono a ponta afiada contra a minha garganta e vejo seus olhos se estreitarem. — Juro que se der mais um passo, se se aproximar um pouquinho, cortarei minha garganta na sua frente e sangrarei até morrer aqui, no solo em que teria me desonrado.

— Está blefando!

— Não, isto não é um jogo para mim, Vossa Graça. Não posso ser sua amante. Eu o procurei pedindo justiça e vim por amor. Sou uma tola por ter feito isso, e peço perdão por minha insensatez. Mas eu também não consegui dormir, eu também não consegui pensar em mais nada que não em Vossa Graça, eu também não parei de me perguntar se viria. Mas ainda assim... ainda assim, o senhor não deveria...

— Posso tirar a faca da sua mão em um instante — ameaça.

— Esquece-se de que tenho cinco irmãos. Brinco com espadas e adagas desde que era criança. Cortarei minha garganta antes que me alcance.

— Nunca faria isso. Você tem a coragem de uma mulher.

— Experimente. Experimente. Não conhece a minha coragem. Pode vir a lamentar o que acontecer.

Ele hesita por um segundo, seu próprio coração batendo em um misto perigoso de raiva e luxúria, e então se controla, levanta a mão em um gesto de rendição e recua.

— A senhora venceu. E pode ficar com a adaga como espólio da vitória. Pegue... — Ele desata a bainha e a joga no chão. — Pegue a maldita bainha também, por que não?

As pedras preciosas e o ouro laqueado cintilam no lusco-fusco. Sem desviar o olhar, ajoelho-me e a pego.

— Vou acompanhá-la até sua casa — diz ele. — Eu a deixarei em segurança em sua porta.

— Não. Não posso ser vista com Vossa Graça. Ninguém sabe que nos encontramos. Eu estaria desonrada.

Por um momento, acho que ele vai argumentar, mas baixa a cabeça.

— Então vá na frente — replica ele. — Eu a seguirei com um pajem, como seu criado, até vê-la segura em seu portão. Pode festejar seu triunfo em me fazer segui-la como um cão. Como me trata como um bobo, eu a servirei como um bobo. Pode deleitar-se com isso.

Não há nada que possa ser dito diante de sua raiva, portanto, balanço a cabeça e me viro para andar na sua frente, como ele mandou. Caminhamos em silêncio. Ouço o farfalhar de seu manto atrás de mim. Quando chegamos à margem da floresta e podemos ver a casa, faço uma pausa e me viro para ele.

— Estarei segura a partir daqui — digo. — Peço que me perdoe por minha insensatez.

— Peço que me perdoe por minha força — retruca ele, inflexível. — Talvez eu esteja muito acostumado a conseguir tudo à minha maneira. Mas tenho de admitir que nunca fui rejeitado na ponta de uma faca. Minha própria faca, a propósito.

Viro-me e estendo-lhe o cabo.

— Aceita-a de volta, Vossa Graça?

Ele nega com a cabeça.

— Guarde-a, para se lembrar de mim. Será o meu único presente à senhora. Um presente de despedida.

— Não o verei de novo?

— Nunca mais — responde ele simplesmente. Faz uma ligeira reverência e se afasta.

— Vossa Graça! — chamo, e ele se vira e faz uma pausa. — Não quero me despedir com ressentimentos — digo, com a voz fraca. — Espero que me perdoe.

— A senhora me fez de bobo — retruca ele em tom gélido. — Pode se congratular por ser a primeira mulher a fazer isso. Mas será a última. E não me fará de bobo de novo.

Faço uma reverência profunda, ouço-o se virar, o farfalhar de sua capa batendo nos arbustos dos dois lados da trilha. Espero até não ouvi-lo mais, e então me levanto e vou para casa.

Como a mulher jovem que sou, uma parte de mim quer correr para dentro de casa, se jogar na cama e chorar até dormir. Mas não faço isso. Não sou uma de minhas irmãs que riem e choram com facilidade. Elas são garotas que apenas assistem aos acontecimentos e se afligem. Mas não me comporto como uma boba. Sou filha de uma deusa da água, uma mulher com água nas veias e poder em sua ascendência, que faz as coisas acontecerem, e ainda não fui derrotada. Não serei derrotada por um garoto com uma coroa conquistada recentemente, e nenhum homem nunca se afastará de mim certo de que nunca retornará.

Portanto não vou direto para casa. Sigo na direção da ponte sobre o rio, do freixo no qual a linha de minha mãe está amarrada, e puxo-a mais um pouco, amarrando-a bem. Só então volto para casa, absorta em pensamentos sob o fraco luar.

~

Então espero. Todo fim de tarde, durante 22 dias, vou até o rio e puxo a linha, como um pescador paciente. Um dia, sinto-a se prender, se retesar quando o objeto na sua ponta, seja ele o que for, se desembaraça dos juncos na margem da água. Puxo com cuidado, como se fisgasse um peixe, e sinto a linha se afrouxar. Ouço o som de algo pequeno, mas pesado, afundando ainda mais, deslizando na correnteza e se detendo entre os seixos no leito do rio.

Volto para casa. Minha mãe está me esperando à margem do lago das carpas, contemplando seu próprio reflexo invertido na água, prateado no ar cinzento do crepúsculo. Sua imagem parece a de um peixe prateado e comprido, ou a de uma mulher nadando. O céu atrás dela está riscado de nuvens, como plumas brancas sobre uma seda clara. A lua está nascendo, um quarto minguante. A água corre alta nessa noite, marulhando no pequeno píer. Quando me posiciono do seu lado e olho para a água, qualquer observador teria a impressão de que éramos espíritos surgidos do lago.

— Faz isso todas as noites? — pergunta ela. — Puxa a linha?

— Sim.

— Ótimo. Isso é muito bom. Ele lhe enviou algum sinal? Alguma palavra?

— Não espero nada. Ele disse que nunca mais me veria.

Ela dá um suspiro.

— Ah, bem.

Caminhamos de volta para casa.

— Dizem que ele está reunindo tropas em Northampton — diz. — O rei Henrique está concentrando suas forças em Northumberland e marchará para o sul, para Londres. A rainha irá ao seu encontro com o exército francês, que desembarcará em Hull. Se o rei Henrique vencer, então não terá importância o que Eduardo diz ou pensa, pois ele estará morto, e o rei legítimo será restaurado.

Minha mão se ergue para segurar a manga de seu vestido. Rápida como uma serpente que dá um bote, minha mãe agarra meus dedos.

— O que é isso? Não suporta ouvir sobre sua derrota?

— Não diga isso. Não diga isso.

— Não dizer o quê?

— Não suporto pensar nele derrotado. Não suporto pensar nele morto. Ele me pediu para deitar com ele como um soldado que vai enfrentar a morte.

Ela dá uma risada mordaz.

— É claro que sim. Que homem que está partindo para a guerra resiste à oportunidade de tirar o melhor proveito disso?

— Bem, eu recusei. E se ele não voltar, me arrependerei dessa recusa pelo resto da minha vida. Eu me arrependo agora. Eu me arrependerei eternamente.

— Por que se arrepender? — escarnece. — De qualquer maneira, sua terra será restaurada. Ou a terá de volta por ordem do rei Eduardo ou, se ele estiver morto, por ordem do rei Henrique. Ele é o nosso rei, da legítima Casa de Lancaster. Achei que desejávamos a sua vitória e a morte do usurpador Eduardo.

— Não diga isso — repito. — Não lhe deseje mal.

— Não importa o que eu digo, pare e pense — aconselha ela, asperamente. — Você é filha da Casa de Lancaster. Não pode se apaixonar pelo herdeiro da Casa de York, a menos que ele seja o rei vitorioso e você lucre de alguma maneira com esse amor. Estamos vivendo tempos difíceis. A morte é nossa companheira, é familiar. Não pode pensar que é capaz de mantê-la à distância. Vai perceber que ela está sempre do lado. Ela levou seu marido, preste atenção: levará seu pai, seus irmãos e seus filhos.

Estendo as duas mãos para calá-la.

— Cale-se, cale-se. Parece Melusina advertindo sua família da morte dos homens.

— Eu realmente a estou advertindo — diz ela, inflexível. — Você me transforma em uma Melusina quando fica por aí sorrindo como se a vida fosse fácil, achando que pode flertar com um usurpador. Você não nasceu em tempos tranquilos. Vai passar a sua vida em um país dividido. Terá de abrir seu próprio caminho em meio ao sangue, e conhecerá a perda.

— Não há nada de bom para mim? — pergunto, controlando minha irritação. — A senhora, como uma mãe amorosa, não prevê absolutamente nada de bom para a sua filha? Não há por que me amaldiçoar, pois já estou prestes a chorar.

Ela se silencia, e a expressão severa da vidente se dissolve na ternura da mãe que eu amo.

— Acho que o terá, se é isso o que quer.

— Mais do que a minha própria vida.

Ela ri de mim, mas sua expressão é amorosa.

— Ah, não diga isso, menina. Nada no mundo é mais importante do que a vida. Saiba que você tem uma longa estrada a percorrer e muitas lições a aprender.

Encolho os ombros, dou-lhe o braço e caminhamos de volta para casa.

— Quando a guerra acabar, independentemente de quem vencer, suas irmãs deverão ir para a corte — diz minha mãe. Ela está sempre fazendo planos. — Elas podem ficar com os Bourchier ou os Vaughn. Já deveriam ter ido há meses, mas não suportaria tê-las longe de casa com o país tão tumultuado, sem nunca saber o que acontecerá em seguida, sem conseguir notícias. Mas quando essa batalha terminar, talvez a vida volte a ser como era, só que sob o governo dos York, em vez dos Lancaster, e as meninas poderão ir para a casa de nossos primos para concluir sua educação.

— Sim.

— E o seu filho Thomas em breve terá idade para deixar a casa. Deverá viver com seus parentes, vai ter de aprender a ser um cavalheiro.

— Não — replico com uma veemência súbita que a faz se virar e olhar para mim.

— Qual é o problema?

— Vou manter meus filhos comigo — digo. — Os meninos não serão tirados de mim.

— Vão precisar de uma educação apropriada, devem servir na casa de um lorde. Seu pai vai encontrar alguém, os próprios padrinhos deles poderiam...

— Não — repito. — Não, mamãe, não. Não posso nem mesmo considerar a possibilidade. Eles não sairão de casa.

— Filha? — Ela vira meu rosto para a lua, de modo a me ver mais claramente. — Não é de seu feitio assumir um capricho repentino por nada. E toda mãe no mundo tem de deixar seus filhos saírem de casa e aprenderem a ser homens.

— Meus filhos não serão tirados de mim. — Percebo que minha voz treme. — Tenho medo... temo por eles. Nem mesmo sei por quê. Mas não posso deixar meus filhos sozinhos entre estranhos.

Ela põe seu braço afetuoso ao redor da minha cintura.

— Bem, isso é natural — diz ela, com ternura. — Perdeu seu marido, e quer seus filhos a salvo. Mas terão de partir um dia, sabe disso.

Não cedo à sua pressão delicada.

— É mais do que um capricho — digo. — Sinto mais...

— É um pressentimento? — pergunta ela, a voz bem baixa. — Sabe de alguma coisa que possa acontecer a eles? Você teve um pressentimento, Elizabeth?

Sacudo a cabeça, negando, e as lágrimas correm.

— Não sei, não sei. Não posso afirmar. Mas pensar neles se afastando de mim, sendo cuidados por estranhos, despertando à noite e percebendo que não estão sob o meu teto, acordando pela manhã e não ouvindo suas vozes, pensar neles em um quarto estranho, servidos por estranhos, sem poderem me ver... Não suporto isso. Não suporto nem mesmo essa ideia.

Minha mãe me abraça.

— Não fale nada. — Cale-se, não precisa pensar nisso. Falarei com seu pai. Eles não precisarão ir até você estar tranquila em relação a isso. — Ela pega a minha mão. — Ora, você está gelada — diz ela, surpresa. Toca no meu rosto com uma determinação repentina. — Não é um capricho quando se fica quente e fria ao mesmo tempo ao luar. É um pressentimento. Querida, você foi avisada do perigo que seus filhos correm.

Sacudo a cabeça.

— Não sei. Não posso ter certeza. Só sei que nunca ninguém deverá tirar meus filhos de mim. Nunca os deixarei partirem.

Ela assente com a cabeça:

— Muito bem. Você me convenceu, pelo menos. Viu que seus filhos estarão em perigo se forem tirados de você. Que seja. Não chore. Eles ficarão perto de você e nós os manteremos seguros.

~

Então, espero. Ele me disse claramente que eu nunca mais o veria, portanto espero em vão, sabendo muito bem que estou aguardando por nada. Mas, não sei por que, não consigo deixar de esperar. Sonho com ele — sonhos apaixonados, ardentes, que me despertam no meio da noite, contorcida no lençol, transpirando de desejo. Meu pai me pergunta por que não estou comendo. Anthony sacode a cabeça, com uma tristeza debochada.

Minha mãe me lança um olhar alerta e impaciente.

— Ela está bem. Ela vai comer — diz.

Minhas irmãs me perguntam em sussurros se estou sofrendo pelo belo rei, e respondo rispidamente:

— Não haveria muita razão para isso.

E espero.

Espero por mais sete noites e sete dias, como uma donzela de conto de fadas em uma torre, como Melusina se banhando na fonte na floresta, esperando que um cavaleiro cavalgue pelas trilhas inexploradas e a ame. Todo cair da tarde, puxo a linha mais um pouco, até que, no oitavo dia, ouço um ligeiro tinido de metal de encontro à pedra. Examino a água e vejo um lampejo dourado. Curvo-me para puxá-lo. É um anel de ouro, bonito e simples. Um de seus lados é reto, mas o outro está forjado em pontas, como as de uma coroa. Coloco-o na palma de minha mão, onde ele deixou seu beijo, e parece realmente uma coroa em miniatura. Ponho-o no dedo, na mão direita — não tento a má sorte colocando-o no dedo da mão esquerda, o da aliança de casamento — e ele se ajusta perfeitamente. Tiro-o, encolhendo os ombros, como se não fosse da qualidade do ouro forjado na Borgonha. Ponho-o em segurança no bolso e vou para casa.

E lá, sem qualquer aviso, há um cavalo à porta e um cavaleiro, um estandarte com a rosa branca de York desenrolando-se na brisa. Meu pai está na entrada lendo uma carta. Ouço-o dizer:

— Diga a Sua Graça que será uma honra. Estarei pronto depois de amanhã.

O homem faz uma mesura no alto do seu cavalo, me saúda casualmente, dá meia-volta e parte.

— O que houve? — pergunto, subindo os degraus.

— Uma convocação — responde meu pai, austeramente. — Todos iremos para a guerra de novo.

— Você não! — replico com medo. — Você não, pai. De novo não.

— Não. O rei ordena que eu forneça dez homens de Grafton e cinco de Stony Stratford. Todos equipados para marcharem sob seu comando contra o rei Lancaster. Vamos mudar de lado. Pelo que parece, o jantar que lhe oferecemos saiu caro.

— Quem vai liderá-los? — Temo que ele responda citando o nome de meus irmãos. — Nem Anthony nem John, certo?

— Vão servir sob o comando de Sir William Hastings — diz. — Ele vai colocá-los entre soldados treinados.

Hesito.

— O mensageiro disse mais alguma coisa?

— Trata-se de uma reunião de tropas — replica meu pai com irritação. — E não um convite para a celebração da primavera. É claro que ele não disse nada a não ser que passarão cedo, depois de amanhã, e que os homens deverão estar prontos para entrar em formação.

Vira-se e entra em casa, me deixando com o anel de ouro em forma de coroa, pontudo, no meu bolso.

Minha mãe sugere, no café da manhã, que eu, minhas irmãs e as duas primas que estão passando um tempo conosco talvez queiramos ver a passagem do exército e a partida de nossos homens para a guerra.

— Não entendo para quê — diz meu pai, contrariado. — Achei que já tinham visto homens demais partindo para a guerra.

— Parece bom demonstrarmos o nosso apoio — replica ela, calmamente. — Se Eduardo vencer, será melhor para nós que pense que mandamos os homens sem nos sentirmos pressionados. Se perder, ninguém vai se lembrar de que fomos vê-los partir, e poderemos negar.

— Eu os estou pagando, não estou? Eu os estou armando com o que tenho, não? As armas que me restaram da última vez que combati, por acaso contra ele. Eu os reuni e vou enviá-los, comprei botas para aqueles que não tinham. Pensei que estava demonstrando apoio!

— Então, devemos fazer isso de boa vontade — diz minha mãe.

Ele balança a cabeça; sempre cede à minha mãe nessas questões. Ela era uma duquesa, casada com o duque real de Bedford, quando meu pai era apenas o escudeiro de seu marido. Ela é filha do conde de Saint-Pol, da família real da Borgonha, e é uma dama da corte sem par.

— Gostaria que viesse conosco — prossegue ela. — E quem sabe não levamos algum ouro de nosso tesouro para Sua Graça?

— Ouro! Ouro! Para promover a guerra contra o rei Henrique? Agora somos yorkistas?

Ela espera até o seu ultraje se aplacar.

— Para mostrar a nossa lealdade — diz ela. — Se ele derrotar o rei Henrique e retornar vitorioso a Londres, então serão a sua corte e seus favores a fonte de riqueza e oportunidades para qualquer um. Será ele a distribuir terra e patronagem, a autorizar casamentos. E temos uma família grande, com muitas moças, Sir Richard.

Por um momento, todos permanecemos imóveis, com a cabeça baixa, esperando um dos acessos de fúria de meu pai. Mas então, contra a vontade, ele ri.

— Que Deus a abençoe, minha oradora fascinante. Tem razão, como sempre. Farei como diz, embora contrarie meus princípios, e pode mandar as moças usarem rosas brancas, se conseguirem algumas nesta época.

Ela se inclina e o beija no rosto.

— As rosas brancas estão em botão na cerca viva. O ideal seria que elas já tivessem florescido, mas ele vai perceber a nossa intenção, e é isso o que importa.

Evidentemente, durante o resto do dia, minhas irmãs e primas ficam frenéticas, experimentando roupas, lavando o cabelo, trocando fitas, ensaiando reverências. A esposa de Anthony, Elizabeth, e duas de nossas acompanhantes mais silenciosas dizem que não irão, mas todas as minhas irmãs estão fora de si de tanta animação. O rei e a maior parte dos lordes de sua corte vão passar por ali. Que oportunidade de causar uma boa impressão nos homens que serão os novos senhores do país! Se vencerem.

— O que vai usar? — pergunta Margaret, vendo-me indiferente ao frenesi.

— Vou usar meu vestido cinza e meu véu cinza.

— Não é a sua melhor roupa, é apenas a que veste aos domingos. Por que não usa o vestido azul?

Encolho os ombros.

— Vou porque é o desejo de minha mãe — digo. — Não acho que alguém vai prestar atenção em nós. — Tiro o vestido do armário e o sacudo. Tem o corte alongado e uma pequena cauda, e o uso com uma faixa cinza ao redor da cintura e dos quadris. Não digo nada a Margaret, mas sei que ele cai melhor do que o azul.

— Depois de o rei aceitar seu convite para vir jantar? — exclama ela.

— Por que ele não olharia para você? Ele olhou, e bastante, na primeira vez. Deve gostar de você... quer que a sua terra seja devolvida. Veio jantar. Caminhou no jardim com você. Por que não viria de novo? Por que não a favoreceria?

— Porque entre aquele dia e hoje eu tive o que queria, e ele não — replico com grosseria, largando o vestido. — E pelo que parece, ele não é um rei tão generoso quanto dizem as canções. O preço de sua generosidade foi alto, alto demais para mim.

— Ele quis você? — sussurra ela, horrorizada.

— Exatamente.

— Oh, meu Deus, Elizabeth. O que você disse? O que você fez?

— Eu disse não. Mas não foi fácil.

Ela fica deliciosamente escandalizada.

43

— Ele tentou forçá-la?

— Não muito, isso não importa — resmungo. — Eu não significo muita coisa para ele, além de uma garota na beira da estrada.

— Talvez não devesse ir amanhã — sugere ela. — Se ele a insultou... Pode dizer à mamãe que está doente. Eu direi a ela, se quiser.

— Ah, eu vou — replico, como se não fizesse diferença.

～

De manhã, não me sinto tão valente. Uma noite insone e um pedaço de pão e carne no café da manhã não contribuem para que eu tenha uma boa aparência. Estou pálida como mármore, e embora Margaret esfregue ocra vermelha em meus lábios, continuo a parecer cansada, uma beleza espectral. Ao lado de minhas irmãs e primas, vistosamente vestidas, eu me destaco em meu traje cinza, como uma noviça em um convento. Mas quando minha mãe me vê, balança a cabeça, satisfeita.

— Você parece uma lady — diz. — Não uma camponesa enfeitada com sua melhor roupa para ir a uma feira.

Suas palavras de reprovação não surtem efeito nas outras moças. Elas estão tão animadas por poderem ver a passagem dos lordes que não se importam a mínima de serem repreendidas por parecerem vistosas demais. Descemos juntas o caminho para Grafton e vemos à nossa frente, na beira da estrada, uma dúzia de homens dispersos, armados com lanças, um ou dois com bordões. Os recrutas de meu pai. Ele deu-lhes um distintivo com uma rosa branca e lembrou-lhes de que agora lutariam pela Casa de York. Antes eram soldados da infantaria dos Lancaster. Agora devem se lembrar de que são desertores. Evidentemente, eles são indiferentes a essa mudança. Lutam como lhes é ordenado por seu senhor; ele é o dono da terra, de seus campos, de suas casas, de quase tudo que veem ao redor. É dele o moinho onde moem o trigo; a cervejaria onde bebem lhe paga aluguel. Alguns deles nunca ultrapassaram os limites das terras que lhe pertencem. Não conseguem imaginar um mundo em que "escudeiro" não signifique simplesmente Sir Richard Woodville, ou seu filho, depois dele. Quando ele lutava pelos Lancaster, eles o seguiam. Depois Sir Richard recebeu o título de Rivers, mas seus homens continuaram fiéis a ele, e vice-versa. Agora ele os enviava para lutar pelos York, e farão o melhor que puderem, como sempre. Prometeram-lhes pagamento, e que suas viúvas e filhos serão assistidos caso morram em combate. É tudo o que precisam saber. Isso não os torna um exército inspirado, mas gritam uma aclamação dissonante a meu pai, tiram os chapéus com sorrisos reconhecidos às minhas irmãs e a mim, e suas mulheres e filhos fazem reverências diante de nós.

Há uma eclosão de trombetas e todos se viram na direção do barulho. A um passo regular, surgem as cores e os trombeteiros do rei, os arautos, os criados da Casa Real, e no meio de todos esse urros e flâmulas, ele.

Por um momento, acho que vou desmaiar, mas o braço de minha mãe está firme sob o meu, e não perco o equilíbrio. Ele levanta a mão em um sinal para se deterem, e a cavalaria para. Logo atrás dos primeiros cavalos e cavaleiros há uma longa comitiva de soldados armados. Atrás deles, outros novos recrutas, aparentemente tão encabulados quanto os nossos homens, e então um comboio de carroças com alimentos, suprimentos, armas, um grande canhão puxado por quatro cavalos de tiro resistentes, e na sua esteira, pôneis e mulheres, vivandeiros e vagabundos. É como se uma cidade pequena se deslocasse, implacável, para fazer o mal.

O rei Eduardo desmonta e vai até o meu pai, que lhe faz uma reverência profunda.

— Tudo o que pudemos reunir, Vossa Graça. Juraram lealdade a seu serviço — diz meu pai. — E isso é para ajudar a sua causa.

Minha mãe dá um passo à frente e oferece a bolsa com ouro. O rei Eduardo a aceita e, ao sentir o peso em sua mão, beija-a cordialmente nas duas bochechas.

— São generosos. Não me esquecerei de seu apoio.

Seu olhar volta-se para mim, para onde estou com minhas irmãs, e todas fazemos, juntas, uma reverência. Quando me levanto, ele ainda está me encarando, e há um momento em que todo o barulho do exército e dos cavalos cessa, e parece que estamos sós, apenas ele e eu, no mundo todo. Sem pensar, dou um passo em sua direção, depois outro, como se ele tivesse me chamado sem dizer uma palavra. Passo pelos meus pais e fico cara a cara com ele, tão perto que ele poderia me beijar, se quisesse.

— Não consigo dormir — diz ele, tão baixo que só eu o escuto. — Não consigo dormir. Não consigo dormir. Não consigo dormir.

— Nem eu.

— A senhora também não?

— Não.

— Verdade?

— Sim.

Ele dá um suspiro profundo, como se aliviado.

— Isso é amor?

— Acho que sim.

— Não consigo comer.

— Não.

— Não faço outra coisa a não ser pensar na senhora. Não posso continuar assim, não posso ir para a guerra desse jeito. Sinto-me tolo como um menino. Estou louco pela senhora. Não vou ficar sem a senhora. Independentemente do que me custar.

Sinto a cor tomar conta do meu rosto, quente, e pela primeira vez em dias, percebo que sorrio.

— Não penso em outra coisa que não seja Vossa Graça — sussurro. — Em nada mais. Achei que estava doente.

O anel em forma de coroa pesa no meu bolso, o toucado em minha cabeça puxa meu cabelo, mas fico ali em pé, inconsciente. Não vejo nada além dele, não sinto nada a não ser seu hálito quente em minha face e o cheiro do seu cavalo, o couro de sua sela, e o seu aroma: especiarias, água de rosas, suor.

— Estou louco pela senhora.

Sinto meus lábios se abrirem em um sorriso quando, finalmente, olho para o seu rosto.

— E eu por Vossa Graça — digo baixinho. — Sinceramente.

— Pois então, case-se comigo.

— O quê?

— Case-se comigo. Não há outra coisa a fazer.

Dou um sorriso nervoso.

— Está brincando comigo.

— Falo sério. Vou morrer se não tiver a senhora. Casa-se comigo?

— Sim — sussurro.

— Amanhã de manhã, virei cedo. Case-se comigo amanhã de manhã na sua pequena capela. Trarei meu capelão. A senhora trará as testemunhas. Escolha pessoas em quem confia. Terá de ser segredo, por enquanto. A senhora quer?

— Sim.

Pela primeira vez, ele sorri, um riso afetuoso que se espalha por seu rosto franco.

— Meu Deus, a minha vontade é tê-la em meus braços agora — diz ele.

— Amanhã — sussurro.

— Às 9 horas da manhã.

Ele vira-se para o meu pai.

— Aceita um refresco? — pergunta Sir Richard, desviando o olhar do meu rosto enrubescido para o rei sorridente.

— Não. Mas amanhã jantarei com vocês, se me permitirem — retruca o rei. — Estarei caçando na vizinhança, e espero ter um bom dia. — Faz uma mesura para minha mãe e para mim, saúda minhas irmãs e primas e monta em seu cavalo. — Entrem em formação — diz ele aos homens. — É uma marcha curta e por uma boa causa, e haverá jantar quando pararem. Sejam leais a mim e serei um bom senhor para vocês. Nunca perdi uma batalha, estarão seguros comigo. O espólio será generoso, e eu os trarei a salvo de volta para casa.

É a coisa certa a dizer-lhes. No mesmo instante parecem mais animados e se dirigem à retaguarda da formação. Minhas irmãs agitam os botões de rosas brancas, os corneteiros ressoam, e o exército avança de novo. Ele acena para mim, sem sorrir, e levanto a mão me despedindo.

— Amanhã — sussurro, enquanto ele parte.

~

Duvido dele, mesmo quando mando o pajem de minha mãe acordar cedo e ir à capela, preparado para cantar um salmo. Duvido dele, mesmo quando procuro minha mãe e conto que o rei da Inglaterra em pessoa disse que quer se casar comigo em segredo, e peço que ela seja a testemunha e que leve junto sua dama de companhia, Catherine. Duvido dele quando estou em meu melhor vestido, o azul, na manhã fria na pequena capela. Duvido dele no momento em que percorre, com passadas largas e rápidas, a curta passagem entre os bancos, até sentir seu braço ao redor de minha cintura e seu beijo em minha boca:

— Case-nos, padre. Estou com pressa. — Ouço-o dizer.

O garoto canta seu salmo, e o padre começa a cerimônia. Pronuncio os votos, Eduardo também. Na penumbra, percebo a expressão encantada de minha mãe e as cores do vitral na janela, que lançam um arco-íris no chão de pedra da capela, aos nossos pés.

— E a aliança? — pergunta o padre.

— Uma aliança! — replica o rei. — Sou um tolo! Esqueci! Não tenho uma aliança para a senhora. — Vira-se para a minha mãe: — Milady, pode me emprestar um anel?

— Ah, mas eu tenho uma — digo, quase surpresa comigo mesma. — Tenho uma aqui. — Tiro do bolso o anel que puxei tão devagar e tão pacientemente da água, o anel com o formato da coroa da Inglaterra que emergiu da água enfeitiçada para realizar o desejo do meu coração, e o próprio rei o põe no meu dedo da mão esquerda. Sou sua esposa.

E rainha da Inglaterra — ou de qualquer maneira, a rainha York da Inglaterra.

Seu braço está firme em volta da minha cintura enquanto o garoto canta o salmo. Então o rei se vira para a minha mãe e pergunta:

— Milady, aonde posso levar minha esposa?

Minha mãe sorri e lhe dá uma chave.

— Há uma cabana de caça à margem do rio. — Vira-se para mim. — River Lodge. Mandei que fosse preparada.

Ele, agradecendo, me puxa para fora da capela, me coloca sobre seu grande cavalo. Monta junto a mim e sinto seus braços apertados ao redor do meu corpo, quando segura as rédeas. Seguimos uma trilha à beira do rio, e quando me recosto nele, sinto as batidas de seu coração. Avistamos a pequena cabana em meio às árvores, e uma espiral de fumaça ascende da chaminé. Ele me ajuda a descer do cavalo e o conduz ao estábulo nos fundos da casa, enquanto eu abro a porta. É um lugar simples, com o fogo aceso na lareira, uma jarra de cerveja e dois copos sobre uma mesa de madeira, dois bancos colocados para comermos pão, queijo e carne, e uma cama de madeira comprida, coberta com os melhores lençóis de linho. A sala torna-se mais escura quando ele entra pela porta, baixando a cabeça sob as vigas.

— Vossa Graça... — começo, mas logo me corrijo. — Milorde, meu marido.

— Minha esposa — replica ele, com satisfação. — Para a cama.

~

O sol, que brilhava tanto nas vigas quanto no teto caiado quando fomos para a cama, torna o lugar dourado no fim da tarde.

— Graças à Nossa Senhora que está no Céu, seu pai me convidou para jantar. Estou com muita fome. Morrendo de fome. Deixe-me sair da cama, sua feiticeira.

— Ofereci-lhe pão e queijo há duas horas — saliento —, mas não deixou que eu desse três passos até a mesa para buscá-los.

— Eu estava ocupado — diz ele, e me puxa de volta para o seu ombro nu. Ao sentir seu cheiro e o toque de sua pele, sinto meu desejo crescer de novo e nos movemos juntos. Quando voltamos a nos deitar, o quarto está rosado pelo pôr do sol, e ele se levanta da cama.

— Tenho de me lavar — constata. — Posso lhe trazer uma jarra de água lá de fora?

Sua cabeça roça o teto, seu corpo é perfeito. Eu o examino com satisfação, como um mercador de cavalos examina um belo garanhão. É alto e magro, musculoso, seu peito é largo, seus ombros são fortes. Ele sorri para mim e meu coração transborda.

— Olha-me como se fosse me devorar.

— E devoraria — replico. — Não sei como saciar meu desejo por você. Acho que terei de mantê-lo prisioneiro aqui e comê-lo em pequenas fatias, um dia após o outro.

— Se eu a fizesse prisioneira, eu a devoraria de uma vez, vorazmente — dá um risinho. — Mas você não sairia, até estar esperando um bebê.

— Ah! — Um pensamento delicioso me ocorre. — Ah, eu lhe darei filhos varões, e eles serão príncipes.

— Você será a mãe do rei da Inglaterra, a mãe da Casa de York, que governará para sempre, se Deus quiser.

— Amém — replico, devotamente, e não sinto nenhuma ameaça, nenhum arrepio, nenhum desconforto. — Que Deus o mande de volta para mim são e salvo depois da batalha.

— Sempre venço — diz ele, com sua suprema confiança. — Fique tranquila, Elizabeth. Não vai me perder no campo de batalha.

— E serei rainha — repito. Pela primeira vez eu entendo que, se ele retornar da batalha e o rei legítimo, Henrique, for morto, então esse jovem será o incontestável rei da Inglaterra, e eu serei a mulher mais importante do país.

~

Depois do jantar, ele se despede do meu pai e parte para Northampton. Seu pajem foi às cavalariças, alimentou e deu de beber aos cavalos, e agora os tem prontos.

— Voltarei amanhã à noite — promete. — Tenho de cuidar de meus homens, formar meu exército, e estarei ocupado durante o dia todo. Mas voltarei ao cair da tarde.

— Vá para a cabana de caça — digo com um sussurro. — E lá terei um jantar preparado para você, como uma boa esposa.

— Amanhã, no fim da tarde — repete. Ele agradece a meu pai e minha mãe pela hospitalidade, acena com a cabeça quando fazem reverência e parte.

— Sua Graça é muito atencioso com você — observa meu pai. — Não deixe que vire a sua cabeça.

— Elizabeth é a mulher mais bela na Inglaterra — replica minha mãe, calmamente. — E ele gosta de um rosto bonito, mas ela sabe o seu dever.

E então, tenho de esperar de novo. Ao entardecer, jogo cartas com meus filhos, ouço-os pronunciarem suas orações e se aprontarem para dormir. Durante a noite toda, embora exausta e deliciosamente dolorida, não consigo dormir. No dia seguinte, ando e falo como se estivesse em um sonho, esperando a noite, até o momento em que a cabeça dele aparece pela porta. O rei entra no pequeno quarto, me toma em seus braços.

— Minha esposa, vamos para a cama.

Passam-se três noites nessa atmosfera de prazer, até a última manhã, quando ele diz:

— Tenho de ir, meu amor, eu a verei quando tudo tiver terminado. — É como se alguém jogasse água gelada no meu rosto. Respiro profundamente.:

— Vai para a guerra?

— Meu exército está formado, e meus espiões me disseram que Henrique recebeu ordem de sua mulher para ir ao seu encontro e de seus soldados na costa leste. Tenho de combatê-lo imediatamente e, depois, marchar para enfrentar a rainha assim que ela desembarcar.

Agarro sua camisa enquanto ele a veste.

— Partirá agora?

— Hoje. — Eduardo me afasta delicadamente, sem parar de se vestir.

— Não vou suportar ficar sem você.

— Não. Mas vai ter de conseguir. Preste atenção.

Esse é um homem diferente do jovem amante arrebatado das nossas três noites de lua de mel. Eu não pensava em mais nada a não ser no nosso prazer, mas ele fazia planos. É um rei defendendo seu reino. Espero para ouvir suas ordens.

— Se eu vencer, e vou vencer, virei buscá-la, e assim que pudermos, anunciaremos o nosso casamento. Muitos serão aqueles que não gostarão da notícia, mas está feito, e serão obrigados a aceitá-lo.

Confirmo com um movimento de cabeça. Sei que seu principal conselheiro, lorde Warwick, está planejando sua união com uma princesa francesa, e Warwick está acostumado a mandar em meu jovem marido.

— Se a sorte agir contra mim e eu for morto, não dirá nada sobre esse casamento e esses dias. — Levanta a mão para silenciar a minha objeção. — Nada. Não vai lucrar nada sendo a viúva de um impostor morto, cuja cabeça ficará exposta nos portões de York. Seria a sua ruína. Até onde se sabe, você é filha de uma família leal à Casa Lancaster. Deve permanecer assim. Vai se lembrar de mim em suas orações, espero. Mas será um segredo nosso e de Deus. E dois de nós se calarão, certamente, pois um é Deus, e o outro estará morto.

— Minha mãe sabe...

— Sua mãe sabe que a melhor maneira de mantê-la a salvo será silenciando seu pajem e sua dama de honra. Ela já está preparada para isso, ela entende, e lhe dei dinheiro.

Reprimo um soluço.

— Está bem.

— E gostaria que se casasse de novo. Que escolhesse um bom homem, que a amará e cuidará dos seus filhos, e que fosse feliz. Quero que seja feliz.

Baixo a cabeça, infeliz.

— Se estiver grávida, terá de deixar a Inglaterra — ordena. — Conte à sua mãe logo que souber. Falei com ela, e ela sabe o que fazer. O duque de Borgonha é senhor de toda Flandres, e lhe dará uma casa só para você, por ser parente de sua mãe e por amor a mim. Se tiver uma menina, pode esperar um pouco, ter o perdão de Henrique e retornar à Inglaterra. Se partir por um ano, será encantadoramente notória: os homens ficarão loucos por você. Será a bela viúva de um pretendente morto. Aproveite tudo isso, por mim, lhe peço. Mas se tiver um menino, a história será outra, completamente diferente. Meu filho será herdeiro do trono. Será o herdeiro York. Terá de mantê-lo a salvo. Terá de escondê-lo até ter idade bastante para reivindicar seus direitos. Ele pode viver sob um nome falso, com gente pobre. Não fique erroneamente orgulhosa. Esconda-o em lugar seguro até ter idade e estar forte o bastante para reivindicar a sua herança. Ricardo e George, meus irmãos, serão seus tios e guardiões. Pode confiar neles para proteger qualquer filho meu. Talvez Henrique e o filho morram jovens, e então, o seu filho será o único herdeiro da Inglaterra. Não levo em consideração a mulher Lancaster, Margaret Beaufort. Meu filho deverá subir ao trono. É o meu desejo que ele o conquiste, se puder, ou que Ricardo e George possam conquistá-lo para ele. Está entendendo? Tem de esconder o meu filho em Flandres e mantê-lo em segurança para mim. Ele poderá ser o próximo rei York.

— Sim — respondo simplesmente. Percebo que minha aflição e meu medo não são mais uma questão particular. Se concebemos uma criança nessas longas noites, ela não será apenas fruto de nosso amor, mas também herdeiro do trono, um pretendente, um novo jogador na longa rivalidade mortal entre as duas casas, de York e Lancaster.

— Isso é difícil para você — diz ele ao me ver tão pálida. — Minha intenção é que isso nunca aconteça. Mas lembre: caso tenha que proteger nosso filho, o seu refúgio é em Flandres. Sua mãe tem o dinheiro e sabe aonde ir.

— Vou me lembrar disso — replico. — Volte para mim.

Ele ri. Não é forçado, é o riso de um homem feliz, confiante em sua sorte e em sua capacidade.

— Voltarei. Confie em mim. Casou-se com um homem que morrerá em sua própria cama, de preferência depois de ter feito amor com a mulher mais bela da Inglaterra.

Ele estende os braços e sinto o calor do seu abraço.

— Faça com que seja assim — digo. — E eu farei com que a mulher mais bela a seus olhos seja sempre eu.

Ele me beija, mas rapidamente, como se sua mente já estivesse em outro lugar, e se solta de minhas mãos. Ele se afasta de mim e, após um momento, abaixa a cabeça e sai pela porta. Vejo que seu pajem trouxe seu cavalo e está pronto para partir.

Corro para fora para me despedir. Ele já está montado; seu cavalo agitado é um alazão, grande, forte, potente. Arqueia o pescoço e tenta empinar, forçando a rédea apertada por Eduardo. O rei da Inglaterra eleva-se contra o céu em seu imponente cavalo de batalha e, por um instante, eu também acredito que ele seja invencível.

— Deus o proteja, boa sorte! — grito, e ele me saúda, dá meia-volta. O legítimo rei da Inglaterra parte para combater o outro rei, igualmente legítimo.

Fico com a mão levantada, acenando, até perder de vista o estandarte com a rosa branca de York, que é transportado à frente do rei, até não ouvir mais o ruído dos cascos de seu cavalo, até ele ter desaparecido. E então, para meu horror, meu irmão Anthony, que viu tudo, que estava vigiando não sei por quanto tempo, surge da sombra da árvore e vem na minha direção.

— Prostituta — diz.

Olho pasma para ele, como se não entendesse o significado da palavra.

— O quê?

— Prostituta. Envergonhou a nossa casa, o seu nome e o nome de seu pobre marido que morreu lutando contra o usurpador. Que Deus a perdoe, Elizabeth. Vou contar a meu pai agora mesmo, e ele a colocará em um convento, se não estrangulá-la antes.

— Não! — Avanço e seguro seu braço, mas ele se solta.

— Não me toque, sua puta. Acha que quero suas mãos em mim, depois que se entregou a ele?

— Anthony, não é o que está pensando!

— Meus olhos me enganaram? — continua ele com brutalidade. — É um feitiço? Você é Melusina? Uma bela deusa se banhando na floresta e ele, que acabou de partir, era um cavaleiro que jurou servi-la? É Camelot? Um amor honrado? É poesia e não sordidez?

— É honrado! — replico impulsivamente.

— Você não conhece o significado dessa palavra. Você é uma prostituta, e ele a passará para Sir William Hastings quando voltar, como faz com todas as suas putas.

— Ele me ama!

— Como ele diz para todas elas.

— Ele me ama. Ele vai voltar para mim...

— Como ele sempre promete.

Furiosa, estendo o punho esquerdo para ele, que recua, esperando um murro. Então, percebe o brilho do ouro no meu dedo e ri.

— Ele lhe deu isto? Um anel? Devo ficar impressionado com uma prenda de amor?

— Não é uma prenda de amor, é uma aliança de casamento. Uma aliança dada no nosso casamento. Nós nos casamos. — Dou a notícia me sentindo triunfante, mas fico desapontada na mesma hora.

— Meu Deus, ele a enganou — diz Anthony, angustiado. Segura-me em seus braços e põe minha cabeça contra seu peito. — Minha pobre irmã, minha pobre tola.

Debato-me e me afasto.

— Largue-me, não sou nenhuma boba. O que está dizendo?

Ele me olha com tristeza, mas sua boca se contorce em um sorriso amargo.

— Deixe-me adivinhar. Foi um casamento secreto, em uma capela privada? Nenhum de seus amigos ou cortesãos compareceu? Lorde Warwick não foi informado? É para ser mantido em segredo? Tem de negá-lo, se perguntarem?

— Sim. Mas...

— Você não está casada, Elizabeth. Foi enganada. Foi uma cerimônia simulada que não tem nenhum peso aos olhos de Deus ou dos homens. Ele enganou-a com uma aliança sem valor e um padre falso, para poder levá-la para a cama.

— Não.

— Esse é o homem que espera ser rei da Inglaterra. Ele tem de se casar com uma princesa. Não se casaria com uma viúva miserável partidária de seu inimigo, que foi para a estrada suplicar que ele restaurasse seu dote. Se chegar a se casar com uma inglesa, será uma das damas importantes da corte Lancaster, provavelmente a filha de Warwick, Isabel. Não se casaria com uma garota cujo pai lutou contra ele. É mais provável que se case com uma princesa da Europa, uma infanta da Espanha ou uma delfina da França. Ele tem de se casar de modo a ocupar o trono com mais segurança, a formar alianças. Não se casaria com um rosto bonito por amor. Lorde Warwick jamais permitiria. E ele não é tão tolo a ponto de ir contra seus próprios interesses.

— Ele não tem de fazer o que lorde Warwick quer! Ele é o rei.

— Ele é a marionete de Warwick — replica meu irmão, inflexível. — Lorde Warwick decidiu apoiá-lo, assim como o pai dele apoiou o pai de Eduardo. Sem Warwick, nem seu amante nem o pai dele teriam sido capazes de reivindicar o trono. Warwick é o grande poder político, e ele transformou seu amante em rei da Inglaterra. Pode ter certeza de que ele também escolherá a rainha. É ele quem vai decidir com quem Eduardo se casará, e Eduardo a aceitará.

Silencio-me, atordoada.

— Não fará isso. Não pode. Eduardo casou-se comigo.

— Uma brincadeira, uma farsa, nada mais.

— Não. Houve testemunhas.

— Quem?

— Mamãe foi uma delas.

— Nossa mãe?

— Foi testemunha junto com Catherine, sua dama de honra.

— Papai sabe? Ele estava lá?

Balanço a cabeça, negando.

— Então, é isso — diz ele. — Quem são suas muitas testemunhas?

— Mamãe, Catherine, o padre e um pajem — respondo.

— Que padre?

— Um que não conheço. O rei o trouxe.

Ele dá de ombros.

— Talvez nem fosse um padre realmente. É mais provável que fosse algum bobo da corte ou ator. Mesmo que tenha sido um sacerdote ordenado, o rei pode negar que o casamento foi válido, e será a palavra de três mulheres e um menino contra a do rei da Inglaterra. É muito fácil mandar prender as três sob uma acusação forjada. Ficariam detidas por mais ou menos um ano, até ele estar casado com a princesa que escolher. Ele fez você e mamãe de bobas.

— Juro que ele me ama.

— Talvez ame — admite. — Assim como talvez ame cada mulher com que se deitou, e são centenas. Mas quando a batalha terminar, ele voltar para casa e se deparar com outra garota bonita na beira da estrada? Vai esquecê-la em uma semana.

Passo a mão na minha bochecha e percebo que está molhada de lágrimas.

— Vou contar à mamãe o que você disse — falo sem convicção. É uma ameaça infantil, que eu fazia quando criança e que nunca o assustou.

— Vamos os dois falar com ela. Não ficará nada feliz ao se dar conta de que foi enganada ao incentivar a filha à desonra.

Andamos em silêncio pela floresta, atravessamos a ponte. Quando passamos pelo grande freixo, olho de relance para o tronco. A linha desapareceu, não há nenhuma prova da magia que se passou ali. As águas do rio de onde eu puxei o anel encerram-se sobre ela. Não há nenhuma prova de que a magia funcionou. Não há nenhuma prova de que realmente existiu. Tudo o que tenho é um anel de ouro em forma de coroa que talvez nada signifique.

Mamãe está no pequeno jardim de ervas do lado da casa e, quando nos vê andando juntos, em um silêncio intratável, caminhando separados, ela se levanta segurando o cesto com plantas e espera que nos aproximemos, já se preparando para problemas.

— Filho — ela saúda meu irmão. Anthony ajoelha-se para receber a sua bênção e ela põe a mão sobre seu cabelo louro e sorri. Ele levanta-se e pega a sua mão.

— Acho que o rei mentiu para a senhora e para a minha irmã — começa ele, sem rodeios. — A cerimônia de casamento foi tão secreta que não existe ninguém com alguma autoridade para provar que ela aconteceu. Acho que ele se submeteu à falsa cerimônia para ir para a cama com ela e negará o casamento.

— Ah, você acha? — diz ela, calmamente.

— Acho — replica Anthony. — E não será a primeira vez que ele simulou se casar com uma mulher para se deitar com ela. Ele representou essa peça antes, e a mulher acabou com um bastardo e nenhuma aliança de casamento.

Minha mãe dá de ombros grandiosamente.

— O que ele fez no passado é problema dele — defende. — Eu o vi casado e depois de ter dormido com sua irmã, e aposto que ele retornará para reclamá-la como sua esposa.

— Isso nunca acontecerá — replica Anthony, simplesmente. — E ela estará arruinada. Se estiver grávida, estará definitivamente desgraçada.

Minha mãe sorri para seu rosto irritado.

— Se você tiver razão e ele negar o casamento, então o futuro dela será realmente infeliz — concorda ela.

Desvio o olhar deles. Há apenas um instante, meu amante estava me dizendo como manter seu filho seguro. Agora, essa mesma criança é descrita como minha ruína.

— Vou ver meus filhos — digo friamente aos dois. — Não quero ouvir isso e não vou falar sobre isso. Sou leal a ele, e ele será leal a mim, e você, Anthony, lamentará ter duvidado de nós.

— Você é uma boba. — Meu irmão não se deixa impressionar. — Lamento por isso, pelo menos. — Volta-se para minha mãe. — Apostou alto com ela, uma aposta brilhante, mas colocou em risco a vida e a felicidade dela por confiar na palavra de um renomado mentiroso.

— Talvez — replica minha mãe, sem se alterar. — E você é um homem sábio, meu filho, um filósofo. Mas algumas coisas eu conheço melhor do que você, mesmo agora.

Afasto-me. Nenhum dos dois me chama de volta.

~

Tenho de esperar, o reino todo tem de aguardar de novo para saber a quem deve saudar como rei, quem irá comandá-lo. Meu irmão Anthony despachou um homem para o norte, em busca de notícias, e todos esperamos por sua volta, por notícias sobre se a batalha realmente aconteceu, se a sorte do rei Eduardo perdurou. Finalmente, em maio, o criado de Anthony retorna e diz que esteve no extremo norte, perto de Hexham, e conheceu um homem que lhe contou tudo. Uma batalha árdua, sangrenta. Hesito na porta, quero saber o final, não os detalhes. Não preciso mais ver uma batalha para imaginá-la. Tornamo-nos um país acostumado a histórias de guerra. Todo mundo já ouviu falar dos exércitos em formação ou já viu um ataque, a retirada e a trégua exaustiva enquanto se reagrupam. Ou todos conhecem alguém que esteve em uma cidade onde os soldados vitoriosos apareceram determinados a farrear, roubar e violentar. Todos já ouviram histórias de mulheres correndo para uma igreja para se refugiarem, gritando por socorro. Todo mundo sabe que essas guerras dividiram o nosso país, destruíram a nossa prosperidade, a cordialidade entre vizinhos, nossa confiança nos estrangeiros, o amor entre irmãos, a segurança de nossas estradas, a afeição por nosso rei. E, ainda assim, parece que nada consegue impedir essas batalhas. Não paramos de perseguir a vitória definitiva e um rei triunfante que traga a paz. Mas a vitória e a paz nunca chegam, e a monarquia nunca se estabiliza.

O mensageiro de Anthony chega ao que interessa. O exército do rei Eduardo venceu, e de forma decisiva. As forças lancastrianas foram aniquiladas, e o rei Henrique, o pobre delirante e perdido rei Henrique, que não sabe exatamente onde está nem mesmo quando se encontra em seu palácio em Whitehall, fugiu para o pântano de Northumberland, e foi estabelecido um preço por sua cabeça, como se ele fosse um criminoso. Não possui mais criados, nem amigos, nem mesmo partidários; um rebelde fronteiriço tão selvagem quanto uma gralha.

Sua esposa, a rainha Margarida de Anjou, no passado a amiga mais querida de minha mãe, fugiu para a Escócia com o príncipe herdeiro. Ela foi derrotada, seu marido foi vencido. Mas todo mundo sabe que ela não vai aceitar a derrota, que vai conspirar em defesa de seu filho, da mesma forma que Eduardo me disse que eu deveria fazer em favor do nosso. Ela não vai parar até estar de volta à Inglaterra, até a guerra ser retomada. Ela não vai parar até seu marido e seu filho estarem mortos e ela não tiver mais ninguém para colocar no trono. É isso o que significa ser rainha neste país hoje. É como tem sido para ela por quase dez anos, desde que o seu marido se mostrou inapto para governar e a Inglaterra se tornou uma lebre assustada lançada em um campo diante de uma matilha de cães de caça, correndo para cá e para lá. Pior ainda, sei que é assim que será para mim, se Eduardo voltar e me nomear como a nova rainha, e se tivermos um filho e herdeiro. O jovem que eu amo será rei de um reino instável, e eu terei de ser uma rainha reivindicadora.

E ele retorna. Manda-me uma mensagem dizendo que venceu e rompeu o sítio do Castelo de Bamburgh, e que passará por aqui quando o seu exército marchar para o sul. Ele escreve para o meu pai dizendo que virá para o jantar, e em uma mensagem particular, me avisando que ficará para passar a noite.

Mostro a mensagem à minha mãe.

— Pode dizer a Anthony que meu marido é leal a mim — digo.

— Não direi nada a Anthony — retruca ela, sem querer ajuda.

Meu pai, de qualquer maneira, consegue ficar feliz com a perspectiva de uma visita do vitorioso.

— Estávamos certos ao lhe enviarmos nossos homens — diz ele à minha mãe. — Graças a você, meu amor. Ele é o rei vencedor, e a senhora nos pôs no lado vitorioso mais uma vez.

Ela sorri para ele.

— Aconteceria de qualquer maneira, como sempre — replica. — E foi Elizabeth quem virou a sua cabeça. É ela que ele está vindo ver.

— Temos carne curada? — pergunta meu pai. — Eu, John e os garotos vamos falcoar e lhe traremos alguma caça.

— Nós lhe ofereceremos um bom jantar — ela o tranquiliza. Mas não diz a meu pai o principal motivo a ser celebrado: que o rei da Inglaterra casou-se comigo. Ela se cala, e me pergunto se também ela acha que o rei está me iludindo.

Não há nenhum sinal do que minha mãe pensa da minha situação quando ela o recebe com uma reverência profunda. Ela não demonstra a familiaridade que uma mulher teria com seu genro. Mas não o trata com frieza, e não o faria se achasse que ele nos fizera de bobas? Em vez disso, o saúda como a um rei vitorioso e ele a cumprimenta como a uma lady eminente, que foi duquesa, e os dois me tratam como a filha favorita da casa.

O jantar é bem-sucedido. Como era de se esperar, meu pai se vangloria, entusiasmado, minha mãe comporta-se de maneira elegante, como sempre, minhas irmãs encontram-se em seu estado habitual de admiração estupefata, e meus irmãos estão furiosamente silenciosos. O rei se despede dos meus pais e conduz seu cavalo para a estrada, como se fosse para Northampton. Eu ponho minha capa e corro até a cabana de caça à margem do rio.

Ele chega lá antes de mim, seu grande cavalo de batalha no estábulo, seu pajem no celeiro, e me abraça sem dizer uma palavra. Não falo nada também. Não sou tola a ponto de receber um homem com desconfiança e queixas. Quando ele me toca, tudo o que quero é o seu toque, quando ele me beija, tudo o que quero são seus beijos, e tudo o que quero ouvir são as palavras mais doces do mundo:

— Cama, minha esposa.

De manhã, estou penteando meu cabelo diante do pequeno espelho de moldura de prata e o prendendo para cima enquanto ele me observa, de pé, atrás de mim, às vezes pegando um cacho louro e o enrolando em seu dedo para vê-lo iluminado pela luz natural.

— Não está ajudando muito — digo, sorrindo.

— Não quero ajudar, quero atrapalhar. Adoro o seu cabelo, gosto de vê-lo solto.

— E quando vamos anunciar o nosso casamento, milorde? — pergunto, observando seu rosto refletido no espelho.

— Não por enquanto — responde ele rapidamente, rápido demais: é uma resposta pronta, pensada. — Milorde Warwick está muito determinado a me casar com a princesa Bona de Saboia, para garantir a paz com a França. Preciso de um tempo para lhe dizer que não é possível. Ele vai precisar se acostumar com a ideia.

— Alguns dias? — sugiro.

— Digamos semanas — ele se esquiva. — Vai ficar decepcionado, e só Deus sabe quantas propinas aceitou para realizar esse casamento.

— Ele é desleal? Deixa-se subornar?

— Não. Ele não. Aceita o dinheiro francês, mas não me trai, somos como um só. Nós nos conhecemos desde a minha infância. Ele me ensinou a competir nos torneios, me deu minha primeira espada. Seu pai foi como um pai para mim. Na verdade, ele tem sido como um irmão mais velho. Eu não teria lutado pelo meu direito ao trono se ele não estivesse comigo. O pai dele levou o meu pai ao trono e o tornou herdeiro do rei da Inglaterra, e por sua vez, Richard Neville me apoiou. Ele é o meu grande mentor, meu grande amigo. Ele me ensinou quase tudo o que sei sobre lutar e governar um reino. Preciso de tempo para lhe contar sobre nós e explicar que não consigo resistir à senhora. Devo isso a ele.

— Ele é tão importante assim para o senhor?

— É o homem mais importante na minha vida.

— Mas vai lhe contar, vai me levar à corte — digo, tentando manter a voz despreocupada e inconsequente. — E me apresentar à corte como sua esposa.

— Quando chegar a hora.

— Posso, pelo menos, contar ao meu pai, para que possamos nos encontrar abertamente, como marido e mulher?

Ele ri.

— Seria o mesmo que contar ao pregoeiro público. Não, meu amor, deve guardar segredo por um pouco mais de tempo.

Pego o toucado alto da cabeça com o véu e o ato, sem falar nada. Seu peso me dá dor de cabeça.

— Confia em mim, não confia, Elizabeth? — pergunta ele, ternamente.

— Sim — minto. — Plenamente.

~

Anthony está ao meu lado quando o rei parte, sua mão erguida em uma saudação, um sorriso falso em seu rosto.

— Não vai com ele? — pergunta, sarcasticamente. — Não vai a Londres, comprar roupas novas? Não vai ser apresentada à corte? Não vai comparecer à missa de ação de graças, como rainha?

— Ele tem de contar a lorde Warwick — replico. — Tem de explicar.

— É lorde Warwick que vai explicar a ele — diz meu irmão, em tom brusco. — Vai lhe dizer que nenhum rei da Inglaterra pode se dar o luxo de se casar com uma plebeia, que nenhum rei da Inglaterra se casaria com uma mulher que não fosse comprovadamente virgem, que nenhum rei da Inglaterra se casaria com uma inglesa sem uma família com nome ou fortuna. E o seu rei precioso vai explicar que não foi um casamento testemunhado por um lorde ou corte oficial, que a sua esposa nem mesmo contou à sua família, que usa a aliança no bolso, e os dois concordarão que isso deve ser ignorado, como se nunca tivesse acontecido. Como ele fez antes, fará outra vez, enquanto existirem mulheres tolas no reino. O que quer dizer para sempre.

Viro-me para ele, e ao perceber o sofrimento em meu rosto, ele para de me insultar.

— Ah, Elizabeth, não fique assim.

— Não me importa que ele não me reconheça, seu tolo — replico enfurecida. — Não se trata de querer ser rainha, nem mesmo de querer um amor honroso. Estou louca por ele, estou loucamente apaixonada por ele. Iria ao seu encontro mesmo que tivesse de caminhar descalça. Pode dizer que sou uma de muitas. Não me importa! Não ligo mais para meu nome ou para o meu orgulho, contanto que eu possa tê-lo mais uma vez. É tudo o que quero, apenas amá-lo. Tudo o que quero é ter certeza de que o verei de novo, de que ele me ama.

Anthony me abraça e me dá tapinhas nas costas.

— É claro que ele a ama. Que homem não a amaria? E se não a ama, é um bobo.

— Eu o amo — digo, infeliz. — Eu o amaria nem que fosse um joão-ninguém.

— Não, não o amaria — replica ele, delicadamente. — É filha da sua mãe, não tem o sangue de uma deusa em vão. Nasceu para ser rainha, e talvez tudo acabe bem. Talvez ele a ame e mantenha a palavra.

Jogo minha cabeça para trás e examino seu rosto.

— Você não acredita nisso.

— Não — responde ele, francamente. — Para ser sincero, acho que o viu pela última vez.

Setembro de 1464

Ele me envia uma carta. É endereçada a mim como Lady Elizabeth Grey e dentro ele escreve "meu amor", não "minha esposa". Não me oferece nada que possa comprovar o nosso casamento, se quiser negá-lo. Escreve que está ocupado, mas que mandará me buscar em breve. A corte está em Reading; em breve ele falará com lorde Warwick. O conselho está se reunindo, há muito o que fazer. O rei derrotado, Henrique, ainda não foi capturado, está em algum lugar nas colinas de Northumberland, mas a rainha fugiu para o país dela, a França, para pedir ajuda. Uma aliança com os franceses é mais importante do que nunca; destituiria a rainha dos concílios e garantiria que ela não se cercasse de aliados. Ele não comenta que um casamento francês seria a solução. Diz que me ama, que arde de desejo por mim. Palavras de amante, promessas de amante: nada que o comprometa.

O mesmo mensageiro traz uma ordem para que meu pai compareça à corte em Reading. É uma carta padrão, todo nobre do país receberá uma igual. Meus irmãos Anthony, John, Richard, Edward e Lionel irão com ele.

— Escreva e me conte tudo — pede minha mãe quando os vemos montar. Sua bela prole masculina forma um pequeno exército.

— Ele nos convocou para anunciar seu casamento com a princesa francesa — resmunga meu pai, curvando-se para apertar a cilha sob a lateral

65

da sela. — E uma aliança com os franceses não nos fará bem. Nunca fez. Ainda assim, agora é inevitável, Margarida de Anjou tem de ser silenciada. E com uma esposa francesa, você será bem-vinda na sua corte, um parente.

Minha mãe não se altera com a perspectiva da noiva francesa de Eduardo.

— Escreva-me assim que souber de algo — diz. — E que Deus o acompanhe, meu marido, e o mantenha a salvo.

Ele se inclina e beija uma das mãos dela, depois guia seu cavalo para a estrada rumo ao sul. Meus irmãos torcem seus chicotes, levantam o chapéu e gritam uma despedida. Minhas irmãs despendem-se, minha cunhada Elizabeth faz uma mesura a Anthony, que acena para ela, para minha mãe e para mim. Sua expressão é austera.

Mas é Anthony que me escreve dois dias depois, e é o seu criado que cavalga como um louco para me trazer sua carta.

Irmã,

É o seu triunfo, e fico feliz, sinceramente, por você. Houve uma tremenda discussão entre o rei e lorde Warwick, pois milorde levou-lhe um contrato de casamento do rei com a princesa Bona de Savoia, como todo mundo estava esperando. O rei, com o contrato na sua frente e a pena na mão, levantou a cabeça e disse a milorde que não podia se casar com a princesa porque, na verdade, já era casado. Nessa hora, seria possível ouvir uma pluma caindo, a respiração dos anjos. Juro que ouvi a batida do coração de lorde Warwick quando pediu para o rei repetir o que tinha dito. O rei estava pálido como uma moça, mas o encarou (o que eu próprio não gostaria nada de fazer) e lhe disse que todos os seus planos e todas as suas promessas tinham sido em vão. Milorde pegou o rei pelo braço, como se ele fosse um menino, e o arrastou para a câmara privada, deixando-nos fervilhando de comentários e perplexidade, como nabos que fervem em um cozido.

Aproveitei a chance para levar meu pai para um canto e dizer que achava que o rei anunciaria o casamento com você, para evitar que parecêssemos tão tolos quanto lorde Warwick, porém, mesmo nesse momento confesso que temi que o rei pudesse aceitar o casamento com outra dama. Na verdade, outra dama de família nobre, superior à nossa, foi cogitada, e ela tem um filho dele. Perdoe-me, irmã, mas não sabe como ele tem má reputação. Papai e eu ficamos como lebres, nos sobressaltando com qualquer coisa, enquanto a porta da câmara privada permaneceu fechada e o rei ficou a sós com o homem que o tornou o que ele é e que, só Deus sabe, talvez possa destruí-lo com a mesma rapidez.

É claro que Lionel e John quiseram saber sobre o que estávamos cochichando. Graças a Deus, Edward e Richard tinham saído, de modo que só havia mais dois a quem contar. Assim como papai, não conseguiram acreditar, e tive muito trabalho para manter os três calados. Você pode imaginar como foi.

Passou-se uma hora, mas ninguém conseguiu sair da câmara do conselho antes de conhecer o fim dessa história. Irmã, preferiram urinar nas lareiras a deixar a sala, e então, a porta se abriu e o rei surgiu, parecendo abalado, e lorde Warwick atrás, com a expressão severa. O rei assumiu um sorriso feliz e disse: "Milordes, agradeço a paciência. Estou feliz e orgulhoso de comunicar que me casei com Lady Elizabeth Grey", e indicou meu pai com a cabeça. Juro que ele me lançou um olhar que implorava que eu mantivesse nosso pai calado, de modo que segurei o ombro do velho e fiz força para mantê-lo firme em seu lugar. Edward segurou-o do outro lado, como um lastro, e Lionel fez o sinal da cruz, como se já fosse um arcebispo. Papai e eu baixamos a cabeça com orgulho e sorrimos timidamente, como se soubéssemos o tempo todo e só não tivéssemos mencionado que éramos cunhado e sogro do rei da Inglaterra por pura cortesia.

John e Richard entraram nesse momento inoportuno e tivemos de lhes sussurrar que o mundo tinha virado de cabeça para baixo, e eles agiram melhor do que eu imaginava. Conseguiram ficar de boca fechada e se colocaram ao meu lado e do de papai, e as pessoas interpretaram nossas expressões atônitas e nosso silêncio como orgulho. Formamos um grupo de idiotas tentando parecer corteses. Não pode imaginar o tumulto, a gritaria, as queixas e o transtorno que se seguiram. Ninguém, até onde eu pude ouvir, se atreveu a sugerir que o rei tivesse se rebaixado demais, mas sei que ao nosso redor havia homens que pensavam e que continuarão a pensar dessa maneira. Ainda assim, o rei manteve a cabeça ereta, enfrentando-os com descaramento, e papai e eu fomos para o seu lado, e todos os nossos irmãos se posicionaram atrás de nós. Ninguém pode negar que somos uma bela família ou, pelo menos, que somos altos. Agora está feito, ninguém mais pode negar. Pode dizer à mamãe que sua aposta arriscada foi paga, multiplicada por mil: você será rainha da Inglaterra, e seremos uma família governante neste país, mesmo que ninguém nos queira.

Papai manteve a boca fechada até estarmos longe da corte, mas posso jurar que seu olhar estava sobressaltado, como Jim, o Idiota, em Stony Stratford, até chegarmos ao nosso alojamento e eu poder lhe contar o que e como acontecera — pelo menos até onde eu sabia. Agora ele está magoado por ninguém ter lhe contado, pois teria lidado bem com isso e seria discreto, mas como é o sogro do rei da Inglaterra, acho que vai perdoá-la e a mamãe por terem guardado as armadilhas femininas para si mesmas. Seus irmãos saíram e se embriagaram a crédito, como qualquer um faria. Lionel jura que será papa.

Seu novo marido está claramente atônito com o tumulto que se armou, e vai ser difícil para ele se reconciliar com seu antigo mestre lorde Warwick, que hoje à noite está jantando sozinho, e pode se tornar um inimigo perigoso. Vamos jantar com o rei, e os interesses dele são os nossos. O mundo mudou para nós, os Rivers, e nos tornaremos tão importantes que eu, confiantemente, acredito que ascenderemos além das expectativas. Agora somos yorkistas apaixonados, e pode esperar que papai plante rosas brancas em suas sebes e use um botão em seu chapéu. Diga a mamãe que qualquer que tenha sido o feitiço que ela preparou para que isso acontecesse, tem a admiração estupefata de seu marido e filhos. Se a magia nada foi além da sua beleza, a admiramos também.

Você foi chamada a se apresentar à corte aqui em Reading. A or-

dem do rei será enviada amanhã. *Irmã, ouça o meu conselho e, por favor, venha vestida modestamente e com uma comitiva pequena. Isso não vai evitar a inveja, mas não devemos tornar a situação pior do que já está. Fizemos inimigos em cada família do reino. Famílias que nem mesmo conhecemos estão amaldiçoando a nossa sorte e desejando a nossa queda. Pais ambiciosos, com filhas bonitas, nunca a perdoarão. Teremos de ficar atentos pelo resto de nossas vidas. Você nos colocou em uma grande oportunidade, mas também em grande risco, minha irmã. Sou cunhado do rei da Inglaterra, mas tenho de admitir, nesta noite, que a minha maior esperança é morrer na minha cama, em paz com o mundo, como um velho.*

Seu irmão,
Anthony.

Mas acho que, nesse meio-tempo, antes de minha morte tranquila, vou pedir ao rei para me nomear um duque.

Minha mãe planeja a nossa viagem a Reading e a convocação da nossa família como se fosse uma rainha militante. Quaisquer pessoas de nossas relações que foram beneficiadas com a nossa ascensão ou que pudessem contribuir para a nossa posição são chamadas de toda parte da Inglaterra, e mesmo nossa família da Borgonha — parentes de minha mãe — é convidada a vir a Londres para a minha coroação. Ela diz que eles me darão o status nobre e real de que precisamos, e, além disso, no estado em que o mundo se encontra, é sempre sensato ter parentes poderosos nos quais se apoiar ou refugiar.

Ela redige uma lista de lordes e ladies convenientes com quem casar meus irmãos e irmãs. Começa a pensar em crianças nobres que ficarão sob a tutela de um mentor na ala real infantil e que poderão ser usadas em nosso benefício. Ela começa a me ensinar como funciona a tutoria e o poder na corte inglesa. Mamãe conhece isso bem. Casou-se com um membro da família real, seu primeiro marido, o duque de Bedford. Depois foi a segunda dama no reino sob o reinado da rainha Lancaster, agora será a segunda dama na corte da rainha York: eu. Ninguém melhor do que ela para preparar nosso terreno na Inglaterra real.

Ela envia uma série de instruções a Anthony: pede a ele para contratar alfaiates e costureiras, de modo que eu tenha vestidos novos me esperando, mas aceita seu conselho de assumirmos a realeza discretamente, sem deixar transparecer nenhum indício de se vangloriar com a transição da derrotada Casa de Lancaster para os adeptos da vitoriosa Casa de York. Minhas irmãs, primas e cunhada irão conosco para Reading, mas não haverá nenhum séquito pomposo, com estandartes e trombetas. Papai lhe escreve que há muitos que invejam a nossa prosperidade, mas aqueles que ele mais teme são o melhor amigo do rei, Sir William Hastings, o grande aliado de Eduardo, lorde Warwick, e a família do rei: sua mãe, suas irmãs e seus irmãos, que são os que mais têm a perder com os novos favoritos na corte.

Lembro-me de Hastings me olhando como se eu fosse uma mercadoria de beira de estrada, produto de mascates, na primeira vez que me encontrei com o rei, e de como jurei a mim mesma que ele nunca mais me olharia dessa maneira. Com Hastings, acho que posso lidar. Ele ama o rei como ninguém; aceitará qualquer escolha que Eduardo fizer e a defenderá. Mas lorde Warwick me assusta. É o tipo de homem que não se deixa deter até conseguir o que quer. Quando menino, viu seu pai se rebelar contra o rei legítimo e estabelecer uma casa rival sob o nome de York. Quando seu pai e o de Eduardo foram mortos juntos, ele continuou o trabalho e fez com que Eduardo fosse coroado rei, um garoto de apenas 19 anos. Warwick é 13 anos mais velho: um adulto em comparação com um garoto. Claramente planejou, o tempo todo, pôr aquele rapaz no trono; aquele jovem reinaria enquanto ele governaria de fato. A escolha de Eduardo de se casar comigo será a primeira declaração de independência de seu mentor, e Warwick vai ser rápido em impedir qualquer outra. Chamam-no o Fazedor de Reis, aquele que tem influência e poder total sobre o governante, e quando éramos lancastrianos, dizíamos que os York não passavam de marionetes. Warwick e sua família eram os manipuladores. Agora estou casada com um dos fantoches e sei que ele vai tentar me fazer dançar conforme sua música. Mas não há tempo para fazer nada além de me despedir de meus filhos, fazê-los prometer obedecer a seus tutores e serem bonzinhos, montar no cavalo que o rei me enviou para a viagem e, com minha mãe do meu lado e minhas irmãs seguindo atrás, pegar a estrada para Reading e para o futuro que me aguarda.

— Estou com medo — digo a minha mãe.

Ela conduz seu cavalo para o meu lado e tira o capuz de sua capa, para que eu veja o sorriso confiante em seu rosto.

— Talvez. Mas estive na corte da rainha Margarida de Anjou, e juro que você não poderá ser uma rainha pior do que ela.

Contra a vontade, sorrio. Isso foi dito por uma mulher que foi a dama de honra mais digna de confiança de Margarida de Anjou e a primeira de sua corte.

— A senhora está dançando conforme outra música.

— Sim, pois agora estou em outro coro. Mas é verdade. Você não conseguiria ser uma rainha pior para este país do que ela foi, que Deus a ajude, esteja ela onde estiver agora.

— Mãe... ela foi casada com um homem que passava a metade de seu tempo fora do seu juízo perfeito.

— E quer ele fosse santo ou não, são ou um louco furioso, ela sempre fez o que quis. E teve um amante — diz ela animadamente, ignorando minha cara de espanto. — É claro que sim. Onde acha que ela conseguiu seu filho Eduardo? Essa criança não seria concebida e trazida à luz se ela dependesse do rei, que passou quase o ano todo surdo e mudo. Espero que você seja melhor do que ela. Não pode ter dúvidas de que será melhor do que ela. E Eduardo não vai conseguir ser pior do que um santo débil mental, que Deus abençoe o coitado. Quanto ao resto, deve dar a seu marido um filho varão e herdeiro, proteger os pobres e inocentes, e favorecer as esperanças de sua família. Isso é tudo o que precisa fazer, e pode fazê-lo. Qualquer parva com um coração franco e generoso e uma família maquinadora pode fazer isso.

— Muita gente me odiará — digo. — Muitos nos odeiam.

Ela assente com a cabeça.

— Portanto se certifique de obter os favores que quer e as posições de que precisa antes de influenciarem o rei — replica ela simplesmente. — Há grandes posições para seus irmãos ocuparem, há poucos nobres com quem casar suas irmãs. Obtenha tudo o que quer durante o primeiro ano, e então terá conquistado a superioridade, e estará pronta para a batalha. Estaremos preparados para o que vier contra nós, e mesmo que a sua influência sobre o rei decline, continuaremos seguros.

— Milorde Warwick... — digo, nervosa.

— Ele é nosso inimigo — retruca. — É uma inimizade declarada. Você vai vigiá-lo, e ter cautela com ele. Estaremos atentos a ele e aos irmãos do rei: George, o duque de Clarence, que é sempre tão encantador, e o rapaz Ricardo, duque de Gloucester. Também eles serão nossos inimigos.

— Por que os irmãos do rei?

— Seus filhos os deserdarão. Sua influência afastará o rei deles. Eles têm sido três irmãos órfãos unidos, lutaram lado a lado por sua família. O rei os chamava de os três filhos de York, viu um desígnio para os três no céu. Mas agora ele vai querer estar com você, não com eles. E as terras e a riqueza que concederia a eles passarão para você e os seus. George era o herdeiro após Eduardo, e Ricardo vinha logo em seguida. Assim que você tiver um menino, eles perderão um lugar na linha de sucessão.

— Serei rainha da Inglaterra — protesto. — A senhora faz com que isso pareça uma batalha até a morte.

— É uma batalha até a morte — responde ela calmamente. — É isso o que significa ser rainha da Inglaterra. Você não é Melusina, surgindo de uma fonte para uma felicidade tranquila. Não será uma bela mulher na corte com nada para fazer além de magia. A estrada que você escolheu significará ter de passar a sua vida tramando e lutando. Nossa tarefa, como sua família, é garantir que você vença.

~

Na escuridão da floresta, ele a viu e murmurou seu nome, Melusina, e ao seu chamado, ela ergueu-se na água. Ele viu que ela era uma mulher dotada de uma beleza fria e perfeita até a cintura, e abaixo, era coberta de escamas, como um peixe. Ela prometeu ir com ele e ser sua mulher, prometeu que o faria tão feliz quanto uma mortal, que refrearia seu lado selvagem, sua natureza dependente das marés, que seria uma mulher normal para ele, uma esposa de quem ele poderia se orgulhar. Em troca, ele deveria permitir que ela tivesse um tempo para ser ela mesma, para retornar ao seu elemento água, para se lavar e se livrar do trabalho penoso destinado a uma mulher e para ser, mais uma vez, só por um breve intervalo de tempo, a deusa da água. Sabia que ser uma mulher mortal é difícil no coração, é difícil nos pés. Sabia que precisaria ficar sozinha na água, sob a superfície, a agitação da água refletida em seu rabo escamoso de vez em quando. Ele prometeu que lhe daria tudo, que concederia tudo o que quisesse, como homens apaixonados sempre fazem. E ela confiou nele, mesmo sem querer, como mulheres apaixonadas sempre fazem.

∾

Meu pai e meus irmãos vêm nos receber do lado de fora das muralhas de Reading, para que eu entre na cidade com meus parentes ao meu lado. Há uma multidão ao longo da estrada e centenas de pessoas observando meu pai tirar o chapéu ao conduzir seu cavalo na minha direção, depois desmontar e se ajoelhar na terra, honrando-me como rainha.

— Levante-se, pai! — digo, alarmada.

Ele levanta-se devagar e faz uma reverência de novo.

— Vai ter de se acostumar, Vossa Graça — diz, a cabeça curvada sobre o joelho.

Espero até ele se levantar sorrindo.

— Pai, não gosto de vê-lo fazendo reverência para mim.

— Você agora é a rainha da Inglaterra, Vossa Graça. Todos os homens, exceto um, devem lhe fazer reverência.

73

— Mas vai continuar a me chamar de Elizabeth, pai?

— Só quando estivermos a sós.

— E vai me dar sua bênção?

Seu sorriso largo me assegura de que tudo continua como sempre foi.

— Filha, vamos ter de representar reis e rainhas. Você é a mais recente e a mais improvável rainha de uma casa recente e improvável. Nunca imaginei que fosse conquistar um rei. Certamente nunca pensei que esse garoto fosse conquistar um trono. Estamos fazendo um novo mundo, formando uma nova família real. Temos de ser mais régios do que a própria realeza ou ninguém acreditará em nós. Não posso afirmar que eu próprio acredite.

Meus irmãos desmontam, tiram seus chapéus e se ajoelham para mim na via pública. Olho para Anthony, que me chamou de prostituta e a meu marido, de mentiroso.

— Continue aí — digo. — Quem tem razão, agora?

— Você — responde ele, animadamente, levantando-se, beijando minha mão e montando de novo. — Concedo-lhe a alegria de seu triunfo.

Meus irmãos me cercam e beijam minha mão. Sorrio para eles; é como se todos fôssemos cair na gargalhada por nossa própria presunção.

— Quem teria imaginado? — diz John, admirado. — Quem jamais teria imaginado isso?

— Onde está o rei? — pergunto, quando damos início à nossa pequena procissão pelos portões da cidade. As ruas estão ladeadas de gente, membros de guildas, aprendizes, e há aclamações à minha beleza e risos da nossa procissão. Percebo Anthony corar quando ouve algumas piadas indecentes, e ponho a mão em seu punho enluvado, firme na maçaneta da sela. — Fique calado — digo. — O povo fatalmente vai escarnecer. Foi um casamento secreto, não podemos negá-lo, e teremos de superar o escândalo. Você não me ajudará nada se parecer ofendido.

Imediatamente ele assume um sorriso afetado, espectral.

— Este é o meu sorriso na corte — murmura ele pelo canto da boca. — Uso-o quando falo com Warwick ou os duques reais. Gosta?

— Muito elegante — replico, reprimindo o riso. — Meu Deus, Anthony, acha que nos sairemos bem nisso tudo?

— Seremos triunfantes — replica. — Mas temos de ficar unidos.

Viramos a rua principal e vemos estandartes e imagens de santos, providenciados de última hora, pendendo de janelas para me darem boas-vindas à cidade. Vamos para a abadia e ali, no centro de sua corte e conselheiros, vejo Eduardo vestido de dourado, com um manto escarlate e um chapéu da mesma cor. Ele é inconfundível, o homem mais alto de todos ali, o mais bonito, o incontestável rei da Inglaterra. Nossos olhares se encontram, e de novo é como se não houvesse mais ninguém presente. Fico tão aliviada ao vê-lo que aceno para ele rapidamente, como uma menina, e em vez de esperar eu parar meu cavalo, desmontar e atravessar o tapete em sua direção, ele se separa de todos e vem rapidamente para o meu lado, me ajuda a descer do cavalo e me segura em seus braços.

Há um ruído de aplausos encantados do povo que assiste e um silêncio escandalizado da corte diante de sua apaixonada violação do protocolo.

— Minha esposa — diz em meu ouvido. — Meu Deus, estou tão feliz de tê-la comigo.

— Eduardo, tenho sentido tanto medo!

— Vencemos — retruca ele, simplesmente. — Ficaremos juntos para sempre. Eu a farei rainha da Inglaterra.

— E eu o farei feliz — digo, citando os votos do casamento. — Serei bela e alegre na cama e na mesa.

— Estou pouco ligando para a hora do jantar — replica ele, de maneira vulgar. Escondo o rosto em seu ombro e rio.

~

Ainda tenho de conhecer a mãe dele, e Eduardo me conduz aos seus aposentos privados antes do jantar. Ela não esteve presente durante a minha recepção pela corte, e interpreto sua ausência como o primeiro ato de desprezo, o primeiro de muitos outros. Ele me deixa à porta.

— Ela quer vê-la a sós.

— Como acha que ela vai agir? — pergunto, nervosa.

Ele dá um sorriso amplo.

— O que ela pode fazer?

— É exatamente o que eu gostaria de saber antes de enfrentá-la — digo asperamente, e passo por ele quando as portas que dão acesso à câmara de audiência se abrem. Minha mãe e três das minhas irmãs me acompanham, como uma corte improvisada, minhas recém-declaradas damas de honra, e entramos com toda a impetuosidade de um grupo de bruxas levado a julgamento.

A viúva duquesa Cecily está sentada em uma grande cadeira sob um dossel e não se dá o trabalho de se levantar para me receber. Está usando um vestido com a bainha e o corpete cravejados de pedras preciosas e um grande toucado quadrado na cabeça, que ela ostenta com orgulho, como uma coroa. Muito bem, sou sua nora, mas ainda não sou uma rainha ordenada. Ela não tem obrigação de me saudar com uma reverência e pensará em mim como uma lancastriana, um dos inimigos de seu filho. A inclinação de sua cabeça e a frieza de seu sorriso transmitem claramente que, para ela, não passo de uma plebeia, como se ela própria não tivesse nascido uma inglesa comum. Atrás de sua cadeira, estão suas filhas Anne, Elizabeth e Margarida, vestidas discretamente, de modo a não ofuscar sua mãe. Margarida é uma garota bonita: loura e alta como seus irmãos. Ela sorri timidamente para mim, sua nova cunhada, mas ninguém se adianta e me beija, e a sala está quente como as águas de um lago em dezembro.

Faço uma reverência profunda à duquesa Cecily, por respeito à mãe de meu marido e, atrás de mim, vejo que minha mãe faz seu movimento mais majestoso e fica em pé, a cabeça ereta, uma rainha em tudo, menos na coroa.

— Não vou fingir que estou feliz com esse casamento secreto — diz a duquesa viúva rudemente.

— Privado — interrompe minha mãe.

A duquesa se detém, perplexa, e ergue os sobrolhos perfeitamente arqueados.

— Perdão, Lady Rivers. Disse alguma coisa?

— Nem minha filha nem seu filho chegariam ao ponto de um comportamento tão impróprio quanto se casarem secretamente — prossegue minha mãe, seu sotaque da Borgonha repentinamente restaurado. É o sotaque da elegância para toda a Europa. Não poderia ser mais evidente que era a filha do conde de Saint-Pol, realeza borgonhesa de nascença. Ela e a rainha se tratavam pelo primeiro nome, e ela continua a chamá-la de Margarida de Anjou, com ênfase no "d". Minha mãe foi duquesa de Bedford, por seu primeiro casamento com o duque de sangue real, e figura principal da corte de Lancaster. Enquanto isso, a mulher sentada de maneira tão arrogante na nossa frente nasceu simplesmente Lady Cecily Neville, do Castelo de Raby. — É claro que não foi um casamento secreto. Eu estava presente e também outras testemunhas. Foi um casamento privado.

— Sua filha é uma viúva e anos mais velha do que o meu filho — diz Sua Graça, aceitando a batalha.

— Ele não é um rapaz inexperiente. Sua reputação é notória. E são apenas cinco anos de diferença.

As damas da duquesa soltam um suspiro profundo, e há uma agitação nervosa entre suas filhas. Margarida olha para mim com simpatia, como se dissesse que não há saída para a humilhação que está por vir. Minhas irmãs e eu ficamos imóveis como pedras, como se fôssemos bruxas sob um encantamento súbito.

— E o lado bom — diz minha mãe, entusiasmando-se — é que, pelo menos, podemos ter certeza de que os dois são férteis. Seu filho tem vários bastardos, pelo que sei, e minha filha tem dois belos filhos legítimos.

— Meu filho vem de uma família fértil. Tive oito filhos homens — diz a duquesa viúva.

Minha mãe inclina a cabeça e o lenço em seu toucado ondula como uma vela soprada pela brisa de seu orgulho.

— Oh, sim — observa ela. — Realmente teve. Mas dos oito, somente três meninos restaram, é claro. Que triste. Por acaso, tenho cinco filhos. E sete filhas. Elizabeth vem de uma linhagem real fértil. Acho que podemos esperar que Deus abençoe a nova família real com herdeiros.

— Não obstante, não foi a minha escolha, nem a de lorde Warwick — repete Sua Graça, a voz trêmula de raiva. — Não significaria nada se Eduardo não fosse rei. Eu deixaria passar, se ele fosse o terceiro ou quarto filho...

— Talvez. Mas isso não nos diz respeito. Eduardo é o rei. O rei é o rei. Deus sabe como combateu em batalhas suficientes para provar o seu direito.

— Eu poderia impedi-lo de ser rei — interrompe ela, a raiva dominando-a, o rosto vermelho. — Poderia renegá-lo, poderia repudiá-lo. Poderia pôr George no trono, no seu lugar. O que acharia disso... como resultado de seu suposto casamento privado, Lady Rivers?

As damas da duquesa empalidecem e se retraem, horrorizadas. Margarida, que adora o irmão, murmura:

— Mãe! — Mas não se atreve a dizer mais nada. Eduardo nunca foi o favorito de Lady Cecily Neville. Edmundo, seu querido Edmundo, morreu com o pai em Wakefield, e os vitoriosos lancastrianos espetaram suas cabeças no alto dos portões de York. George, seu irmão mais novo e o preferido de sua mãe, é o mimado da família. Ricardo, o caçula de cabelo escuro, é o rejeitado. É inacreditável que ela cogite pôr um filho antes do outro na linha sucessória, sem obedecê-la.

— Como? — questiona minha mãe abruptamente, exigindo uma confirmação. — Como derrubaria seu próprio filho?

— Se não fosse filho do meu marido...

— Mãe! — reclama Margarida.

— E como poderia não ser? — pergunta minha mãe, tão doce quanto veneno. — Chamaria seu próprio filho de bastardo? Chamaria a si mesma de prostituta? Simplesmente por despeito, somente para nos derrubar, destruiria a própria reputação e colocaria chifres em seu falecido marido? Quando espetaram a cabeça dele nos portões de York, colocaram-lhe uma coroa de papel para escarnecer dele. Não será nada em comparação a colocar-lhe chifres agora. Desonraria seu próprio nome? Envergonharia seu marido ainda mais do que seus inimigos o envergonharam?

Há um gritinho da parte das mulheres, e a pobre Margarida cambaleia como se fosse desmaiar. Como minhas irmãs e eu somos metade peixe, simplesmente arregalamos os olhos diante do embate entre a nossa mãe e a mãe do rei, que se comportavam como dois homens que se golpeiam com alabardas em uma justa, dizendo o inconcebível.

— Muitos são aqueles que acreditariam em mim — ameaça a mãe do rei.

— Então, a sua vergonha será ainda maior — replica minha mãe sem rodeios. — Os rumores sobre a filiação chegaram à Inglaterra. Na verdade, eu estava entre os poucos que juraram que uma dama de sua casa nunca se rebaixaria tanto. Mas ouvi, aliás, todos ouvimos, comentários sobre um arqueiro chamado... como era mesmo o nome...? — Finge esquecer e dá um tapinha na testa. — Ah, me lembrei: Blaybourne. Um arqueiro chamado Blaybourne que seria, supostamente, seu amante. Mas eu disse, e até mesmo a rainha Margarida de Anjou reiterou, que uma lady de seu porte não se aviltaria a ponto de se deitar com um arqueiro comum e pôr seu bastardo em um berço nobre.

O nome Blaybourne cai na sala como o baque de um tiro de canhão. Quase se ouviu a bala rolar até parar. Minha mãe não tem medo de nada.

— E de qualquer maneira, se conseguir fazer os lordes derrubarem o rei Eduardo, quem vai apoiar seu novo rei George? Como teria certeza de que o seu irmão Ricardo não tentaria, por sua vez, conseguir o trono para si mesmo? Seu parente, lorde Warwick, seu grande amigo, não ambiciona o trono? E por que eles não brigariam entre si e criariam mais uma geração de inimigos, dividindo o país, pondo irmão contra irmão de novo, destruindo a paz que o seu filho conquistou para si mesmo e para a sua casa? Destruiria tudo por nada, a não ser despeito? Todos sabemos que a Casa de York é dominada pela ambição. Chegaremos a ver vocês se devorando como um gato assustado come suas próprias crias?

Isso é demais para ela. A mãe do rei estende a mão na direção de minha mãe, como se pedindo para ela se calar.

— Não, não. Basta. Basta.

— Falo como amiga — diz minha mãe rapidamente, tão sinuosa quanto uma enguia. — E suas palavras irrefletidas contra o rei não sairão daqui. Minhas filhas e eu não repetiremos tal escândalo tão traiçoeiro. Esqueceremos até mesmo que chegou a falar uma coisa dessas. Apenas lamento que tenha até mesmo chegado a pensar nisso. Estou perplexa que o tenha dito.

— Basta — repete a mãe do rei. — Só queria que soubesse que esse casamento inconsiderado não foi escolha minha. Embora entenda que deva aceitá-lo. Mostrou-me que devo aceitá-lo. Por mais que me aflija, por mais que humilhe meu filho e nossa casa, tenho de aceitá-lo. — Dá um suspiro. — Pensarei nisso como o fardo que tenho de carregar.

— Foi a escolha do rei, e todos devemos lhe obedecer — diz minha mãe, deixando clara a sua superioridade. — O rei Eduardo escolheu sua esposa, e ela será a rainha da Inglaterra e a mulher mais importante do país, acima de todas as outras. E ninguém pode duvidar de que a minha filha será a mais bela rainha que a Inglaterra já teve.

A mãe do rei, cuja beleza foi famosa em sua juventude, quando a chamavam de Rosa de Raby, olha para mim pela primeira vez, sem prazer.

— Acho que sim — diz, com rancor.

Faço uma reverência de novo.

— Devo chamá-la de mãe? — pergunto alegremente.

Assim que a provação da recepção da mãe de Eduardo se encerra, tenho de me preparar para a apresentação à corte. As encomendas de vestidos feitas às costureiras de Londres por Anthony foram entregues a tempo e tenho um vestido novo cinza-claro, guarnecido de pérolas. O decote é baixo, com o corpete de pérolas e mangas de seda compridas. Uso-o com um toucado cônico alto, drapejado, com um lenço cinza. É ao mesmo tempo extremamente rico e encantadoramente modesto, e quando minha mãe vem ao meu quarto para ver se já estou vestida, pega as minhas mãos e beija minha face.

— Linda — diz ela. — Ninguém pode ter dúvida de que ele se casou com você por amor à primeira vista. Amor de trovador, que Deus abençoe os dois.

— Eles estão me esperando? — pergunto, nervosa.

Minha mãe indica com a cabeça a câmara do outro lado da porta do meu quarto.

— Estão todos lá: lorde Warwick, o duque de Clarence, e mais uma meia dúzia de pessoas.

Respiro fundo, firmo o toucado em minha cabeça e faço sinal para as minhas damas de honra abrirem a porta dupla. Ergo a cabeça e, como uma rainha, saio do quarto.

Lorde Warwick, vestido de preto, está do lado da lareira, um homem grande, beirando os 40 anos, ombros largos como o de um brigão; o perfil, pois está olhando para o fogo, é austero. Quando ouve a porta ser aberta, vira-se e olha para mim, franzindo o cenho. Depois, dá um sorriso afetado.

— Vossa Graça — diz ele, e faz uma reverência profunda.

Faço uma mesura, mas percebo que seu sorriso não abranda seus olhos escuros. Ele estava contando que Eduardo permaneceria sob o seu controle. Prometeu ao rei da França que o entregaria por meio de um casamento. Agora, tudo deu errado para ele, e as pessoas se perguntam se ele continua a ser o poder por trás do trono ou se Eduardo tomará as próprias decisões.

O duque de Clarence, o querido irmão do rei, está do seu lado parecendo um autêntico príncipe York, o cabelo dourado, um sorriso sempre pronto, elegante mesmo quando parado, uma bela e graciosa cópia de meu marido. Ele é louro e bem-feito, sua reverência é elegante como a de um dançarino italiano, e seu sorriso é encantador.

— Vossa Graça — diz. — Minha nova irmã, desejo-lhe felicidades em seu casamento de surpresa e em sua nova posição.

Estendo-lhe minha mão e ele me puxa e me beija em ambas as faces, com entusiasmo.

— Realmente desejo-lhe muitas felicidades — continua, alegremente. — Meu irmão é um homem de sorte, realmente. Fico feliz de chamá-la minha irmã.

Viro-me para o conde de Warwick.

— Sei que o meu marido o ama e confia no senhor como um irmão e amigo. É uma honra conhecê-lo.

— A honra é toda minha — replica ele asperamente. — Está pronta?

Olho de relance para trás: minhas irmãs e minha mãe estão alinhadas para me seguirem em procissão.

— Estamos prontas — digo, e, com o duque de Clarence de um lado e o conde de Warwick do outro, caminhamos devagar para a capela da abadia, passando por um grande número de pessoas que se afastam quando seguimos em sua direção.

∾

Minha primeira impressão é de que todo mundo que já vi na corte está aqui, vestido em suas melhores roupas para me reverenciar, e também mais uma centena de rostos novos, que vieram com os York. Os lordes estão na frente, com suas capas debruadas de arminho, a pequena nobreza atrás deles, ostentando suas posições e joias. Membros do conselho de Londres vieram em grande número para serem apresentados a mim, inclusive alguns líderes importantes da cidade. Os líderes cívicos de Reading estão presentes, lutando para verem e serem vistos pelos grandes gorros e plumas; atrás deles estão os membros das guildas e a pequena nobreza de toda a Inglaterra. Este é um acontecimento de importância nacional, todos que podiam comprar um gibão e pedir emprestado um cavalo vieram ver a vergonhosa nova rainha. Tenho de encarar todos eles sozinha, ladeada por meus inimigos, enquanto milhares de olhares estão me examinando: dos pés ao alto toucado na cabeça e o véu vaporoso, passando pelas pérolas do meu vestido, o corte esmerado e modesto, a perfeição da renda que oculta e destaca a alvura da pele dos meus ombros. Devagar, como uma brisa passando pelas copas das árvores, tiram o chapéu e fazem uma reverência, e percebo que estão me reconhecendo como rainha no lugar de Margarida de Anjou, rainha da Inglaterra, a mulher mais importante do reino, e nada na minha vida nunca mais será o mesmo. Sorrio de um lado para o outro,

82

agradecendo os votos de prosperidade e os murmúrios laudatórios, mas percebo que estou apertando a mão de Warwick, e ele sorri para mim, como se ficasse satisfeito com meu medo:

— É natural, para a senhora, que se sinta oprimida, Vossa Graça.

Realmente é natural para uma plebeia, mas isso nunca ocorreria com uma princesa, e sorrio de volta para ele. Não consigo me defender, não consigo falar.

∼

À noite, na cama, depois de fazermos amor, digo a Eduardo:

— Não gosto do conde de Warwick.

— Ele me fez o que sou hoje — retruca simplesmente. — Deve amá-lo, por mim.

— E o seu irmão George? E William Hastings?

Ele rola para o seu lado e sorri para mim.

— São meus companheiros e irmãos de armas. Casou-se em meio a um exército em guerra. Não podemos escolher os nossos aliados, não podemos escolher os nossos amigos. Apenas ficamos felizes com eles. Ame-os por mim, minha amada.

Assinto com a cabeça, como se fosse obediente. Mas acho que conheço meus inimigos.

Maio de 1465

O rei decide que terei a coroação mais gloriosa que a Inglaterra já viu. Isso não é exclusivamente uma homenagem a mim.

— Nós a tornamos rainha incontestável, e todo lorde no reino dobrará o joelho diante de você. Minha mãe... — Ele se interrompe e faz uma careta. — Minha mãe terá de lhe mostrar reverência como parte das celebrações. Ninguém poderá negar que você é rainha e minha esposa. Isso vai silenciar quem diz que o nosso casamento não é válido.

— Quem diz? — pergunto. — Quem ousa dizer isso?

Ele dá um sorriso largo. Ainda é um menino.

— Acha que eu lhe diria para que os transformasse em sapos? Não importa quem fala contra nós, contanto que só cochichem pelos cantos. Mas uma coroação imponente também é uma declaração de minha posição como rei. Todos podem ver que sou rei e que aquele pobre coitado do Henrique é um mendigo em algum lugar da Cúmbria, e sua mulher, uma pensionista de seu pai em Anjou.

— Extraordinariamente suntuosa? — digo, sem aceitar totalmente a ideia.

— Você vai cambalear sob o peso de suas joias — promete ele.

No fim, é mais rico do que ele previu, mais rico do que eu poderia ter imaginado. Entro na cidade pela Ponte de Londres, e a velha estrada de terra foi transformada, por carroças e mais carroças carregadas de areia cintilante, em uma estrada que mais parece uma arena de justa. Sou saudada por atores vestidos de anjos, as fantasias feitas de penas de pavão, as asas deslumbrantes parecendo milhares de olhos azuis, turquesa e índigo. Atores fazem um quadro vivo da Virgem Maria e dos santos. Sou exortada a ser virtuosa e fértil. O povo me vê como indicada por Deus para ser a rainha da Inglaterra. Quando entro na cidade, coros cantam, pétalas de rosas caem sobre mim. Sou o meu próprio quadro vivo: a inglesa da Casa de Lancaster se torna a rainha York. Sou um símbolo de paz e unidade.

Passo a noite anterior à minha coroação nos suntuosos apartamentos reais da Torre, recentemente decorados para a minha estada. Não gosto da Torre de Londres: sinto arrepios quando sou transportada em uma liteira pela porta levadiça, e Anthony, que está do meu lado, me olha de relance.

— O que foi?

— Odeio a Torre, cheira a umidade.

— Você se tornou exigente — diz Anthony. — Já foi estragada com mimos, com o rei lhe dando grandes residências, o solar de Greenwich, assim como o de Sheen.

— Não é isso — replico, tentando explicar meu desconforto. — É como se houvesse fantasmas neste lugar. Meus filhos passarão a noite aqui?

— Sim, a família toda, nos aposentos reais.

Faço uma careta de inquietação.

— Não gosto que meus filhos fiquem aqui. É um lugar agourento.

Anthony faz o sinal da cruz, desmonta com um salto e me ajuda a descer do meu cavalo.

— Sorria — ordena, falando a meia-voz.

O tenente da Torre está esperando para me saudar e me entregar as chaves: não é hora para presságios ou para fantasmas de meninos perdidos há muito tempo.

— À mais bela rainha, minhas saudações — diz ele. Estendo a mão a Anthony e sorrio. Ouço a multidão murmurar que sou uma beldade, mais bela do que imaginaram.

— Nada excepcional — retruca meu irmão em um tom que somente eu escuto, de modo que tenho de virar o rosto e me conter para não rir. — Nada comparado à nossa mãe, por exemplo.

No dia seguinte é a minha coroação na Abadia de Westminster. Para o arauto da corte, que proclama os nomes de duques, duquesas, condes, aquilo é apenas a lista das famílias mais nobres e mais eminentes da Inglaterra e do mundo cristão. Para a minha mãe, segurando minha cauda junto com as irmãs do rei, Elizabeth e Margarida, é o seu triunfo; para Anthony, um homem tão mundano e experiente e, ao mesmo tempo, tão desligado do mundo, acho que é uma nau de tolos, e ele gostaria de estar longe. E para Eduardo, é uma declaração patente de sua riqueza e poder a um país ávido por uma família real dotada de riqueza e poder. Para mim, é um borrão cerimonial, no qual não sinto nada a não ser apreensão: concentro-me apenas em andar na velocidade certa, lembrar de tirar os sapatos e seguir descalça no tapete de brocado, aceitar os dois cetros, um em cada mão, expor o peito para o óleo sagrado, manter a cabeça firme para o peso da coroa.

São necessários três arcebispos para me coroar, inclusive Thomas Bourchier, um abade, umas duas centenas de clérigos, e mil meninos de coro para cantar louvores a mim e invocar a bênção de Deus. Minhas parentes me acompanham, e percebo que tenho centenas delas. A família do rei vem primeiro, depois minhas irmãs, minha cunhada, Elizabeth Scales, minhas primas, minhas parentes da Borgonha, outras familiares que mamãe conseguiu localizar, e uma ou outra bela lady que aspira a ser apresentada. Todo mundo quer ser uma dama na minha coroação, todas querem um lugar na minha corte.

Por tradição, Eduardo não está comigo. Ele observa por trás de um biombo, meus filhos estão com ele. Eu nem mesmo o vejo, não posso ser encorajada por seu sorriso. Tenho de fazer tudo isso sozinha, com milhares de estranhos observando cada movimento meu. Nada deprecia minha ascensão de mulher plebeia a rainha da Inglaterra, de mortal a um ser divino, próximo de Deus. Quando me põem a coroa e me ungem com o óleo sagrado, torno-me um novo ser, acima dos mortais, apenas um patamar abaixo dos anjos, amada e eleita pelo céu. Espero o frio emocionante na espinha por saber que Deus me escolheu para ser rainha da Inglaterra, mas não sinto nada além do alívio de a cerimônia ter se encerrado e da apreensão em relação ao banquete que se seguirá.

Trezentos nobres e suas esposas jantam comigo, e a refeição consiste de quase vinte pratos. Tiro a coroa para comer e a coloco de novo entre cada prato. É como uma dança demorada, em que tenho de me lembrar dos passos, e que prossegue por horas a fio. Para me proteger dos olhares curiosos, a condessa de Shrewsbury e a condessa de Kent ficam de joelhos para segurar um véu na minha frente quando como. Experimento todos os pratos por cortesia, mas não como quase nada. A coroa pesa como uma maldição na minha cabeça e minhas têmporas latejam. Sei que cheguei à posição mais alta do mundo, no entanto, anseio apenas por meu marido e minha cama.

À certa altura da noite, provavelmente por volta do décimo prato, penso que realmente cometi um erro terrível e que eu estaria muito mais feliz em Grafton, sem nenhum casamento ambicioso e nenhuma ascensão real. Agora é tarde demais para arrependimentos, e embora o melhor dos pratos me pareça insosso por causa do meu cansaço, tenho de sorrir, sorrir o tempo todo, recolocar a pesada coroa e despachar os melhores pratos para os favoritos do rei.

O primeiro vai para os seus irmãos, George, o jovem promissor duque de Clarence, e o caçula York, Ricardo, de 12 anos, duque de Gloucester, que sorri para mim timidamente e baixa a cabeça quando lhe estendo um pouco de guisado de pavão. Ele não poderia ser mais diferente dos seus irmãos, pequeno e tímido, cabelo escuro, de constituição delgada e calado, enquanto os outros são altos, têm cabelo claro e são cheios de si. Gostei de Ricardo assim que o vi, acho que será um bom companheiro de brincadeiras para os meus filhos, que são pouco mais novos do que ele.

No fim do jantar, quando sou escoltada até meus aposentos por dezenas de nobres e centenas de clérigos, sustento a cabeça bem ereta, como se não estivesse exausta, como se não me sentisse oprimida. Sei que, hoje, me tornei algo mais do que uma mulher mortal: tornei-me uma semideusa.

Tornei-me uma divindade, semelhante à minha ancestral Melusina, que nasceu deusa e se tornou mulher. Ela teve de enfrentar uma barganha difícil com o mundo dos homens para transitar de um universo a outro. Teve de renunciar à sua liberdade na água para ganhar pés, de modo que pudesse caminhar na terra, do lado de seu marido. Não consigo deixar de me perguntar o que terei de perder para ser rainha.

Colocam-me na cama de Margarida de Anjou, no quarto real ressoante, e espero, com a coberta dourada puxada até as orelhas, Eduardo poder sair do banquete e se juntar a mim. Ele chega escoltado por meia dúzia de companheiros e criados, que o despem formalmente e só saem quando ele está de camisolão. Ele vê meus olhos arregalados e ri, enquanto fecha a porta.

— Agora somos da realeza — diz. — Essas cerimônias têm de ser suportadas, Elizabeth.

Estendo os braços para ele.

— Contanto que você continue a ser o mesmo, ainda que debaixo da coroa.

Ele tira o camisolão e vem nu até mim, seus ombros largos, sua pele macia, os músculos se movendo nas coxas, no ventre e no flanco.

— Sou seu — afirma simplesmente, e quando escorrega para a cama fria do meu lado, esqueço-me de que somos rainha e rei e penso somente no seu toque e no meu desejo.

~

No dia seguinte, há um grande torneio, e os nobres entram na arena com belas roupas e poesias proclamadas por seus escudeiros. Meus filhos estão comigo no camarote real, seus olhos arregalados e suas bocas abertas, admirados com a cerimônia, as bandeiras, o glamour, a multidão, a enormidade da primeira justa a que assistem. Minhas irmãs e Elizabeth, mulher de Anthony, estão sentadas ao meu lado. Estamos iniciando uma corte de belas mulheres. O povo já comenta sobre uma elegância nunca vista antes na Inglaterra.

Os primos da Borgonha são viris, sua armadura é a mais elegante, sua poesia, perfeita em sua forma rítmica. Mas Anthony, meu irmão, está magnífico: a corte agita-se com ele. Ele monta com extrema elegância, carrega minha prenda e quebra a lança de uma dezena de homens. Tampouco há poesia comparada à sua. Ele escreve no estilo romântico, o estilo das terras do sul: fala da alegria com um toque de tristeza, um homem sorrindo na tragédia. Compõe poemas sobre um amor que não pode ser concretizado, sobre esperanças que levam o homem a atravessar o deserto de areia, e a mulher a atravessar o oceano. Não é de admirar que todas as mulheres da corte se apaixonem por ele. Anthony sorri, pega as flores que elas jogam na arena, faz uma mesura, a mão no coração, sem pedir a nenhuma delas uma prenda.

— Eu o conheci quando era apenas meu tio — observa Thomas.

— Ele é o favorito de hoje — digo a meu pai, que veio ao camarote beijar minha mão.

— O que ele está pensando? — pergunta-me, perplexo. — No meu tempo, matávamos o adversário, não fazíamos um poema sobre ele.

A mulher de Anthony, Elizabeth, ri.

— Essa é a maneira da Borgonha.

— São tempos cavalheirescos — digo a meu pai, sorrindo para o seu rosto perplexo.

Mas o vencedor do dia é lorde Thomas Stanley, um homem bonito que levanta seu visor e vem receber seu prêmio, feliz por ter vencido. O lema de sua família é exibido orgulhosamente em seu estandarte: *Sans Changer*.

— O que significa? — murmura Richard para seu irmão.

— Sem mudar — responde Thomas. — E você saberia se estudasse em vez de perder seu tempo.

— E nunca muda? — pergunto a lorde Stanley. Ele olha para mim: a filha de uma família que mudou completamente, que transferiu seu apoio de um rei para outro, uma mulher que passou de viúva a rainha, e faz uma reverência.

— Eu nunca mudo — responde ele. — Apoio Deus, o rei e meus direitos, nessa ordem.

Sorrio. Inútil perguntar como sabe o que Deus quer, qual é o rei honrado, que seus direitos são justos. São perguntas para a paz, e o nosso país está em guerra há tempo demais para questões complexas.

— É um grande homem na arena — observo.

Ele sorri.

— Tive sorte de não ser listado para lutar com o seu irmão Anthony. Mas estou orgulhoso por ter competido perante Vossa Graça.

Inclino-me à frente para lhe entregar o prêmio do torneio, um anel de rubi, e ele me mostra que é pequeno demais para a sua mão.

— Deve se casar com uma bela dama — provoco-o. — Uma mulher virtuosa, cujo preço está além de rubis.

— A dama mais bela do reino é casada e foi coroada. — Faz uma reverência. — Como devemos, nós, que fomos negligenciados, suportar a nossa infelicidade?

Rio; esta é a linguagem de meus parentes da Borgonha, que tornaram o flerte uma forma de arte.

— Deve se esforçar — replico. — Um cavaleiro tão excepcional deve fundar uma grande casa.

— Fundarei a minha casa, e me verá ganhar de novo — replica, e ao ouvir suas palavras, não sei por quê, sinto um certo arrepio. Esse homem não é forte só na arena da justa, penso. Esse é um homem que é forte no campo de batalha, sem escrúpulos, que perseguirá seu próprio interesse. Formidável, realmente. Tomara que seja fiel ao seu lema e nunca mude sua lealdade à nossa Casa de York.

~

Quando a deusa Melusina se apaixonou pelo cavaleiro, ele lhe prometeu que seria livre para ser ela mesma se aceitasse ser sua esposa. Combinaram que ela seria sua esposa e caminharia com pés, mas uma vez por mês, ela poderia ir à sua própria câmara, encher uma banheira de água e, por uma noite, ser sua metade peixe. E assim viveram felizes durante muitos anos.

Pois ele a amava e compreendia que uma mulher não pode viver o tempo todo como um homem. Compreendia que ela não podia pensar sempre como ele pensava, andar como ele andava, respirar o ar que ele inspirava. Ela seria sempre diferente dele, escutaria uma música diferente e ouviria sons diferentes, familiarizada com um elemento diferente.

Ele compreendia que ela precisava de um tempo sozinha, que ela tinha de fechar os olhos e afundar nas oscilações da água, agitar seu rabo e respirar por suas guelras, esquecer as alegrias e privações de uma esposa — somente por um breve tempo, uma vez por mês. Tiveram filhos juntos que cresceram belos e saudáveis. Ele prosperou, e seu castelo era famoso por sua riqueza e elegância. Era conhecido também pela grande beleza e doçura de sua dama, e visitantes vinham de longe para ver o castelo, seu senhor e sua bela esposa misteriosa.

~

Assim que sou coroada rainha, ponho-me a assegurar posições para minha família, e minha mãe e eu nos tornamos as maiores casamenteiras do reino.

— Isso não vai despertar mais hostilidade? — pergunto a Eduardo. — Minha mãe tem uma lista de lordes com quem casar minhas irmãs.

— Você tem de fazer isso — garante ele. — Queixam-se de que você é uma pobre viúva, de uma família desconhecida. Tem de tornar sua família mais refinada casando-a com a nobreza.

— Somos tantos, tenho tantas irmãs, juro que pegaremos todos os bons partidos. Nós deixaremos o reino com uma escassez de lordes.

Ele dá de ombros.

— Este país dividiu-se entre York e Lancaster por tempo demais. Crie para mim outra grande família que me apoiará quando York vacilar ou quando Lancaster ameaçar. Você e eu temos de nos ligar à nobreza, Elizabeth. Dê carta branca à sua mãe, precisamos de primos e parentes por afinidade em cada condado do país. Vou nobilitar seus irmãos e seus filhos Grey. Precisamos criar uma família poderosa ao seu redor, tanto para manter sua posição quanto para a sua defesa.

Acato suas palavras e procuro minha mãe. Encontro-a sentada à grande mesa em meus aposentos, com árvores genealógicas, contratos de casamento e mapas à sua volta, como um comandante formando um exército.

— Vejo que a senhora é a deusa do amor — comento.

Ela me olha de relance, com o cenho franzido de concentração.

— Isto não é amor, é negócio — replica. — Você tem de prover a sua família, Elizabeth, e o melhor a fazer é casá-la com maridos e esposas ricos. Você tem uma linhagem a criar. Sua tarefa como rainha é observar e dispor a nobreza de seu país: nenhum homem pode ascender demais, nenhuma dama deve se rebaixar demais. Sei disso muito bem: meu casamento com seu pai foi proibido, e tivemos de implorar o perdão do rei e pagar uma multa.

— Achava que, com isso, tinha defendido a liberdade e o amor verdadeiro, não?

Ela ri brevemente.

— Quando se trata de minha liberdade e de minha história de amor, sim. Quando se trata de como dispor a sua corte, não.

— Deve lamentar que Anthony já esteja casado, agora que poderíamos arrumar um casamento influente para ele.

Minha mãe franze o cenho.

— Lamento que ela seja estéril e com a saúde debilitada — retruca bruscamente. — Pode mantê-la na corte como dama de honra, e ela é de excelente família, mas não acredito que nos dê filhos e herdeiros.

— A senhora terá dúzias de filhos homens e herdeiros — predigo, examinando sua longa lista de nomes e as setas destacadas entre os nomes de minhas irmãs e os de nobres ingleses.

— Sim — diz ela com satisfação. — E nenhum deles será menos que um lorde.

Desse modo, temos um mês de cerimônias de casamento. Cada uma de minhas irmãs casa-se com um lorde, exceto Katherine, para quem reservo algo melhor, e arranjo seu casamento com um duque. Ele ainda não completou 10 anos, uma criança carrancuda: Henry Stafford, o pequeno duque de Buckingham. Warwick tinha-o em mente para a sua filha Isabel. Mas como o menino está sob a custódia real desde a morte de seu pai, está à minha disposição. Recebo uma remuneração pela guarda dele, e posso fazer o que quiser. É um menino arrogante, rude comigo. Cheio de si, acha que é de uma família muito importante, a ponto de me dar satisfação impor a esse pretendente ao trono o casamento com minha irmã. Ele a considera, e a todos nós, insuportavelmente inferiores. Sente-se humilhado com o casamento, e o ouvi se vangloriando com seus amigos de que se vingaria, de que um dia o temeríamos, e eu me arrependeria de tê-lo insultado. Isso me faz rir, e Katherine está feliz por ser uma duquesa, mesmo com uma criança rabugenta como marido.

Meu irmão de 20 anos, John, que afortunadamente ainda é solteiro, se casará com a tia de lorde Warwick, Lady Catherine Neville. Ela é a duquesa viúva de Norfolk, tendo se casado e deitado com um duque e o enterrado. É um tapa na cara de Warwick, e só isso já me causa uma alegria má, e como sua tia tem quase 100 anos, o casamento com ela é uma pilhéria do tipo mais cruel. Warwick vai saber quem, agora, faz as alianças na Inglaterra. Além disso, ela deve morrer logo, e então meu irmão ficará livre para se casar de novo, e inconcebivelmente rico.

Para o meu filho, o meu querido Thomas Grey, compro a pequena Anne Holland. Sua mãe, a duquesa de Exeter, irmã do meu marido, me cobra 4 mil marcos pelo privilégio. Tomo nota do preço do seu orgulho e pago, para que Thomas possa herdar a fortuna Holland. Meu filho será tão rico quanto qualquer príncipe da cristandade. Também privo o conde de Warwick desse prêmio — ele queria Anne Holland para o seu sobrinho e estava quase tudo assinado e selado, mas eu cobri seu lance oferecendo mil marcos a mais — uma fortuna, a fortuna de um rei, da qual posso dispor e Warwick não. Eduardo nomeará Thomas marquês de Dorset, para colocá-lo à altura de suas perspectivas. Terei uma esposa para meu filho Richard Grey assim que encontrar uma garota que lhe traga fortuna. Nesse meio-tempo, ele será nomeado cavaleiro.

Meu pai torna-se conde, Anthony não ganha o ducado sobre o qual pilheriava, mas consegue o domínio da Ilha de Wight, e meus outros irmãos ganham posições no serviço real ou na igreja. Lionel será um bispo, como queria. Uso minha posição de rainha para colocar a minha família no poder, como qualquer mulher faria na verdade, como qualquer mulher que ascende à grandeza vindo do nada seria aconselhada a fazer. Teremos os nossos inimigos, e temos de estabelecer relações e aliados. Devemos estar em toda parte.

No fim do longo processo de casamento e concessão de títulos de nobreza, nenhum homem pode viver na Inglaterra sem esbarrar com alguém da minha família: não pode fazer comércio, arar um campo ou julgar uma causa sem se encontrar com um membro da importante família Rivers ou seus dependentes. Estamos em toda parte, estamos onde o rei escolheu nos colocar. E no dia em que todos se voltarem contra ele, verá que nós, os Rivers, formamos uma fortaleza ao seu redor. Quando ele perder todos os outros aliados, continuaremos a ser seus amigos, e agora estamos no poder.

Somos leais, e o rei se apega a nós. Juro-lhe fidelidade e amor, e ele sabe que não há mulher no mundo que o ame mais do que eu. Meus irmãos e meu pai, meus primos, minhas irmãs e todos os seus novos maridos e esposas prometem-lhe lealdade absoluta, aconteça o que acontecer, independentemente de quem nos atacar. Criamos uma família nem Lancaster, nem York. Somos a família Woodville, enobrecida como Rivers, e permanecemos junto ao rei como um muro. Metade do reino pode nos odiar, mas nos tornei tão poderosos que não me importo.

Eduardo começa a governar um país que não está acostumado a ter um rei. Designa juízes e corregedores para substituírem homens mortos em combate, exige que imponham lei e ordem em seus condados. Homens que aproveitaram a oportunidade para lutar contra seus vizinhos têm de voltar atrás. Os soldados dispensados dos dois lados têm de voltar para casa. Os bandos beligerantes que aproveitaram a oportunidade para espalhar o terror devem ser perseguidos e capturados, as estradas precisam se tornar seguras de novo. Eduardo começa o difícil trabalho de trazer a paz à Inglaterra mais uma vez. De tornar a Inglaterra um país em paz, e não em guerra.

Finalmente, a guerra encerra-se quando capturamos o antigo rei Henrique, meio perdido e imbecilizado, nas colinas de Northumberland, e Eduardo ordena que ele seja levado para a Torre de Londres, para a sua própria segurança e a nossa. Não está sempre em seu juízo perfeito, que Deus o proteja. Move-se pelos aposentos na Torre e parece saber onde está, parece feliz por estar em casa depois de vagar por tanto tempo. Vive em silêncio, em comunhão com Deus, um padre ao seu lado dia e noite. Não sabemos se se lembra de sua mulher ou do filho que ela lhe disse ser seu. Obviamente nunca fala deles, nem pergunta sobre eles na distante Anjou. Não temos nem mesmo certeza de que se lembra de que já foi rei. Está alheio ao mundo, o pobre Henrique, e esqueceu-se de tudo o que lhe tiramos.

Verão de 1468

Eduardo confia a Warwick uma embaixada na França, e este aproveita a oportunidade para se afastar da Inglaterra e da corte. Ele não consegue suportar a nossa boa maré e o lento declínio de suas próprias esperanças. Planeja fazer um trato com o rei da França e jura-lhe que o governo da Inglaterra continua sob seu controle e que escolherá o marido para a herdeira York, Margarida. Mas está mentindo, e todo mundo sabe que seus dias no poder acabaram. Eduardo escuta minha mãe, a mim e seus outros conselheiros, que dizem que a Borgonha tem sido um amigo leal, quando a França é uma inimiga constante, e que uma aliança com esse ducado seria importante para manter o bom relacionamento com nossos primos. Essa relação poderia ser consolidada com o casamento da irmã de Eduardo, Margarida, com o novo duque, Carlos, que acaba de herdar as ricas terras da Borgonha.

Carlos é um amigo importante para a Inglaterra. O duque de Borgonha possui, além de seu ducado, todas as terras de Flandres e, portanto, comanda todas as planícies do norte, todas as terras entre a Alemanha e a França e as ricas terras no sul. São importantes compradores do tecido inglês, mercadores e nossos aliados. Seus portos estão de frente para nós, do outro lado do mar. Seu inimigo usual é a França, e confiam em nós para estabelecer uma aliança. São amigos tradicionais da Inglaterra e agora — através de mim — são parentes do rei inglês.

Tudo isso é planejado sem consultar a noiva, e Margarida me procura, muito agitada, quando ando pelo jardim, no Palácio de Westminster. Alguém lhe disse que seu compromisso com Dom Pedro de Portugal tinha sido posto de lado e ela agora seria vendida pelo maior lance, ou para Luís da França, para ser esposa de um de seus príncipes franceses, ou para Carlos da Borgonha.

— Vai dar tudo certo — digo-lhe, segurando a sua mão para que ande ao meu lado. Ela tem somente 22 anos, e não foi criada para ser irmã de um rei. Não está acostumada com o fato de seu futuro marido mudar segundo as necessidades do momento. Sua mãe, cuja lealdade é dividida entre seus competitivos filhos, descuidou-se das filhas.

Quando Margarida era menina, achava que se casaria com um lorde e que viveria em um castelo inglês, criando seus filhos. Até mesmo pensou em ser freira — ela partilha do entusiasmo da mãe pela Igreja. Depois que o pai reivindicou o trono e o irmão o conquistou, não se dera conta de que há um preço a se pagar pelo poder, e este será pago por ela, tanto quanto por todos nós. Ela ainda não percebeu que, embora sejam os homens que vão para a guerra, são as mulheres que sofrem — talvez até mais.

— Não vou me casar com um francês. Odeio a França — diz, inflamada. — Meu pai combateu os franceses, ele não ia querer que eu me casasse com um deles. Meu irmão não pensaria nisso. Não sei por que minha mãe considera essa possibilidade. Ela estava com o exército inglês na França, ela sabe como eles são. Sou da Casa de York, não quero ser uma francesa!

— Não será — replico com a voz firme. — Esse é o plano do conde de Warwick, e ele não tem mais poder sobre o rei. Sim, ele aceita propinas dos franceses e favorece a França, mas o meu conselho ao rei é de que ele deve fazer uma aliança com o duque de Borgonha, que será melhor para você. Pense bem: se tornará minha parente! Vai se casar com o duque de Borgonha e viver no belo palácio em Lille. Seu futuro marido é um amigo honrado da Casa de York, e meu parente por parte de mãe. É um bom amigo, e de seu palácio, é fácil vir visitar a Inglaterra. Quando minhas filhas tiverem idade suficiente, eu as mandarei para você, para que lhes ensine a vida elegante da corte de Borgonha. Nenhum lugar é mais elegante e mais belo. E como duquesa, será madrinha dos meus meninos. O que acha?

Ela fica confortada, em parte.

— Mas sou da Casa de York — repete. — Quero ficar na Inglaterra. Pelo menos até conseguirmos finalmente derrotar os lancastrianos, e quero ver o batismo de seu filho, o primeiro príncipe de York. Depois vou querer vê-lo se tornar príncipe de Gales...

— Virá a seu batizado, quando ele chegar — prometo-lhe. — E ele saberá que sua tia é sua boa guardiã. Mas você precisa promover os interesses da Casa de York na Borgonha. Manterá a Borgonha amiga de York e da Inglaterra, e se algum dia Eduardo estiver em dificuldades, ele saberá que poderá contar com a riqueza e as armas borgonhesas. E se acontecer de ele correr perigo de novo, por causa de um falso amigo, poderá recorrer a vocês para pedir ajuda. Você vai gostar de ser nossa aliada do outro lado do mar. Vocês serão o nosso refúgio.

Ela deixa sua cabecinha cair sobre o meu ombro.

— Vossa Graça, minha irmã — diz. — É difícil para mim ir embora. Perdi meu pai, e não sei se meu irmão continua em perigo. Não sei se ele e George são amigos de verdade, não sei se George não inveja Eduardo, e temo pelo que milorde Warwick possa fazer. Quero ficar aqui. Quero estar com Eduardo e com você. Amo meu irmão George, não quero deixá-lo nessa hora. Não quero deixar minha mãe. Não quero deixar o meu país.

— Eu sei — replico suavemente. — Mas terá de ser uma irmã poderosa e boa para Eduardo e para George, como duquesa de Borgonha. Saberemos que temos um país com que podemos contar, e que é governado por uma bela duquesa completamente York. Pode ir para a Borgonha e ter filhos, filhos homens, de York.

— Acha que posso fundar uma Casa de York além-mar?

— Fundará uma nova linhagem — garanto-lhe. — E ficaremos felizes em saber que está lá, e iremos visitá-la.

Ela assume um semblante forçado de felicidade, e Warwick, com uma expressão hipócrita, a acompanha ao porto de Margate. Acenamos e nos despedimos dela, da nossa pequena duquesa, e sei que, de todos os irmãos e irmãs de Eduardo, George, o desleal, e Ricardo, o menino, acabamos de mandar embora a yorkista mais amorosa, mais leal, mais confiável.

Para Warwick, é mais uma derrota por minhas mãos e pelas da minha família. Ele jurou que Margarida teria um marido francês, mas teve de levá-la ao duque de Borgonha. Ele planejou uma aliança com a França e afirmou que tinha influência sobre a tomada de decisões na Inglaterra. Em vez disso, nos casaremos com a casa real da Borgonha: a família de minha mãe. Todos podem ver que a Inglaterra é comandada pela família Rivers e que o rei só escuta a nós. Warwick escolta Margarida em sua viagem de núpcias com uma cara de quem está chupando limão e, rindo disfarçadamente ao vê-lo subjugado por nós, penso estar a salvo de sua ambição e malícia.

Verão de 1469

Eu me enganei, como me enganei. Não somos tão poderosos, não o bastante. E eu deveria ter sido mais cautelosa. Não pensei — eu, que de todas as pessoas, o temi antes mesmo de conhecê-lo — na inveja e inimizade de Warwick. Não previ — e eu, de todas as rainhas, com meus filhos crescendo, deveria ter previsto — que ele e a mãe implacável de Eduardo poderiam se unir e pensar em colocar outro York no trono, no lugar do primeiro que tinham escolhido. Não pressenti que o Fazedor de Reis faria outro monarca.

Eu deveria ter ficado mais atenta a Warwick quando minha família tirou o seu poder e posição e ganhou as terras que ele gostaria de ter. Eu também deveria ter visto que George, o jovem duque de Clarence, fatalmente lhe interessaria. George é um filho de York tanto quanto Eduardo, porém maleável, facilmente persuadido e, sobretudo, solteiro. Warwick examinou a mim e Eduardo, a crescente força e riqueza dos Rivers com que cerquei meu marido, e se pôs a pensar que poderia fazer outro rei, um que novamente lhe seria obediente.

Temos três belas filhas, uma delas recém-nascida, e estamos esperando — com ansiedade cada vez mais intensa — um filho, quando Eduardo fica sabendo de um rebelde em Yorkshire, que chama a si mesmo de

Robin. Robin de Redesdale, um nome inventado que não significa nada, um rebelde trivial que se esconde atrás de um nome lendário para reunir soldados, difamar a minha família e exigir justiça, liberdade e os absurdos usuais que convencem homens bons a negligenciarem seus campos e irem de encontro à própria morte. No começo, Eduardo não deu muita atenção e eu, insensatamente, nem pensei nisso. O rei está em viagem com a minha família, meus filhos Grey, Thomas e Richard, e seu irmão mais novo, Ricardo, apresentando-se ao povo e agradecendo a Deus, e estou indo ao seu encontro com as meninas e, embora escrevamos diariamente um para o outro, pensamos tão pouco na sublevação que ele nem a menciona em suas cartas.

Até mesmo quando meu pai comenta comigo que há alguém pagando esses homens — que não estão armados de forcados, usam botas boas e marcham ordenados —, não lhe dou atenção. Mesmo quando diz, alguns dias depois, que esses rebeldes estão a serviço de alguém — são camponeses, ou arrendatários ou homens que juraram fidelidade a um lorde — não escuto sua sabedoria conquistada com dificuldade. Mesmo quando ele salienta para mim que nenhum homem pega uma foice e vai lutar por vontade própria em uma guerra, que alguém, seu senhor, tem de dar a ordem, mesmo então, não lhe dou atenção. Quando meu irmão John diz que este é um território de Warwick e que provavelmente os rebeldes foram sublevados por subordinados dele, continuo sem levar nada disso em consideração. Acabei de ter um bebê, e meu mundo gira em torno de seu berço esculpido e pintado de ouro. Estamos em viagem, no sudeste da Inglaterra, onde somos amados, o verão está agradável, e acho, quando chego a pensar nisso, que os rebeldes provavelmente irão para casa a tempo para a colheita, e a inquietação cessará naturalmente.

Não fico preocupada até meu irmão John me procurar com a expressão grave e jurar que há centenas, talvez milhares de homens armados, e que a rebelião só pode ser coisa do conde de Warwick, que volta a usar de suas velhas artimanhas, uma vez que ninguém mais poderia reunir tantos soldados. Está atuando como Fazedor de Reis, de novo. Na última vez, fez

Eduardo ocupar o lugar do rei Henrique. Dessa vez quer que George, duque de Clarence, irmão do rei, filho sem nenhuma importância, ocupe o lugar de meu marido, e, dessa forma, deseja apossar-se do meu lugar também.

Eduardo me encontra em Fotheringhay, como tínhamos combinado, furioso. Planejáramos aproveitar a bela casa e o terreno no clima de verão, e depois viajarmos juntos para a próspera cidade de Norwich, para uma entrada cerimonial nessa rica cidade. Nosso plano era participarmos das peregrinações e celebrações nas cidades do campo, distribuir justiça e cargos, sermos vistos como o rei e a rainha no coração do povo — nada parecido com o rei louco na Torre e a rainha mais louca ainda, na França.

— Agora vou ter de ir para o norte e tratar disso — queixa-se Eduardo para mim. — Há novas rebeliões por vir, como fontes em um lago. Achei que era um único nobre rural descontente, mas o norte todo parece estar pegando em armas de novo. É Warwick, tem de ser Warwick, embora ele não tenha me dito uma palavra sequer sobre isso. Mas o convoquei e ele não veio. Achei estranho, mas sabia que ele estava com raiva de mim. Agora sei que naquele mesmo dia ele e George embarcaram em um navio. Devem ter ido para Calais. Malditos, Elizabeth, fui um idiota crédulo. Warwick fugiu da Inglaterra, e George com ele. Foram ao forte mais resistente da Inglaterra, são inseparáveis, e todos os homens que disseram combater em nome de Robin de Redesdale eram, na verdade, homens pagos por ele ou por George.

Fico aterrorizada. De repente o reino que parecia tranquilo em nossas mãos está se fragmentando.

— Deve ser o plano de Warwick usar contra mim todos os artifícios que usamos, ele e eu, contra Henrique. — Eduardo está pensando em voz alta. — Ele agora está apoiando George, como me apoiou antes. Se continuar com isso, se usar a fortaleza de Calais como sua base para invadir a Inglaterra, será uma guerra entre irmãos, como antes foi uma guerra entre primos. Isso é execrável, Elizabeth. E esse é o homem que eu achava ser meu irmão. Esse é o homem que quase me pôs no trono. Esse é o meu parente e primeiro aliado. Esse era o meu maior amigo!

Vira-se para que eu não veja a raiva e a aflição em seu rosto, e eu mal consigo respirar ao pensar nesse grande homem, nesse extraordinário comandante, nos atacando.

— Tem certeza? George está com ele? Foram juntos para Calais? Ele quer o trono para George?

— Não tenho certeza de nada — grita, exasperado. — Esse era, antes de mais nada, meu melhor amigo, e meu próprio irmão está com ele. Lutamos ombro a ombro no campo de batalha, éramos irmãos de armas e parentes. Na batalha de Mortimer's Cross, havia três sóis no céu. Eu os vi, eu mesmo, três sóis: todo mundo disse que era um sinal de Deus para mim, George e Ricardo, os três filhos de York. Como um filho pode deixar os outros? E quem mais me traiu com ele? Se não posso confiar no meu próprio irmão, quem ficará do meu lado? Minha mãe deve saber disso: George é o seu preferido. Ele deve ter lhe contado que estava conspirando contra mim e ela guardou seu segredo. Como ele foi capaz de me trair? Como ela foi capaz?

— Sua mãe? — repito. — Sua mãe apoiando George contra você? Por que ela faria uma coisa dessas?

Ele dá de ombros.

— A velha história. A dúvida sobre se sou filho do meu pai. Se sou legítimo, nascido e criado York. George está dizendo que sou um bastardo, o que o torna o herdeiro legítimo. Só Deus sabe por que ela sustentaria isso. Ela deve me odiar por ter me casado com você e ter ficado ao seu lado mais do que imaginei.

— Como ela se atreve?

— Não posso confiar em ninguém, a não ser em você e em sua família — exclama Eduardo. — Todo mundo em quem eu confiava puxou o tapete sob meus pés, e agora fico sabendo que esse Robin, de Yorkshire, tem uma lista de exigências às quais quer que eu satisfaça, e Warwick anunciou ao povo que considera-as razoáveis. Razoáveis! Prometeu que ele e George desembarcarão com um exército para protestarem contra mim. Protestarem! Sei o que ele quer dizer com isso! Não foi exatamente o que fizemos com Henrique? Não sei como um rei é destruído? O pai de

Warwick não convenceu o meu a protestar contra Henrique, planejando afastá-lo de sua mulher e de seus aliados? Não ensinou meu pai a separar o rei deles? E agora ele pensa em me destruir com o mesmo estratagema. Ele acha que sou idiota?

— E Ricardo? — pergunto, apreensiva, pensando em seu outro irmão, o menino tímido que se tornou um rapaz calado e pensativo. — A quem ele é legal? Ele está do lado de sua mãe?

É o seu primeiro sorriso.

— Meu Ricardo permanece fiel a mim. Sei que o acha um garoto desajeitado e ranzinza. Sei que suas irmãs riem dele, mas ele é franco e leal, enquanto George pode ser subornado para ir em qualquer direção. Ele é uma criança gananciosa, não um homem. Só Deus sabe o que Warwick lhe prometeu.

— Posso responder — replico com fúria. — É fácil. Seu trono. E a herança das minhas filhas.

— Vou manter tudo. — Ele pega as minhas mãos e as beija. — Juro que manterei tudo. Você vai para a cidade de Norwich como planejamos. Cumpra o seu dever, seja rainha, pareça imperturbável. Mostre-lhes um rosto sorridente e confiante. E eu vou dar um fim nessa conspiração de serpentes, antes que seja posta em ação.

— Eles admitem que esperam derrubá-lo? Ou insistem que querem apenas argumentar com você?

Ele faz uma careta.

— Acho que querem mais derrubar você, minha querida. Querem a sua família e seus conselheiros exilados da minha corte. A principal queixa é de que estou sendo mal aconselhado e que sua família está me destruindo.

Surpreendo-me.

— Estão me caluniando?

— É um pretexto, uma encenação — retruca. — Não dê importância. É a mesma história de sempre: eles mostram que não é uma rebelião contra o rei, mas sim contra seus maus conselheiros. Eu mesmo fiz isso, assim como meu pai, como Warwick, contra Henrique. Depois, dissemos que foi tudo culpa da rainha e do duque de Somerset. Agora, dizem que a culpa é sua e de sua família. É fácil culpar a esposa. É sempre mais fácil culpar a rainha de ser uma má influência do que se declarar abertamente contra o rei. Querem destruí-la e a sua família, é claro. Depois, como estarei sozinho diante deles, sem amigos e família, me destruirão. Vão me forçar a declarar o nosso casamento uma farsa, nossas filhas, bastardas. Farão com que eu nomeie George meu herdeiro, talvez exigirão que eu ceda meu trono a ele. Tenho de levá-los a uma oposição aberta, e aí poderei derrotá-los. Confie em mim. Eu a manterei a salvo.

Encosto minha testa na dele.

— Queria ter lhe dado um filho — digo baixinho. — Então eles saberiam que só haveria um único herdeiro. Gostaria de ter lhe dado um príncipe.

— Temos bastante tempo para isso — replica, com firmeza. — E amo as nossas filhas. Um filho ainda virá, não tenho dúvida disso, querida. Manterei o trono seguro para ele. Confie em mim.

Eu o deixo ir. Nós dois temos trabalho a fazer. Ele parte de Fotheringhay atrás de um estandarte que ondula ostentosamente, cercado de uma guarda pronta para a batalha, em direção a Nottingham. Lá, no castelo imponente, vai esperar que o inimigo apareça. Eu sigo para Norwich com minhas filhas, para agir como se a Inglaterra fosse toda minha, como se o país ainda fosse um belo jardim de rosas dos York e eu não temesse nada. Levo junto comigo os meus filhos Grey. Eduardo sugeriu que eles o acompanhassem, para sentirem o primeiro gostinho de uma batalha, mas temi por eles, e levo-os comigo e minhas filhas. De modo que tenho ao meu lado dois jovens emburrados, de 15 e 13 anos, durante a viagem a Norwich, e nada os satisfaz, uma vez que estão perdendo sua primeira batalha.

Tenho uma recepção cerimonial, com coros cantando, flores lançadas no caminho à minha frente e peças teatrais exaltando minhas virtudes e dando boas-vindas às minhas filhas. Eduardo aguarda o momento propício para agir em Nottingham, convocando seus soldados mais uma vez, esperando o inimigo desembarcar.

Enquanto esperamos, cada qual desempenhando seu papel e se perguntando quando os nossos inimigos virão e onde irão desembarcar, recebemos mais notícias. Na cidade de Calais, com permissão especial do papa — que deve ter sido procurado e convencido em segredo por nossos próprios arcebispos —, George casou-se com a filha de Warwick, Isabel Neville. Ele é agora genro do conde, e se este conseguir colocá-lo no trono de Eduardo, fará com que sua própria filha seja rainha, tomando a minha coroa.

Fico furiosa ao pensar em nossos arcebispos traidores escrevendo para o papa secretamente para ajudar nossos inimigos, em George diante do altar com a filha de Warwick e na ambição, fervendo em fogo baixo, do próprio Warwick. Penso na garota pálida, uma das duas meninas Neville, uma das duas únicas filhas do conde de Warwick, que nunca teve um filho e não pode mais ser pai, e juro que ela nunca usará a coroa da Inglaterra enquanto eu viver. Penso em George mudando de lado como o menino mimado que é, e consentindo nos planos de Warwick como a criança estúpida que é, e juro vingança contra os dois. Tenho tanta certeza de que haverá uma batalha violenta entre meu marido e seu antigo tutor na guerra que sou pega de surpresa, tanto quanto Eduardo, quando o conde desembarca sem avisar e esmaga o exército real em Edgecote Moor, perto de Banbury, antes mesmo de o rei sair do Castelo de Nottingham.

É um desastre. Sir William Herbert, conde de Pembroke, morre no campo de batalha, junto com mil galeses ao seu redor. Seu pupilo, o menino Lancaster Henrique Tudor, é deixado sem guardião. Eduardo segue na estrada para Londres, cavalgando o mais rápido possível para armar a cidade para um cerco e adverti-la de que Warwick está na Inglaterra, quando figuras armadas bloqueiam a estrada à sua frente.

O arcebispo Neville, parente de Warwick nomeado por nós, avança e leva Eduardo, o seu próprio rei, prisioneiro, lhe dizendo, enquanto é cercado, que Warwick e George já estão na Inglaterra e que o exército real já havia sido derrotado. É o fim; Eduardo foi vencido antes mesmo de o combate ser travado, antes mesmo de seu cavalo de batalha ser arreado. As guerras, que pensei terem se encerrado com a nossa paz, acabaram em nossa derrota, sem Eduardo nem mesmo brandir sua espada. A base da Casa de York agora será George, o fantoche, e não o meu filho ainda por nascer.

Estou em Norwich, simulando confiança, transmitindo uma dignidade de rainha, quando me trazem uma mensagem, manchada de barro, de meu marido. Abro a carta:

Querida esposa,

Prepare-se para más notícias.

Seu pai e seu irmão foram aprisionados em uma batalha próxima a Edgecote defendendo a nossa causa, e Warwick está com eles. Eu também sou prisioneiro, mantido no Castelo de Middleham, de Warwick. Capturaram-me na estrada, seguindo ao seu encontro. Não fui ferido, nem eles.

Warwick chama a sua mãe de feiticeira e diz que o nosso casamento foi um ato de bruxaria, realizado por vocês. Portanto fique alerta: vocês duas correm grave perigo. Ela deve deixar o país imediatamente, eles a estrangulariam como uma bruxa, se pudessem. Você também deve se preparar para o exílio.

Vá com nossas filhas para Londres o mais rápido que puder, arme a Torre e forme um exército para defender a cidade. Assim que a cidade estiver preparada para o cerco, você deve pegar as meninas e ir para a segurança de Flandres. A acusação de bruxaria é muito grave, minha querida. Eles a executarão se acharem que podem convencer o povo. Mantenha-se a salvo, antes de tudo.

Se achar melhor, mande as crianças imediatamente, e secretamente, para ficarem escondidas com pessoas humildes. Não seja orgulhosa, Elizabeth, escolha um refúgio onde ninguém as procurará. Temos de sobreviver a isso se quisermos lutar para reaver o que é nosso.

Sofro mais por tê-la colocado em perigo, e às meninas, do que por qualquer outra coisa no mundo. Escrevi a Warwick para perguntar qual o resgate que ele quer para que seu pai e seu irmão John retornem para casa em segurança. Tenho certeza de que ele os mandará de volta para vocês e pague o que ele exigir com dinheiro do Tesouro.

Seu marido,
o único rei da Inglaterra,
Eduardo.

A batida na porta de minha câmara de audiência e a rudeza com que ela é aberta me fazem ficar de pé em um pulo, esperando, talvez, o conde de Warwick em pessoa com um feixe de lenha para queimar a mim e minha mãe. Mas é o prefeito de Norwich, que havia me recebido com uma cerimônia bastante elaborada apenas alguns dias antes.

— Vossa Graça, tenho notícias urgentes — diz ele. — Más notícias. Lamento.

Respiro fundo para me acalmar.

— Fale.

— Trata-se de seu pai e de seu irmão.

Sei o que ele vai dizer. Não por presciência, mas pela maneira como seu rosto redondo está sulcado de preocupação com a dor que me causará. Sei pela maneira como os homens atrás dele se juntam, constrangidos como pessoas que trazem as piores notícias. Sei pela maneira como minhas damas de honra suspiram como uma brisa de luto e se reúnem atrás de minha cadeira.

— Não. Não. Eles são prisioneiros. Foram presos por ingleses honrados. Devem ser resgatados.

— Devo sair? — pergunta o prefeito. Olha-me como se eu estivesse doente. Não sabe o que dizer a uma rainha que chegou à cidade em glória e partirá correndo risco de vida. — Devo retornar mais tarde, Vossa Graça?

— Diga-me — respondo. — Fale agora, por pior que seja, e tentarei suportar.

Ele olha de relance para as minhas damas, pedindo ajuda, e então volta-se para mim.

— Lamento, Vossa Graça. Lamento mais do que consigo expressar. Seu pai, conde de Rivers, e seu irmão, Sir John Woodville, foram capturados em batalha, uma nova batalha entre novos inimigos, o exército do rei contra o de seu irmão George, duque de Clarence. O duque parece ter feito uma aliança com o conde de Warwick contra seu marido... talvez já saiba, não? Uma aliança contra seu benevolente marido e a senhora. Seu pai e seu irmão foram aprisionados lutando por Sua Graça, e foram executados. Foram decapitados. — Ele me examina furtivamente. — Não devem ter sofrido — continua. — Tenho certeza de que foi uma morte rápida.

— A acusação? — Mal consigo falar. Minha boca está entorpecida, como se eu tivesse levado um murro. — Eles estavam lutando por um rei ordenado, contra rebeldes. O que teriam para dizer contra eles? Qual poderia ser a acusação?

Ele balança a cabeça.

— Foram executados por ordem de lorde Warwick — responde ele em voz baixa. — Não houve julgamento, nem acusação. Parece que, agora, a palavra de milorde Warwick é lei. Foram decapitados sem julgamento e sem sentença, sem justiça. Devo dar ordens para que seja escoltada até Londres? Ou devo providenciar um navio? Seguirá para além-mar?

— Vou para Londres — respondo. — É a minha capital, é o meu reino. Não sou uma rainha estrangeira que foge para a França. Sou uma inglesa. Vou viver e morrer aqui. — Corrijo-me. — Vou viver e lutar aqui.

— Posso lhe dar meus pêsames mais sinceros? À senhora e ao rei.

— Tem notícias do rei?

— Esperávamos que sua graciosa pessoa pudesse nos tranquilizar.

— Eu não soube de nada — minto. Não será por mim que saberão que o rei é prisioneiro no Castelo de Middleham, que fomos derrotados. — Partirei hoje à tarde, daqui a duas horas, avise a todos. Reivindicarei a minha cidade de Londres e, depois, reivindicaremos a Inglaterra. Meu marido nunca perdeu uma batalha. Ele vai derrotar seus inimigos e levar todos os traidores a julgamento. Ele fará justiça.

O prefeito faz uma reverência. Logo todos o imitam e saem de costas. Sento-me em minha cadeira, como uma rainha, o dossel dourado acima de minha cabeça, até a porta se fechar. Então, digo às minhas damas:

— Deixem-me. Preparem-se para a nossa viagem.

Elas se agitam e hesitam. Desejam me consolar, mas veem a inflexibilidade em meu rosto e saem. Fico só na sala iluminada pelo sol e percebo que a cadeira em que estou sentada está lascada, o entalhe sob minha mão está imperfeito. O dossel está empoeirado. Perdi meu pai e meu irmão, o pai mais generoso e amoroso que uma filha pode ter, e um bom irmão. Eu os perdi por uma cadeira lascada e um dossel empoeirado. Minha paixão por Eduardo e minha ambição pelo trono nos colocaram, todos nós, na frente de batalha e me custou essa primeira perda: meu querido irmão e o pai que amo.

Penso em meu pai me pondo no meu primeiro pônei e me dizendo para levantar o queixo, manter as mãos baixas, segurar firme as rédeas, mostrar ao pônei quem é o senhor. Penso nele pegando o rosto de minha mãe e lhe dizendo que ela é a mulher mais inteligente da Inglaterra, e que só será guiado por ela. Penso nele seguindo seu caminho, se apaixonando por minha mãe quando era escudeiro de seu primeiro marido e ela nunca olharia para ele. Penso em seu casamento com ela assim que ficou viúva, desafiando todas as normas. Eles eram considerados o casal mais belo da Inglaterra; casaram-se por amor, o que ninguém, a não ser eles dois, se atreveria a fazer. Penso em meu pai em Reading, como Anthony o descreveu, fingindo saber de tudo e com um olhar surpreso. Eu até poderia rir por amor a ele, pensando em quando me disse que só me chamaria de Elizabeth em particular, agora que eu era rainha, e que tínhamos de nos acostumar. Penso em como estufou o peito quando eu lhe disse que casaria o filho dele com uma duquesa, e que agora ele seria conde.

E então penso em como a minha mãe aceitará a perda, e que terei de ser eu a lhe dizer que ele teve uma morte de traidor, por lutar em defesa da minha causa, depois de uma vida inteira combatendo pelo inimigo. Sinto-me cansada e enjoada até não poder mais, mais cansada e nauseada do que já me senti em toda a minha vida. Aquilo era pior do que quando papai chegou em casa, vindo da batalha de Towton, e disse que a nossa causa estava perdida, pior do que quando meu marido nunca mais retornou de St. Albans, e me disseram que ele morreu bravamente no ataque aos York.

Sinto-me mal como nunca me senti antes, porque agora sei que é mais fácil levar um país à guerra do que fazê-lo viver em paz, e um país em guerra é um lugar doloroso onde se viver, um lugar temerário onde ter filhas, e um lugar perigoso onde se esperar um filho.

~

Sou recebida em Londres como uma heroína. A cidade é inteiramente a favor de Eduardo, mas isso não fará diferença se esse carniceiro Warwick matá-lo na prisão. Instalo-me, por enquanto, na bem fortificada Torre de Londres, com minhas filhas e meus filhos Grey — eles são obedientes, estão assustados agora que perceberam que nem todas as batalhas são vencidas e nem todo filho amado volta são e salvo para casa. Estão abalados com a morte de seu tio John e perguntam todos os dias se o rei está em segurança. Todos sofremos: minhas filhas perderam um bom avô e um tio querido, e sabem que o pai corre grande perigo. Escrevo para meu parente duque de Borgonha e lhe peço para procurar um esconderijo seguro em Flandres para mim, meus filhos Grey e minhas filhas reais. Digo-lhe que precisamos encontrar uma cidade pequena, sem importância, e uma família pobre que possa fingir estar recebendo primos ingleses. Tenho de achar um lugar para as minhas filhas onde elas não possam ser encontradas.

O duque jura que fará mais do que isso. Apoiará Londres se a cidade ficar do meu lado, do lado York. Promete homens e um exército. Pergunta se tive notícias do rei. Ele está a salvo?

Não posso escrever para tranquilizá-lo. As notícias de meu marido são incompreensíveis. Ele é um rei no cativeiro, exatamente como o pobre rei Henrique. Como isso pode ter acontecido? Como essa situação pode perdurar? Warwick continua mantendo-o no Castelo de Middleham e persuadindo os lordes a negar que Eduardo chegou a ser rei. Há quem diga que oferecerão uma escolha a Eduardo: ou abdicar em favor de seu irmão ou ir para o cadafalso. Warwick terá sua coroa ou sua cabeça. Há aqueles que dizem que é apenas uma questão de dias até sabermos que Eduardo foi derrubado e fugiu para a Borgonha. Ou que está morto. Tenho de ouvir esses boatos em vez de notícias concretas, e me pergunto se ficarei viúva no mesmo mês em que perdi meu pai e meu irmão. Como eu suportaria isso?

Minha mãe vem ao meu encontro na segunda semana de minha vigília. Chega da nossa antiga casa em Grafton, com os olhos secos e um pouco curvada, como se tivesse um ferimento na barriga e sentisse muita dor. No momento em que a vejo, sei que não precisarei lhe contar que é uma viúva. Ela sabe que perdeu o grande amor de sua vida e sua mão repousa sobre a faixa ao redor de sua cintura, como se sobre um ferimento fatal. Ela sabe que seu marido está morto, mas ninguém lhe disse como ele morreu, ou por quê. Tenho de levá-la aos meus aposentos privados, fechar a porta para as crianças não ouvirem e procurar as palavras para descrever a morte de seu marido e de seu filho. Foi uma morte vergonhosa para homens dignos, nas mãos de um traidor.

— Sinto muito — digo. Ajoelho-me a seus pés e seguro as suas mãos.

— Sinto tanto, mamãe. Terei a cabeça de Warwick por isso. Verei George morto.

Ela balança a cabeça. Olho para seu rosto e vejo linhas que não estavam ali antes. Ela perdeu aquele brilho típico das mulheres satisfeitas; a alegria abandonou sua expressão e deixou sulcos de cansaço.

— Não — replica ela. Acaricia meu cabelo trançado e continua: — Cale-se, não fale assim. Seu pai não iria querer que você se angustiasse. Ele sabia dos riscos. Não foi a sua primeira batalha, Deus sabe. Tome. — Tira de dentro de seu vestido uma carta escrita à mão e a passa para mim. — Sua última carta para mim. Envia-me sua bênção e seu amor por você. Escreveu-a quando lhe disseram que seria libertado. Acho que ele sabia a verdade.

A letra de meu pai é clara e corajosa como seu discurso. Mal acredito que não escutarei mais sua voz nem verei sua letra outras vezes.

— E John... — Ela se interrompe. — John é uma perda para mim e para a sua geração — diz em tom baixo. — Seu irmão tinha a vida toda pela frente. — Faz outra pausa e, em seguida, continua: — Quando educamos um filho e ele se torna um homem, começamos a achar que ele está seguro, que não sofreremos por ele. Quando um filho sobrevive a todas as doenças da infância, quando um ano de praga leva os filhos de seus vizinhos e deixa o seu vivo, começamos a achar que ele estará a salvo para sempre. A cada ano, pensamos que passou-se mais um sem perigo, mais um em direção a se tornar adulto. Criei John, criei todos os meus filhos, cheia de esperanças. Nós o casamos com uma mulher idosa por seu título e sua fortuna, e rimos acreditando que ele sobreviveria a ela. Foi uma grande piada para nós, ele, um marido tão jovem de uma mulher tão velha. Rimos zombando da idade dela, por ela estar tão mais próxima do túmulo do que ele. E agora ela o verá ser enterrado e manterá sua fortuna. Como é possível que seja assim?

Minha mãe dá um longo suspiro, como se estivesse cansada demais para seguir adiante.

— E ainda assim, eu deveria saber — prossegue. — De todas as pessoas no mundo, eu deveria saber. Eu tenho a Visão, eu deveria ter visto isso tudo, mas há coisas obscuras demais para serem previstas. Estes são tempos difíceis, e a Inglaterra é um país de tristezas. Nenhuma mãe pode ter certeza de que não enterrará seus filhos. Quando um país está em guerra, primo contra primo, irmão contra irmão, nenhum homem está a salvo.

Sento-me de novo sobre os calcanhares.

— A mãe do rei, a duquesa Cecily, vai conhecer esta dor. Sentirá a dor que você está sentindo. Ela viverá a perda de seu filho George — falo com desprezo. — Juro. Ela o verá ter a morte de um mentiroso e traidor. A senhora perdeu um filho, e ela perderá também, dou minha palavra.

— E você também, segundo essa lógica — adverte minha mãe. — Cada vez mais mortes, mais animosidades, mais órfãos e mais viúvas. Quer chorar a perda de seu filho no futuro, como choro a perda do meu agora?

— Poderemos nos reconciliar depois de George — retruco, com obstinação. — Eles têm de ser punidos pelo que fizeram. George e Warwick são homens mortos a partir de hoje. Juro, minha mãe. Eles são homens mortos. — Levanto-me e vou até a mesa. — Vou rasgar um pedaço de sua carta. Escreverei suas mortes com meu próprio sangue na carta de meu pai.

— Você está errada — diz, calmamente, mas deixa eu arrancar um pedaço da carta. Devolvo-a.

Há uma batida na porta e enxugo minhas lágrimas antes de minha mãe dizer:

— Entre.

Mas a porta é aberta sem cerimônia e Eduardo, o meu querido Eduardo, entra na sala como se quisesse me surpreender chegando da caçada mais cedo.

— Meu Deus! É você! Eduardo! É você? É você mesmo?

— Sou eu — confirma. — Também a saúdo, Milady Jacquetta.

Precipito-me para ele. Quando os seus braços me envolvem, sinto seu cheiro familiar e a força do seu peito, e choro ao tocá-lo.

— Achei que estava na prisão — digo. — Achei que ele ia matá-lo.

— Não teve coragem — retruca, acariciando minhas costas e soltando meu cabelo ao mesmo tempo. — Sir Humphrey Neville sublevou Yorkshire em defesa de Henrique, e quando Warwick atacou-o, ninguém o apoiou. Ele precisava de mim. Começou a ver que ninguém aceitaria George como rei e que eu não renunciaria ao meu trono. Ele não contava com isso. Não se atreveu a me decapitar. Para dizer a verdade, acho que não encontraria um carrasco que aceitasse fazê-lo. Sou rei coroado, não podem simplesmente cortar minha cabeça como se fosse lenha. Fui ordenado, meu corpo é sagrado. Nem mesmo Warwick ousa matar um rei a sangue-frio. Ele me procurou com o documento de minha abdicação e eu lhe disse que não o assinaria. Que eu estava feliz na casa dele. A comida é excelente e a adega é ainda melhor. Disse-lhe que ficaria contente por mudar minha corte para o Castelo de Middleham, se ele desejasse me ter como hóspede para sempre. Disse-lhe que não havia razão para o meu governo não ser exercido de seu castelo, às suas custas. Mas que nunca renegaria o que sou.

Ele ri, dá aquela risada confiante.

— Querida — prossegue —, devia tê-lo visto. Ele achou que me tinha sob controle, que a coroa estava à sua disposição. Mas não ajudei muito. Foi divertido como uma mascarada vê-lo desconcertado, pensando no que fazer. Depois que eu soube que você estava em segurança na Torre, não tive medo de mais nada. Ele pensou que eu cederia quando fosse preso, mas fui inflexível. Pensou que eu continuava a ser o garoto que o adorava. Não se deu conta de que sou um homem adulto. Fui um hóspede extremamente agradável. Comi bem e quando alguns amigos iam me visitar, exigi que fossem tratados regiamente. Primeiro, pedi para caminhar no jardim, depois na floresta. Então eu disse que gostaria de montar, e que mal haveria em permitir que eu fosse caçar? Começou a deixar que eu saísse a cavalo. Meu conselho chegou e exigiu me ver, e ele não soube como recusar. Encontrei-me com meus conselheiros e transmiti a eles uma lei ou duas, de modo que todos soubessem que nada havia mudado, que eu ainda era o rei. Foi difícil não rir na cara de Warwick. Ele pensou em me aprisionar, mas acabou vendo que estava meramente arcando com todas as despesas de uma corte inteira. Querida, pedi um coro enquanto jantava, e ele não soube como recusar. Contratei dançarinos e atores. Ele começou a ver que meramente manter preso um rei não é o bastante: é necessário destruí-lo. Matá-lo. Mas não cedi em nada. Ele sabia que eu preferiria morrer a ceder-lhe alguma coisa. Então, em uma bela manhã, quatro dias atrás, seus cavalariços cometeram o erro de me darem meu próprio cavalo de batalha, Fúria, e eu sabia que ele era mais veloz do que qualquer animal na estrebaria. Portanto, pensei que poderia cavalgar para um pouco mais longe, e um pouco mais rápido do que habitualmente, e isso é tudo. Pensei que poderia vir ao seu encontro. E foi o que fiz.

— Acabou? — pergunto, incrédula. — Você escapou?

Ele dá um sorriso largo, orgulhoso como um menino.

— Gostaria de conhecer um cavalo capaz de ultrapassar Fúria — replica. — Eles o deixaram no estábulo por duas semanas, alimentando-o com aveia. Cheguei a Ripon antes de ter tempo para respirar. Eu não poderia refreá-lo, nem que quisesse!

Rio, partilhando seu deleite.

— Meu Deus, Eduardo, eu estava com tanto medo! Achei que nunca mais o veria. Meu amor, achei que nunca mais o veria.

Ele beija minha testa e acaricia minhas costas.

— Quando nos casamos, eu não disse que sempre voltaria para você? Não disse que morreria na minha cama, tendo você como esposa? Você não prometeu me dar um filho? Achou que alguma prisão conseguiria me afastar de você?

Pressiono o rosto contra o peito dele, como se me enterrasse em seu corpo.

— Meu amor. Meu amor. Vai retornar com sua guarda e prendê-lo?

— Não, ele é poderoso demais. Ainda comanda a maior parte do norte. Espero podermos selar a paz de novo. Ele sabe que a rebelião fracassou. Sabe que acabou. É astuto o suficiente para saber que perdeu. Ele, George e eu teremos de fazer algum tipo de reconciliação. Eles pedirão meu perdão e eu o concederei. Mas Warnick aprendeu que não pode me manter preso. Sou o rei, ele não pode revogar isso. Ele jurou me obedecer, assim como jurei governar. Eu sou seu rei. É definitivo. E o país não quer outra guerra entre reis rivais. Eu não quero outra guerra. Jurei trazer paz e justiça ao país.

Ele tira os últimos grampos de meu cabelo e apoia o rosto no meu pescoço.

— Senti sua falta — diz. — E das meninas. Passei um mau momento quando me levaram para o castelo e me colocaram em uma cela sem janelas. E lamento por seu pai e seu irmão.

Ele ergue a cabeça e olha para a minha mãe.

— Lamento sua perda mais do que consigo expressar, Jacquetta — afirma sinceramente. — São as sortes da guerra, e todos nós conhecemos os riscos. Mas capturaram dois homens bons ao levarem seu marido e seu filho.

Minha mãe assente com um movimento da cabeça.

— E quais serão os seus termos de reconciliação com o homem que matou meu marido e meu filho? Vai perdoá-lo também por isso? — pergunta.

Eduardo faz uma careta diante da rispidez de seu tom de voz.

— Não vão gostar do que vou dizer. Tornarei o sobrinho de Warwick duque de Bedford. Ele é o herdeiro de Warwick, e tenho de fazer com que tenha interesses em jogo na nossa família, na família real. Tenho de amarrá-lo a nós.

— Vai lhe conceder meu antigo título? — pergunta minha mãe, incrédula. — O título Bedford? O nome de meu primeiro marido? A um traidor?

— Pouco me importa que o sobrinho dele tenha um ducado — interfiro rapidamente. — Foi Warwick que matou meu pai, não o garoto. Não me importa o seu sobrinho.

Eduardo assente.

— Tem mais — continua ele, pouco à vontade. — Terei de dar nossa filha Elizabeth em casamento ao jovem Bedford. Ela firmará a aliança.

Viro-me para ele.

— Elizabeth? A minha Elizabeth?

— A nossa Elizabeth — corrige ele. — Sim.

— Vai prometê-la em casamento, uma criança que ainda não completou 4 anos, à família do homem que assassinou o seu avô?

— Sim. Tem sido uma guerra entre primos. Portanto tem de haver uma reconciliação entre eles. E você, meu amor, não vai me deter. Tenho de selar a paz entre mim e Warwick, de dar a ele grande parte da riqueza da Inglaterra. Dessa maneira, dou uma chance à sua linhagem de herdar o trono.

— Ele é um traidor e um assassino, e você pensa em casar minha filhinha com o sobrinho dele?

— Sim — replica o rei com firmeza.

— Juro que isso nunca vai acontecer — oponho-me com ferocidade. — E vou dizer mais: prevejo que isso nunca vai acontecer.

Ele sorri.

— Curvo-me diante de sua presciência superior — afirma ele, e faz uma reverência pomposa para minha mãe e para mim. — E somente o tempo dirá se sua previsão foi acertada ou não. Mas nesse meio-tempo, enquanto eu for rei da Inglaterra, com poder para dar minha filha em casamento a quem eu quiser, sempre farei o possível para impedir seus inimigos de afogarem vocês duas como bruxas, ou as estrangularem nas encruzilhadas. E digo mais: enquanto eu for rei, a única maneira de garantir a segurança de vocês, e de qualquer mãe e filho neste reino, é encontrando uma forma de acabar com esta guerra.

Outono de 1469

Warwick retorna à corte como um amigo querido e um mentor leal. Seremos uma família que sofre disputas ocasionais, mas que se ama, acima de tudo. Eduardo desempenha seu papel muito bem. Recebo o conde com um sorriso tão caloroso quanto uma fonte congelada transbordando gelo. Tenho de me comportar como se esse homem não fosse o assassino do meu pai e do meu irmão, nem o carcereiro do meu marido. Faço como mandam: nenhuma palavra de ódio escapa de minha boca, mas Warwick sabe, sem precisar que ninguém lhe diga, que fez uma inimiga perigosa para o resto da sua vida.

Ele sabe que tenho de permanecer calada, e sua ligeira reverência ao me cumprimentar é triunfante.

— Vossa Graça — diz, cortesmente.

Como sempre na presença dele, sinto-me em desvantagem, como uma menina. Ele é um homem experiente e planejava o futuro do reino quando eu ainda me preocupava com meus modos diante de Lady Grey, minha sogra, e obedecia ao meu primeiro marido. Ele me examina como se eu ainda estivesse alimentando galinhas em Grafton.

Quero parecer gélida, mas receio dar a impressão de estar apenas mal-humorada.

— Bem-vindo de volta à corte — digo de má vontade.

— Sempre gentil — replica ele com um sorriso. — Nasceu para ser rainha.

Meu filho Thomas Grey emite uma leve exclamação de raiva, enfurecendo-se como o menino que é, e se retira da sala.

Warwick lança para mim um sorriso radiante.

— Ah, o jovem — diz. — Um menino promissor.

— Fico feliz por ele não ter estado com o avô e o querido tio em Edgecote Moor — afirmo, odiando-o.

— Oh, eu também!

Talvez ele consiga fazer com que eu me sinta uma idiota, uma mulher impotente. Mas farei tudo que estiver ao meu alcance. Em minha caixa de joias, há um medalhão escuro de prata deslustrada, e dentro dele, o nome de Richard Neville, conde de Warwick, e o de George, duque de Clarence, escritos com meu sangue em um pedaço de papel da última carta de meu pai. Esses são meus inimigos. Eu os amaldiçoei. Eu os verei mortos aos meus pés.

Inverno de 1469-1470

Na hora mais escura da noite mais longa do ano, em pleno solstício de inverno, minha mãe e eu descemos ao rio Tâmisa, negro como breu. O caminho que vem do jardim do Palácio de Westminster segue a margem do rio, que está acima do nível habitual nessa noite, porém muito escuro nas trevas. Mal o enxergamos, mas podemos ouvi-lo, a água batendo no píer e nas muralhas, e podemos senti-lo, uma presença vasta e negra que respira como um grande animal sinuoso, arfando delicadamente, como o mar. Esse é o nosso elemento: inalo o cheiro da água fria, como alguém que sente o cheiro de sua terra depois de um longo exílio.

— Preciso ter um filho homem — digo à minha mãe.

Ela sorri.

— Eu sei.

Em seu bolso há três talismãs em três linhas e, com o cuidado de um pescador pondo a isca no anzol, lança os três no rio e me dá a linha para eu segurar. Ouço um leve esguicho quando cada um cai na água, e me lembro da aliança de ouro que puxei do rio há cinco anos.

— Você escolhe — diz ela. — Escolha qual deles vai puxar. — Ela espalha os três fios na minha mão esquerda e os seguro firme.

A lua surge por detrás da nuvem. Está no quarto minguante, gorda e prateada, e desenha uma linha de luz na água escura. Escolho um dos fios e o seguro com a mão direita.

— Este.

— Tem certeza?

— Sim.

Imediatamente, ela pega uma tesoura de prata em seu bolso e corta os outros dois fios, de modo que o quer que estivesse amarrado neles é levado pelas águas escuras.

— O que eram?

— Coisas que nunca acontecerão, o futuro que nunca conheceremos. São os filhos que não nascerão, as oportunidades que não aproveitaremos e a sorte que não teremos — responde. — Desapareceram. Estão perdidos para você. Veja o que você escolheu.

Encosto-me no muro do palácio para puxar a linha. Ela sai pingando. Em sua extremidade há uma colher de prata, uma bela colherinha de prata para bebês, e quando a pego, vejo, brilhando à luz do luar, que nela está esculpida uma pequena coroa e o nome "Eduardo".

~

O Natal em Londres foi oferecido como uma ceia de reconciliação, como se um banquete tornasse Warwick nosso amigo. Lembro-me de todas as vezes que o pobre rei Henrique tentou reunir seus inimigos e fazê-los jurar amizade. Sei que outros na corte veem Warwick e George como hóspedes de honra e riem furtivamente.

Eduardo ordena que a ceia seja suntuosa, e quase 2 mil nobres da Inglaterra sentam-se para comer conosco no Dia de Reis. Warwick é a figura principal entre eles. O rei e eu usamos nossas coroas e as roupas mais elegantes. Uso somente branco perolado e brocado de ouro nesse inverno, e dizem que sou a Rosa Branca de York.

Damos presentes a mil convidados e distribuímos pequenas lembranças para todos. Warwick é o convidado mais popular, e nos cumprimentamos com absoluta cortesia. Quando meu marido ordena, até danço com meu cunhado George: estendo as mãos para ele e sorrio para seu belo rosto pueril. Mais uma vez, fico impressionada com sua semelhança com o rei: uma versão menor e mais afetada da beleza loura de Eduardo. Mais uma vez me impressiona como as pessoas gostam dele à primeira vista. Ele tem todo o encanto descontraído dos York e nada da honra de Eduardo. Mas não esqueço e não perdoo.

Cumprimento sua recente esposa, Isabel, a filha de Warwick, com amabilidade. Dou-lhe as boas-vindas à minha corte e desejo-lhe felicidades. É uma pobre menina magra e pálida, que parece espantada com o papel que tem de desempenhar nas maquinações de seu pai. Agora está casada com a família mais traiçoeira e perigosa da Inglaterra, na corte do rei que seu marido traiu. Ela precisa de um pouco de benevolência, e sou fraterna e amorosa com ela. Um estranho que nos visitasse nessa estação hospitaleira pensaria que a amo como se fosse minha parente. Não imaginaria que eu tivesse perdido meu pai e meu irmão. Presumiria que eu não tenho absolutamente nenhuma memória.

Não esqueço. E na minha caixa de joias há um medalhão escuro, e dentro dele há o pedaço de papel da última carta do meu pai. Nele, e escrito com meu próprio sangue, estão os nomes Richard Neville, conde de Warwick, e George, duque de Clarence. Não esqueço, e um dia eles saberão disso.

Warwick permanece enigmático, o homem mais importante no reino depois do rei. Aceita as honras e favores que lhe são demonstrados com uma dignidade indiferente, como um homem a quem se deve tudo. Seu cúmplice, George, parece um filhote de cão de caça, pulando e adulando; sua esposa Isabel senta-se com minhas damas, entre minhas irmãs e minha cunhada Elizabeth. Acabo sorrindo quando ela afasta o olhar de seu marido dançando, ou quando vejo a maneira como se retrai quando ele grita um brinde em honra ao rei. George, o rosto redondo e o cabelo louro, sempre foi o favorito dos York, e nesse banquete de Natal, ele age não somente como se tivesse sido perdoado por seu irmão mais velho, mas também como se sempre fosse ser perdoado por tudo. É a criança mimada da família — ele realmente acredita que nunca faz nada errado.

O irmão mais novo, Ricardo, duque de Gloucester, que agora tem 17 anos e é um garoto bonito e insignificante, pode ser o caçula da família, mas nunca foi o favorito. De todos os rapazes York, ele é o único que se assemelha ao pai: é moreno e pequeno, uma criança que parece ter sido trocada ao nascer quando se leva em conta a constituição sólida e robusta de sua bela estirpe. É um jovem devoto, pensativo, vive a maior parte do tempo em seus domínios, em uma grande casa no norte da Inglaterra, onde leva uma vida dedicada ao serviço austero ao seu povo. Acha a nossa corte espalhafatosa um constrangimento, como se estivéssemos enaltecendo a nós mesmos como pagãos na festa de Natal. Juro que ele olha para mim como se eu fosse um dragão escarrapachado gananciosamente sobre o Tesouro, não uma sereia na água prateada. Acho que me olha tanto com desejo quanto com medo. É uma criança que teme uma mulher que ele nunca poderia compreender. Ao lado dele, meus filhos Grey, somente um pouco mais novos, são mundanos e animados. Sempre o convidam à caça, a beber nas cervejarias, a farrear pelas ruas mascarados, e ele, de maneira nervosa, recusa os convites.

Notícias da nossa celebração do Natal correm o mundo cristão. A nova corte na Inglaterra é considerada a mais bela, elegante e agradável da Europa. Eduardo está determinado a que a corte inglesa de York se torne tão famosa quanto a de Borgonha pela graça, beleza e cultura. Ele gosta da boa música, e temos um coro cantando ou músicos tocando em todas as refeições. Eu e minhas damas de honra aprendemos as danças da corte e criamos as nossas próprias. Meu irmão Anthony é um grande instrutor e conselheiro em tudo isso. Ele foi à Itália e fala da nova erudição e das novas artes, da beleza das cidades antigas da Grécia e de Roma e de como as artes e os estudos da Antiguidade podem ser renovados. Fala com Eduardo sobre trazer pintores, poetas e músicos da Itália, sobre usar a riqueza da coroa para fundar escolas e universidades. Fala da nova erudição, da nova ciência, de aritmética e astronomia, e de tudo novo, o que é maravilhoso. Fala da aritmética, que se inicia com o número zero, e tenta explicar como isso transforma tudo. Fala de uma ciência que pode calcular distâncias que não podem ser medidas: diz que é possível saber a distância até a Lua. Elizabeth, sua mulher, observa-o, quebrando o silêncio apenas para dizer que ele é um mago, um homem sábio. Somos uma corte de beleza, elegância e erudição, e Eduardo e eu temos controle sobre o melhor de tudo.

Estou perplexa com o custo de uma corte, com o preço de toda essa beleza, até mesmo da comida, com os pedidos contínuos de cada cortesão para ter uma audiência, uma posição, uma fatia da terra ou um favor, ou uma posição em que possa arrecadar impostos, ou ajuda para reivindicar uma herança.

— Isso é ser rei — diz Eduardo, ao assinar a última das petições do dia. — Como rei da Inglaterra, sou dono de tudo. Todos os duques, condes e barões têm suas terras por concessão minha, todos os cavaleiros e escudeiros abaixo deles possuem um afluente do rio. Cada fazendeiro insignificante, cada arrendatário, cada enfiteuta e camponês abaixo dele depende dos meus favores. Tenho de abrir mão de riqueza e poder para manter a correnteza. E se algo der errado, ao menor sinal de que algo está dando errado, haverá alguém dizendo que queria Henrique de volta ao trono, que era melhor nos velhos tempos. Ou que o filho dele, Eduardo, ou George, deveria ter um papel maior. Ou certamente há outro pretendente ao trono em algum lugar, por exemplo, Henrique, o filho de Margaret Beaufort, um garoto Lancaster, para variar um pouco, que pode acelerar o fluxo do rio. Para manter o poder, tenho de distribuí-lo em cântaros cuidadosamente separados e escolhidos. Tenho de agradar a todos. Mas a ninguém excessivamente.

— Eles são camponeses avarentos, e a lealdade deles acompanha seus interesses. Não pensam em nada a não ser em seus próprios desejos. São piores do que servos.

Ele sorri para mim.

— São, realmente. Cada um deles. E cada um quer sua pequena propriedade, sua pequena casa, exatamente como quero meu trono e tanto quanto você quis o solar de Sheen, e propriedades para todos os seus parentes. Todos desejamos riqueza e terra, e eu possuo tudo isso, e tenho de distribuí-lo com muito cuidado.

Primavera de 1470

Conforme o tempo esquentou, a manhã tornou-se mais clara e os pássaros começaram a cantar nos jardins do Palácio Westminster, os informantes de Eduardo trouxeram-lhe de Lincolnshire notícias de outra rebelião a favor de Henrique, o rei, como se ele não tivesse sido esquecido pelo mundo inteiro, vivendo silenciosamente na Torre de Londres, mais um anacoreta do que um prisioneiro.

— Tenho de ir — diz Eduardo, a carta em sua mão. — Se esse líder, seja ele quem for, é um precursor de Margarida de Anjou, então devo derrotá-lo antes que ela desembarque seu exército para apoiá-lo. Ao que me parece, ela o está usando para testar o apoio à sua causa, para que ele corra o risco de sublevar soldados, e quando ele tiver formado um exército inglês para ela, Margarida desembarcará suas tropas francesas e, então, terei de enfrentar os dois.

— Vai estar em segurança? — pergunto. — Lutando contra uma pessoa que não tem coragem sequer de dar o próprio nome?

— Será como sempre — diz com a voz firme. — Mas não vou deixar que o exército saia sem mim de novo. Tenho de estar lá. Tenho de liderar.

— E onde está o seu leal amigo Warwick? — pergunto mordazmente. — E seu confiável irmão George? Estão recrutando soldados para você? Estão se apressando para estar do seu lado?

Ele sorri do meu tom.

— Ah, está enganada, minha pequena rainha da desconfiança. Recebi uma carta de Warwick se oferecendo para recrutar homens para marcharem comigo, e de George dizendo que irá junto.

— Então vigie-os atentamente na batalha — digo, sem me convencer nem um pouco. — Não serão os primeiros a levarem soldados ao campo de batalha e a mudarem de lado na última hora. Quando o inimigo estiver na sua frente, olhe também para trás, para ver o que seus verdadeiros e leais amigos estão fazendo na retaguarda.

— Eles prometeram lealdade — o rei me conforta. — De verdade, minha querida. Confie em mim. Posso vencer batalhas.

— Sei que pode, sei que vence — replico. — Mas é tão difícil vê-lo partir para a guerra. Quando isso vai ter fim? Quando vão parar de sublevar exércitos para lutar por uma causa que se encerrou?

— Em breve — responde. — Verão que estamos unidos e que somos fortes. Warwick trará o norte para o nosso lado, e George mostrará que é um irmão sincero. Ricardo está comigo, como sempre. Voltarei para casa assim que esse homem for derrotado. Voltarei logo e dançarei com você na manhã de primeiro de maio, e você vai sorrir.

— Eduardo, só desta vez, esta única vez, acho que não suporto vê-lo partir. Ricardo não pode comandar o exército? Com Hastings? Você não pode ficar comigo? Desta vez, somente desta vez?

Ele pega minhas mãos e as pressiona contra os lábios. Não se abala com minha apreensão, apenas se diverte. Está sorrindo.

— Por quê? Por que desta vez? O que, desta vez, tem tanta importância? Tem alguma coisa a me dizer?

Não consigo resistir e sorrio de volta.

— Realmente tenho algo a lhe dizer. Mas o tenho guardado comigo.

— Eu sei. Eu sei. Achou que eu não sabia? Portanto, conte qual é o segredo de que supostamente eu não deveria desconfiar!

— Esse segredo iria trazê-lo são e salvo de volta para mim — digo. — Isso o traria rapidamente para casa e não o enviaria para longe pomposamente.

Ele espera, sorrindo. Ele tem esperado eu lhe contar, assim como eu tenho me deleitado em manter sigilo.

— Conte — insiste. — Há muito quer me contar.

— Estou grávida de novo — respondo. — E desta vez, sei que é um menino.

Ele me abraça com delicadeza.

— Eu sabia — diz. — Sabia que estava grávida. Sabia em meu íntimo. E como pode ter certeza de que é um menino, minha bruxinha, minha feiticeira?

Sorrio para ele, confiante nos mistérios femininos.

— Ah, não precisa saber como eu sei — replico. — Mas pode saber que estou certa. Pode ter certeza disso. Vamos ter um menino.

— Meu filho, príncipe Eduardo.

Rio, pensando na colher de prata que icei do rio prateado na véspera do solstício de inverno.

— Como sabe que seu nome será Eduardo?

— É claro que será. Há anos decidi assim.

— Seu filho, príncipe Eduardo — repito. — Portanto, volte são e salvo para casa, a tempo do seu nascimento.

— Sabe quando será?

— No outono.

— Retornarei são e salvo e lhe trarei pêssegos e bacalhau. O que era mesmo que você desejava tanto quando estava esperando Cecily?

— Funcho-do-mar — respondo e rio. — Você se lembrou! Nunca era o bastante. Pois então volte para casa para me conseguir funcho-do-mar e mais qualquer outra coisa que eu desejar. É um menino, um príncipe, ele precisa ter todos os desejos satisfeitos. Ele vai nascer com uma colher de prata.

— Voltarei para você. Não se preocupe. Não quero que ele nasça com o cenho franzido.

— Então tome cuidado com Warwick e com o seu irmão. Não confio neles.

— Prometa-me descansar, ficar tranquila e torná-lo forte em sua barriga?

— Prometa-me retornar são e salvo e garantir a herança dele — revido.

— Promessa feita.

~

Ele estava enganado. Meu Deus, como Eduardo se enganou. Não, graças a Deus, quanto a vencer a batalha, pois essa foi a que chamaram de Losecoat Field, na qual tolos descalços que lutavam por um rei que perdera o juízo estavam com tanta pressa de fugir que deixavam cair suas armas e até mesmo suas capas para escapar do ataque liderado por meu marido. Ele lutou com empenho para cumprir a promessa feita a mim de retornar a tempo de me trazer pêssegos e funcho-do-mar.

Não, ele estava enganado em relação à lealdade de Warwick e George, seu irmão, que, como ficou demonstrado, tinham planejado e pago a sublevação e que haviam decidido dessa vez derrotar definitivamente meu marido. Matariam meu Eduardo e colocariam George no trono. Seu próprio irmão e Warwick, que foi o seu melhor amigo, decidiram juntos que a única maneira de vencer Eduardo seria apunhalá-lo pelas costas no campo de batalha, e teriam feito isso, mas o rei foi tão veloz em seu cavalo durante o ataque que ninguém conseguiu pegá-lo.

Antes mesmo de a batalha ter início, lorde Richard Welles, o líder subalterno, tinha se ajoelhado diante de Eduardo e confessado o plano, mostrando as ordens de Warwick e o dinheiro de George. Pagaram-no para liderar uma insurreição em nome do rei Henrique, mas na verdade foi apenas um estratagema para atrair meu marido para a batalha e matá-lo. Warwick realmente aprendeu a lição. Aprendeu que não se pode capturar um homem como Eduardo. Ele tem de ser morto para ser derrotado. George, o próprio irmão do rei, superou a afeição fraterna. Estava disposto a cortar a garganta de seu irmão no campo de batalha e passar por cima de seu sangue para alcançar a coroa. Os dois subornaram o pobre lorde Welles para provocar uma batalha que colocasse Eduardo em perigo e, mais uma vez, viram que ele é forte demais para ser enfrentado. Quando Eduardo viu as provas contra eles, convocou-os como parentes, como o amigo que tinha sido um irmão mais velho para ele e o garoto que era realmente seu irmão de sangue. E quando não se apresentaram, finalmente percebeu o que pensar deles, e os intimou a se apresentarem como traidores, para contestar a acusação. Mas os dois tinham desaparecido havia muito tempo.

— Eu os verei mortos — digo à minha mãe, quando estávamos sentadas à janela aberta de meus aposentos privados, no Palácio de Westminster, fiando lã e linha dourada para fazer um manto precioso para o bebê. É a mais pura lã de carneiro e ouro, um manto digno de um pequeno príncipe, o mais importante da cristandade. — Verei os dois mortos. Juro, independentemente do que a senhora disser.

Ela balança a cabeça para o fuso em sua mão e a lã que estou cardando.

— Não coloque o mal que deseja em seu pequeno manto — diz.

Paro a roda e ponho a lã de lado.

— Pronto — digo. — O trabalho pode esperar, mas desejar o mal, não.

— Sabia que Eduardo prometeu um salvo-conduto para lorde Richard Welles se ele confessasse sua traição e revelasse a conspiração, mas, quando este o fez, ele quebrou sua palavra e o matou?

Balanço a cabeça em negação.

A expressão de minha mãe é grave.

— Agora, a família Beaufort está de luto por seu parente Welles, e Eduardo deu um novo motivo a seus inimigos. Ele quebrou sua palavra. Ninguém mais vai confiar nele, ninguém vai se atrever a se render a ele. Demonstrou ser um homem em quem não se pode confiar. Tão mau quanto Warwick.

Encolho os ombros.

— São as sortes da guerra. Margaret Beaufort as conhece tão bem quanto eu. E ela estaria infeliz de qualquer maneira, uma vez que é a herdeira da

Casa de Lancaster e convocamos seu marido, Henry Stafford, para marchar por nós. — Dou uma risada desagradável. — Pobre homem, preso entre ela e nossas intimações.

Minha mãe não consegue reprimir um sorriso.

— Sem dúvida ela ficou de joelhos durante todo esse tempo — diz, maldosamente. — Para uma mulher que se vangloria de que Deus a ouve, ela se beneficia pouco desse dom.

— De qualquer maneira, Welles não tem importância. Nem vivo, nem morto. O que importa é que Warwick e George seguirão para a corte da França, para falar mal de nós, com esperanças de recrutar um exército. Temos um novo inimigo, e que está em nossa própria casa, o nosso próprio herdeiro. Que família formam os York!

— Onde estão agora? — pergunta minha mãe.

— No mar, a caminho de Calais, segundo Anthony. Isabel está com a barriga grande a bordo do navio, com eles, sem ninguém para cuidar dela a não ser sua mãe, a condessa de Warwick. Eles têm esperança de chegar a Calais e formar um exército. Lá, Warwick é amado. Se conseguirem entrar na cidade, não teremos absolutamente nenhuma segurança com eles esperando do outro lado do mar, ameaçando nossos navios, a meio dia de distância de Londres. Eles não podem entrar em Calais, temos de impedi-los. Eduardo mandou a frota zarpar, mas nossos navios nunca os alcançarão a tempo.

Levanto-me e me debruço na janela para apanhar sol. É um dia quente. O rio Tâmisa cintila como uma fonte, está calmo. Olho para o sudoeste. Há uma linha de nuvens escuras no horizonte; parece fazer mau tempo no mar. Junto meus lábios e assobio.

Atrás de mim, ouço minha mãe deixar o fuso de lado e o som suave de seu assobio também. Mantenho os olhos na linha de nuvens e deixo que minha respiração sibile como o vento de uma tempestade. Ela se põe atrás de mim, o braço em torno de minha cintura grossa. Juntas, assobiamos suavemente no ar primaveril, chamando uma tormenta.

Devagar, mas inflexivelmente, as nuvens escuras se empilham, uma em cima da outra, até formar um grande acúmulo ameaçador ao sul, bem distante, sobre o oceano. O ar refresca. Sinto um arrepio repentino, e o dia esfria e escurece. Fechamos a janela quando começa a chuviscar.

— Parece que há tormenta no mar — comento.

~

Uma semana depois, mamãe me procura com uma carta na mão.

— Recebi notícias de minha prima da Borgonha. Ela escreve que George e Warwick foram empurrados pelo vento para longe do litoral francês e quase foram a pique no mar revolto na costa de Calais. Imploraram ao forte que os deixasse entrar, por Isabel, mas o castelo não os admitiu e trancaram com correntes a entrada do porto. Um vento soprou não se sabe de onde e as águas quase os jogaram contra os muros. Não deixaram eles entrarem no forte, não puderam aportar o barco em alto-mar. Pobre Isabel, começou o trabalho de parto no meio da tormenta. Todos foram jogados de um lado para outro durante horas e o bebê morreu.

Faço o sinal da cruz.

— Que Deus abençoe o pobrezinho — digo. — Ninguém desejaria isso aos dois.

— Ninguém desejou — replica minha mãe, vigorosamente. — Mas se Isabel não tivesse embarcado com traidores, teria ficado a salvo na Inglaterra, com parteiras e amigos para cuidar dela.

— Pobre mulher — digo, com uma das mãos apoiada em minha barriga grande. — Coitada. Ela teve poucas alegrias com esse casamento grandioso. Lembra-se dela na corte, no Natal?

— Há notícias mais graves — prossegue minha mãe. — Warwick e George procuraram seu grande amigo, o rei Luís da França, e se encontraram com Margarida de Anjou em Angers. Outra conspiração está sendo tramada, exatamente como estamos tecendo a nossa aqui.

— Warwick vai continuar a investir contra nós?

Minha mãe faz uma careta.

— Ele deve ser um homem determinado, realmente. Ver seu próprio neto natimorto enquanto sua família está fugindo, sobreviver a um quase naufrágio para renegar seu voto de lealdade. Mas nada o detém. Seria possível pensar que uma tormenta vinda do nada o espantasse, mas nada o assusta. Agora está cortejando Margarida de Anjou, contra quem lutou no passado. Teve de passar meia hora de joelhos para pedir perdão à sua maior inimiga. Ela não o veria antes que ele fizesse seu ato de contrição. Que Deus a abençoe, Margarida sempre foi arrogante.

— O que acha que ele planeja?

— Agora, é o rei francês quem está fazendo planos. Warwick se considera um Fazedor de Reis, mas agora não passa de um fantoche. Chamam Luís da França de aranha, e tenho de admitir que ele tece um fio melhor do que nós. Quer derrubar seu marido e diminuir o nosso país. Está usando Warwick e Margarida de Anjou para conseguir isso. O filho de Margarida, o chamado príncipe de Gales, Eduardo de Lancaster, vai se casar com a filha caçula de Warwick, Anne, para unir seus pais desleais em um pacto que não podem desonrar. Depois, imagino, virão para a Inglaterra para libertar Henrique da Torre.

— Aquela coisinha, Anne Neville? — pergunto, imediatamente distraída. — São capazes de dá-la àquele monstro para garantir que seu pai não os traia?

— Sim — confirma minha mãe. — Ela tem apenas 14 anos e a casarão com um garoto que, aos 11 anos, já tinha permissão para escolher como executaria seus inimigos. Foi criado como um demônio. Anne Neville deve estar se perguntando se está ascendendo para ser rainha ou caindo no meio de condenados ao inferno.

— Mas isso muda tudo para George — digo, pensando em voz alta. — Uma coisa é lutar contra seu irmão, o rei, com a esperança de matá-lo e sucedê-lo, mas e agora? Por que lutaria contra Eduardo se não vai ganhar nada com isso? Por que lutaria contra seu irmão para colocar o rei Lancaster e, depois, o príncipe Lancaster no trono?

— Suponho que não pensasse que algo assim fosse acontecer quando zarpou com uma mulher prestes a dar à luz e um sogro determinado a conquistar a coroa. Mas agora, perdeu seu filho e herdeiro, e seu sogro tem outra filha que pode ser rainha. As perspectivas de George mudaram muito. Deve ter bom-senso para enxergar isso. Mas acha que tem?

— Alguém deveria aconselhá-lo. — Nossos olhares se encontram. Nunca preciso dar explicações a minha mãe: nós nos entendemos com um olhar.

— Vai visitar a mãe do rei antes do jantar? — pergunta.

Tiro o pé do pedal da roda de fiar e paro-a com a mão.

— Vamos vê-la agora — proponho.

Ela está sentada com suas damas, costurando uma toalha para cobrir o altar. Uma delas está lendo a Bíblia, enquanto as outras trabalham. Ela é reconhecidamente devota. Sua suspeita de que não somos tão puras quanto ela, pior, de que talvez sejamos pagãs e bruxas, é apenas um de seus temores com relação a mim. Os anos não melhoraram a opinião dela. Lady Cecily não queria que eu me casasse com seu filho e continua a me odiar, mesmo agora que já provei ser fértil e boa esposa. Na verdade, ela é tão descortês que Eduardo lhe deu Fotheringhay para mantê-la longe da corte. Quanto a mim, sua santidade não me impressiona: se fosse uma mulher tão boa, teria criado George melhor. Se Deus a ouvisse, ela não teria perdido seu filho Edmundo e seu marido. Faço uma reverência quando entro, e ela se levanta para fazer uma mesura para mim. Faz sinal com a cabeça para suas damas continuarem o trabalho e afasta-se para o lado. Sabe que não fui visitá-la para perguntar sobre sua saúde. Não há amor entre nós, e nunca haverá.

— Vossa Graça — diz ela, em tom de voz uniforme. — É uma honra.

— Milady mãe — digo, sorrindo. — O prazer é meu.

Sentamos ao mesmo tempo para evitar a questão da prioridade, e ela espera que eu fale.

— Estou tão preocupada com a senhora — digo, em tom terno. — Tenho certeza de que está preocupada com George, tão longe de casa, declarado traidor e pego com Warwick, afastado de seu irmão e de sua família. Seu primeiro filho morreu, sua vida corre perigo.

Ela hesita. Não tinha antecipado meu interesse por seu favorito, George.

— É claro que gostaria que ele tivesse se reconciliado conosco — retruca, com cautela. — É sempre triste quando irmãos brigam.

— E agora eu soube que George está abandonando a própria família — continuo, com tristeza. — Um desertor, não somente da causa de seu irmão, mas da senhora e de sua própria casa.

Ela olha para a minha mãe, pedindo uma explicação.

— Ele se uniu a Margarida de Anjou — diz minha mãe, sem fazer rodeios. — Seu filho, um yorkista, vai lutar pelo rei lancastriano. Uma vergonha.

— Certamente será derrotado. Eduardo sempre vence — digo. — E depois, será executado como traidor. Como Eduardo poderá poupá-lo, apesar de seu amor fraternal, se George defender a bandeira de Lancaster? Imagine-o morrendo com uma rosa vermelha em sua gola! Que vergonha para a senhora! O que o pai dele diria?

Ela realmente está consternada.

— Ele nunca apoiaria Margarida de Anjou — diz ela. — A maior inimiga de seu pai.

— Margarida de Anjou pôs a cabeça do pai de George em uma estaca nos muros de York, e agora ele a serve — falo pensativamente. — Como qualquer um de nós o perdoaria?

— Não pode ser verdade — replica. — Ele talvez esteja tentado a se unir a Warwick. É difícil para ele sempre vir em segundo, depois de Eduardo, e... — Ela se interrompe, mas todos sabemos que George tem ciúmes de todo mundo: de seu irmão Ricardo, de Hastings, de mim e de toda a minha família. Nós sabemos que ela encheu a cabeça dele de ideias desregradas sobre Eduardo ser um bastardo e sobre ele ser o herdeiro legítimo. — E, além disso, que...

— Que bem isso fará a ele? — complemento, calmamente. — Entendo o que pensa de George. Na verdade, ele não pensa em outra coisa a não ser no que ganhará, nunca em lealdade, ou em sua palavra, ou em sua honra. Ele é inteiramente George, não York.

Ela enrubesce ao ouvir isso, mas não pode negar que George é o mais mimado e egoísta dos desertores.

— Ele achou, quando foi com Warwick, que seria rei — continuo abruptamente. — Mas então perceberam que ninguém o aceitaria como monarca quando já tinham Eduardo. Somente duas pessoas no país pensam que George é melhor do que meu marido.

Ela espera.

— O próprio George e a senhora — digo claramente. — Então, ele fugiu com Warwick porque não se atreveu a enfrentar Eduardo depois de traí-lo novamente. E agora, descobre que os planos de Warwick mudaram. Ele não colocará George no trono. Ele casará Anne, sua filha mais nova, com Eduardo de Lancaster. Ele colocará o jovem filho do rei Henrique no trono e, assim, se tornará sogro do rei da Inglaterra. George e Isabel não são mais a sua escolha para rei e rainha. Agora é Eduardo de Lancaster e Anne. O melhor que George pode esperar é ser cunhado do usurpador rei Lancaster da Inglaterra, em vez de irmão do rei York legítimo.

A mãe de George balança a cabeça.

— Ele ganha pouco com isso — prossigo. — Por tanto trabalho e tremendo risco.

Deixo que reflita por um momento.

— Se ele mudasse de lado de novo e voltasse para o irmão, penitente e verdadeiramente leal, Eduardo o aceitaria — digo. — Eduardo o perdoaria.

— Perdoaria?

Confirmo com a cabeça.

— Posso prometer que sim. — Não acrescento que eu nunca o perdoarei e que ele e Warwick são homens mortos para mim, que têm sido assim desde que executaram meu pai e meu irmão depois da batalha de Edgecote Moor e que isso não mudará, independentemente do que fizerem. Seus nomes estão no medalhão escuro em minha caixa de joias, e seus nomes nunca mais verão a luz do dia até eles próprios estarem nas trevas eternas.

— Seria bom se George, um jovem sem bons conselheiros, pudesse ser avisado por alguém privadamente, secretamente, que pode retornar em segurança para o seu irmão — comenta minha mãe casualmente, olhando pela janela para as nuvens que se movem rapidamente. — Às vezes, um jovem precisa de um bom conselho. É necessário que lhe digam que tomou o caminho errado, mas que pode retornar à estrada certa. Um jovem como George não poderia estar lutando por Lancaster, morrendo com uma rosa vermelha na lapela. Um jovem como George deveria estar com a sua família, com seus irmãos que o amam. — Ela faz uma pausa para deixar Lady Cecily refletir. Ela conduz tudo de forma magnífica. — Se pelo menos alguém pudesse lhe dizer que é bem-vindo à casa, então a senhora teria seu filho de volta, os irmãos se uniriam de novo, York combateria por York mais uma vez, e George não perderia nada. Ele seria irmão do rei da Inglaterra, e duque de Clarence como sempre foi. Poderíamos nos incumbir de Eduardo restaurá-lo. Aqui está o seu futuro. Caso contrário... do que o chamariam? — Minha mãe faz uma nova pausa para se perguntar como chamariam o filho favorito de Cecily, e então encontra a palavra: — Um perfeito idiota.

A mãe do rei fica de pé em um pulo, e minha mãe também se levanta. Eu continuo sentada, sorrindo para minha sogra, deixando-a em pé na minha frente.

— É sempre um prazer conversar com as senhoras — diz, a voz trêmula de raiva.

Então me levanto, minha mão na barriga, e espero que ela faça a reverência a mim.

— Ah, eu também. Tenha um bom-dia, milady mãe — digo em tom calmo.

E está feito, fácil como um encantamento. Sem mais palavras, sem nem mesmo Eduardo saber, uma dama de honra da mãe do rei decide visitar sua grande amiga, a mulher de George, a pobre Isabel Neville. A dama, oculta por um véu, sobe em um barco, vai para Angers e se encontra com Isabel, mas não perde tempo com o pranto dela em seus aposentos. Vê George, fala-lhe do amor terno de sua mãe, de suas preocupações com ele. George, em troca, fala de seu crescente desconforto com os aliados a quem agora não somente jurou lealdade, mas com quem também se casou. Deus, pensa ele, não abençoa a sua união desde que o bebê morreu na tormenta, e nada mais deu certo para ele desde que se casou com Isabel. Certamente, algo tão desagradável assim nunca teria lhe acontecido. Ele se vê na companhia de inimigos de sua família e — o que é muito pior para ele — em um papel secundário de novo. O desertor George diz que irá para a Inglaterra com o exército invasor de Lancaster, mas que assim que puser os pés no reino do seu querido irmão, nos dirá onde desembarcaram e qual é o tamanho de sua força. Vai fingir estar do lado deles, como cunhado do príncipe de Gales de Lancaster, até a batalha começar, e então os atacará por trás, e lutará para voltar para junto de seus irmãos, mais uma vez. Será um filho de York, de novo um dos três filhos de York. Podemos contar com ele. Destruirá seus amigos atuais e a família de sua própria mulher. É leal a York, no fundo do seu coração, sempre foi.

Meu marido traz essa notícia animadora sem saber que isso foi um feito de mulheres que tecem suas redes ao redor dos homens. Descanso onde geralmente me deito à tarde, uma das mãos sobre a barriga, sentindo o bebê se mover.

— Não é maravilhoso? — pergunta, realmente encantado. — George voltará para nós!

— Sei que você o ama. Mas até mesmo você tem de admitir que ele é uma criatura absolutamente abjeta, que não é leal a ninguém.

Meu generoso marido sorri.

— Ah, ele é George — diz com carinho. — Não pode ser muito dura com ele. Ele sempre foi o favorito de todos, do tipo que só pensa em si mesmo.

Consigo sorrir para ele.

— Não sou muito dura com ele. Fico feliz por ele voltar para junto de você. — Mas no meu íntimo, penso: ele é um homem morto.

Verão de 1470

Corro atrás do meu marido, minha mão sobre a barriga grande, percorrendo os longos corredores sinuosos do Palácio de Whitehall. Criados correm atrás de nós carregando bens.

— Não pode ir. Jurou que estaria ao meu lado no nascimento do nosso filho. Vai ser um menino, o seu filho. Tem de estar comigo.

Ele vira-se, sua expressão é grave.

— Querida, nosso filho não terá reino algum se eu não for. O cunhado de Warwick, Henry Fitzhugh, sublevou Northumberland. Não tenho a menor dúvida de que Warwick atacará no norte, e então Margarida desembarcará seu exército no sul. Ela virá direto para Londres, para libertar seu marido da Torre. Tenho de ir, e rápido. Terei de lidar com um e depois ir para o sul para capturar o outro antes que venha para cá. Não ouso nem mesmo parar pelo prazer de discutir com você.

— E eu? E as meninas?

Ele murmura ordens para o escrivão, que o acompanha correndo em direção às cavalariças, escrivaninha em punho. O rei se detém para gritar ordens a seus cavalariços. Soldados se apressam na direção do arsenal para pegar armas e peitorais, sargentos berram para que entrem em forma.

As grandes carroças são carregadas de novo com tendas, armas, comida, arreios. O grande exército de York está de novo em marcha.

— Você tem de ir para a Torre — ordena. — Preciso saber que está segura. Todos vocês, sua mãe também. Vá para os aposentos reais. Prepare-se lá para ter o bebê. Sabe que voltarei assim que puder.

— Quando o inimigo vai chegar a Northumberland? Por que devo ir para a Torre, se está indo combatê-lo a milhas de distância?

— Porque só Deus sabe realmente onde Warwick e Margarida vão desembarcar — responde ele brevemente. — Imagino que se dividirão em duas frentes e desembarcarão um exército para apoiar a insurreição no norte, e o outro em Kent. Mas ainda não sei, não recebi notícias de George. Não sei o que planejam. E se navegarem pelo Tâmisa enquanto estou lutando em Northumberland? Meu amor, seja corajosa, seja rainha: vá para a Torre com as meninas e se mantenham seguras. Então lutarei, vencerei e voltarei para você.

— E meus meninos? — pergunto em um sussurro.

— Seus filhos virão comigo. Farei tudo para mantê-los a salvo, mas desta vez terão de participar das nossas batalhas, Elizabeth.

O bebê se vira dentro de mim, como se protestasse também, e sou silenciada por seu movimento.

— Eduardo, quando ficaremos em segurança?

— Quando eu vencer — retruca com firmeza. — Tenho de ir agora, e vencer, meu amor.

Deixo-o ir. Acho que nenhum poder no mundo o deteria, e digo às meninas que ficaremos em Londres, na Torre, um dos palácios preferidos delas, e que papai e os meios-irmãos foram combater os homens maus que ainda querem o velho rei Henrique no poder, embora ele seja prisioneiro na Torre, silencioso em seus aposentos, no andar abaixo do nosso. Digo que o pai delas voltará a salvo para nós. Quando choram por ele à noite, ao terem pesadelos com a rainha má, o rei louco e o tio mau, Warwick, prometo que papai derrotará as pessoas malvadas e voltará para casa. Prometo que ele trará os meninos sãos e salvos. Ele deu sua palavra. Ele nunca deixou de cumpri-la. Ele voltará para casa.

Mas dessa vez, ele não volta.

Dessa vez, ele não volta.

Ele e seus companheiros de armas, meu irmão Anthony e seu irmão Ricardo, seu querido amigo Sir William Hastings e seus partidários leais, são despertados em Doncaster, nas primeiras horas da manhã, por dois menestréis do rei que, retornando embriagados do bordel, olharam casualmente por cima dos muros do castelo e viram tochas na estrada. A guarda inimiga marchava à noite, um sinal certo de que Warwick estava no comando, a apenas uma hora de distância, talvez a apenas alguns metros, para capturar o rei antes que ele se reunisse a seu exército. O norte todo se sublevou contra o rei e está pronto para lutar por Warwick, e o destacamento real será dominado logo. A influência do conde é grande nessa parte do mundo, e seu irmão e seu cunhado se voltaram contra Eduardo, lutando agora por seu parente e pelo rei Henrique. Chegarão ao portão do castelo em poucos instantes. Não há a menor dúvida de que dessa vez Warwick não fará prisioneiros.

Eduardo despacha meus filhos para mim, e ele, Ricardo, Anthony e Hastings montam rapidamente seus cavalos e partem na noite, desesperados para não serem capturados por Warwick ou seus parentes, certos de que dessa vez uma execução sumária os aguarda. Warwick tentou, uma vez, capturar Eduardo e mantê-lo preso, como capturamos e mantemos Henrique preso, e aprendeu que não há vitória tão definitiva quanto a morte. Ele nunca mais vai aprisionar o rei e esperar que todos admitam a derrota. Dessa vez ele o quer morto.

Eduardo cavalga no escuro com seus amigos e parentes, e não tem tempo de mandar me buscar, de me dizer onde encontrá-lo. Não pode nem mesmo me escrever, dizer aonde está indo. Duvido que ele próprio saiba. Tudo o que está fazendo é fugir da morte certa. Depois ele pensará em como retornar. Nessa noite, o rei está fugindo para salvar a própria vida.

Outono de 1470

As notícias chegam a Londres em boatos não confiáveis, e são todas sempre ruins. Warwick desembarcou na Inglaterra, como Eduardo tinha predito, mas o que o rei não previu foi o grande número de nobres do lado do traidor, apoiando o rei que deixaram apodrecer na Torre nos últimos cinco anos. O conde de Shrewsbury está do lado dele. Jasper Tudor — que pode sublevar quase todo o País de Gales — está do lado dele. Lorde Thomas Stanley — que recebeu o anel de rubi na justa de minha coroação e me disse que seu lema era "Sem Mudar" — está do lado dele. Toda uma hoste de membros inferiores da pequena nobreza obedece a esses comandantes influentes, e Eduardo fica rapidamente em minoria em seu próprio reino. Todas as famílias Lancaster estão polindo suas antigas armas, esperando marchar, mais uma vez, para a vitória. Foi como meu marido me advertiu: ele não distribuiu a riqueza rápido o bastante, de maneira justa o bastante, a pessoas suficientes. Não estendemos a influência de minha família tanto quanto o necessário, nem com a astúcia necessária. E agora acham que se darão melhor sob o comando de Warwick e do velho rei louco, e não de Eduardo e da minha família.

Eduardo teria sido morto na hora se o tivessem capturado, mas o perderam — o que está claro. Ninguém sabe onde ele está, e uma vez por dia, alguém vem à Torre me dizer que o viu e que ele estava morrendo de seus ferimentos, ou que o viu enquanto fugia para a França, ou que o viu em um ataúde, morto.

Meus filhos chegam a Londres sujos da viagem, exaustos e furiosos por não terem fugido com o rei. Tento não abraçá-los com força demais ou beijá-los demais, porém, mal posso acreditar que retornaram sãos e salvos para mim, assim como não consigo acreditar que meu marido e meu irmão não voltaram.

Mando buscarem minha mãe em Grafton, para que ela fique conosco na Torre. Preciso de seu conselho e de sua companhia, e se estivermos realmente perdidos e tivermos de nos refugiar no exterior, quero que ela vá comigo. Mas o mensageiro retorna, e sua expressão é grave.

— Sua lady mãe não está em casa — diz.

— Onde ela está?

Ele parece evasivo, como se desejasse que outra pessoa transmitisse a má notícia.

— Vamos, responda logo — insisto, minha voz áspera de medo. — Onde ela está?

— Está presa — responde. — Ordens do conde de Warwick. Ele ordenou a prisão, e seus homens foram a Grafton e a levaram.

— Warwick está com minha mãe? — Meu coração palpita, estrondoso. — Minha mãe é uma prisioneira?

— Sim.

Ouço o ruído de algo chacoalhando e percebo que minhas mãos tremem tanto que meus anéis batem nos braços da cadeira. Respiro fundo para me acalmar, e seguro firme neles para parar de tremer. Meu filho Thomas se aproxima e fica de pé do meu lado. Richard põe-se do outro lado.

— Qual é a acusação?

Reflito. Não pode ser traição: ninguém pode argumentar que minha mãe fez mais do que me aconselhar. Ninguém pode acusá-la disso, quando sempre foi uma boa sogra para o rei coroado e uma companheira amorosa de sua rainha. Nem mesmo Warwick se rebaixaria a ponto de acusar uma mulher de traição e mandar decapitá-la por amor à sua filha. Mas esse é o homem que matou meu pai e meu irmão sem qualquer razão. Seu desejo deve ser somente me fazer sofrer e tirar de Eduardo o apoio de minha família. Esse é um homem que me matará se chegar a pôr as mãos em mim.

— Lamento, Vossa Graça...

— Qual é a acusação? — Minha garganta está seca e pigarreio.

— Bruxaria.

Não há necessidade de julgamento para condenar uma bruxa à fogueira, embora nenhum julgamento a inocente: é fácil encontrar pessoas para dar o testemunho sob juramento de que suas vacas morreram ou de que seus cavalos as derrubaram porque uma bruxa lançou-lhes um mau-olhado. De qualquer maneira, não há necessidade de julgamento, nem de testemunhas. Um único padre é tudo o que é preciso para atestar a culpa de uma bruxa, ou um lorde como Warwick pode simplesmente julgá-la culpada e ninguém a defenderá. Então, ela pode ser estrangulada e enterrada em uma encruzilhada. Geralmente pedem a um ferreiro para estrangular a mulher, uma vez que, em virtude de seu ofício, tem mãos grandes e fortes. Minha mãe é uma mulher alta, uma beldade, com seu pescoço fino e comprido. Qualquer homem pode asfixiá-la em minutos. Não é preciso ser um ferreiro musculoso. Qualquer um dos guardas de Warwick pode fazer isso com facilidade, em um instante, a uma palavra, proferida alegremente por Warwick.

— Onde ela está? — pergunto. — Para onde a levaram?

— Ninguém em Grafton sabe para onde ela foi — responde o homem. — Perguntei a todo mundo. Uma unidade de cavalaria chegou, fizeram sua mãe montar sobre a sela feminina atrás do comandante e a levaram em direção ao norte. Não disseram a ninguém aonde estavam indo. Apenas que ela estava sendo detida por bruxaria.

— Tenho de escrever a Warwick — digo rapidamente. — Vá comer alguma coisa e prepare um cavalo. Vou precisar que cavalgue o mais rápido que puder. Está pronto para partir imediatamente?

— Imediatamente — replica ele; faz uma reverência e sai.

Escrevo a Warwick exigindo a libertação de minha mãe. Escrevo a todos os arcebispos sobre os quais tínhamos autoridade antes, e a todos que achei que nos defenderiam. Escrevo a velhos amigos e familiares de minha mãe ligados à Casa de Lancaster, e até mesmo a Margaret Beaufort, que, como herdeira lancastriana, pode ter certa influência. Em seguida, vou para a minha capela, a Capela da Rainha, e passo a noite ajoelhada, rezando para Deus não permitir que esse homem cruel leve essa boa mulher, abençoada com nada além de uma presciência sagrada, alguns estratagemas pagãos e uma total falta de deferência. Ao amanhecer, escrevo seu nome na pena de uma pomba e a mando pelo rio para avisar Melusina de que sua filha está em perigo.

Então, tenho de esperar por notícias. Espero por uma semana inteira, sem receber informação nenhuma, temendo o pior. Diariamente, pessoas vêm me dizer que meu marido está morto. Agora temo que venham dizer a mesma coisa de minha mãe, e eu ficarei completamente sozinha no mundo. Rezo a Deus, sussurro ao rio: minha mãe tem de ser salva. Então, finalmente, fico sabendo que ela foi libertada, e dois dias depois, ela chega à Torre.

Corro para os seus braços e choro como se eu tivesse 10 anos. Ela me abraça e me nina como se eu ainda fosse uma menininha, e quando olho para o rosto dela, vejo que as lágrimas correm por ele também.

— Estou salva — diz. — Ele não me machucou. Não fui interrogada. Ele me prendeu apenas por alguns dias.

— Por que a libertou? — pergunto. — Escrevi para ele, escrevi para todo mundo, rezei e desejei, mas achei que ele não teria misericórdia com a senhora.

— Margarida de Anjou — responde ela com um sorriso torto. — De todas as mulheres no mundo! Ordenou que Warwick me libertasse assim que soube que ele havia me prendido. Fomos boas amigas no passado, e continuamos a ser parentes. Ela lembrou-se de meu serviço em sua corte e ordenou a minha libertação, ou ele teria de enfrentar o seu extremo desagrado.

Dou uma risada, incrédula.

— Ela ordenou que a libertasse e ele obedeceu?

— Agora ela é sogra de sua filha, assim como sua rainha — salienta minha mãe. — E ele jurou aliança com ela, contando com o exército dela para apoiá-lo a recuperar o país. Acompanhei Margarida quando ela chegou na Inglaterra, recém-casada, e fui sua amiga durante todos os anos em que foi rainha. Eu era, então, da Casa de Lancaster, como nós todos, até você se casar com Eduardo.

— Foi bondade dela salvá-la — admito.

— Esta é uma guerra de primos, realmente — diz minha mãe. — Todos temos entes queridos no lado inimigo. Todos temos de enfrentar a matança de nossa própria família. Às vezes, conseguimos ser misericordiosos. Deus sabe que ela não é uma mulher misericordiosa, mas pensou em ser comigo.

~

Durmo aflita nos ricos apartamentos reais da Torre de Londres, e o luar refletido do rio oscila nas cobertas de minha cama. Estou deitada de barriga para cima, sentindo o peso do bebê e uma dor na lateral do corpo. Flutuo entre o sono e a vigília, quando vejo, brilhante como o luar no arrás acima de mim, o rosto do meu marido, magro e envelhecido, caído sobre a crina de seu cavalo que galopa, cavalgando que nem um louco na noite, menos de uma dúzia de homens ao seu redor.

Dou um grito abafado e me viro no travesseiro. O bordado elaborado da fronha pressiona minha bochecha e volto a dormir. Mas de novo desperto com a imagem de Eduardo cavalgando com dificuldade no escuro, em uma estrada estranha.

Semidesperta, debatendo-me por causa da imagem em minha mente, entre o sono e a vigília, vejo um pequeno porto de pesca. Eduardo, Anthony, William e Ricardo batem em uma porta e discutem com um homem. Contratam uma embarcação, sem pararem de olhar por cima do ombro para o oeste, para seus inimigos. Ouço-os prometerem qualquer coisa — qualquer coisa! — ao capitão se ele os levar para Flandres. Vejo Eduardo tirar sua grande capa de pele e oferecê-la em pagamento. "Pegue", diz ele. "Vale mais que o dobro do valor do seu navio. Pegue-a e considerarei isso um serviço."

"Não", falo em meu sono. Eduardo está me abandonando, abandonando a Inglaterra, me deixando e quebrando sua palavra de que estaria comigo no nascimento do nosso filho.

O mar está alto além da enseada, as ondas escuras cobertas de espuma branca. O pequeno navio sobe e desce, oscilando entre as ondas, a água batendo na proa. Parece incrível que consiga galgar as ondas e cair com violência nas depressões. Eduardo está na popa, segurando-se na borda, sendo jogado de um lado para o outro pelo movimento do barco, olhando para trás, para o país que diz ser o seu, atento ao fulgor das tochas dos homens que o perseguem. Ele perdeu a Inglaterra. Nós perdemos a Inglaterra. Ele reivindicou o trono e foi coroado rei. Ele me coroou rainha e acreditei termos nos estabelecido. Ele nunca perdeu uma batalha, mas Warwick tem sido astuto demais, rápido demais, ardiloso demais para ele. Eduardo está indo para o exílio, exatamente como Warwick fez. Está se dirigindo para uma tormenta feroz, como Warwick fez. Mas Warwick foi direto para o rei da França e encontrou um aliado e um exército. Não sei como Eduardo retornará um dia.

Warwick está de volta ao poder e agora meu marido, meu irmão Anthony e meu cunhado Ricardo são os fugitivos, e só Deus sabe que vento os trará de volta para a Inglaterra. Eu, as meninas e o bebê em minha barriga são os novos reféns, os novos prisioneiros. Por enquanto estou nos apartamentos reais da Torre, mas logo estarei nos aposentos dos andares inferiores, com grades nas janelas, e o rei Henrique dormirá nessa cama de novo. Eu serei aquela que o povo dirá que, por caridade cristã, deve ser solta para não morrer na prisão, sem ver o céu.

"Eduardo!" Vejo-o erguer o olhar, quase como se pudesse me ouvir chamá-lo em meu sono, em meu sonho. "Eduardo!" Não acredito que ele seja capaz de me abandonar, que tenhamos perdido a nossa luta pelo trono. Meu pai perdeu a vida para que eu fosse rainha, meu irmão morreu ao lado dele. Seremos agora nada além de pretendentes, repudiados depois de alguns anos de boa sorte? Um rei e uma rainha que fracassaram por fazerem mais do que podiam, e para quem a sorte acabou? Minhas meninas passarão a ser filhas de um traidor privado de seus direitos? Terão de se casar com simples nobres donos de pequenas propriedades rurais e tentar superar a vergonha de seu pai? Minha mãe vai receber Margarida de Anjou de joelhos e esperar cair de novo nas graças da rainha? Terei a escolha de viver no exílio ou na prisão? E meu filho, o bebê ainda por nascer? Warwick o deixará vivo, ele que perdeu seu próprio neto e herdeiro quando lhe fechamos os portões de Calais, sua filha perdendo a criança no mar agitado por um vento soprado por uma bruxa?

Grito alto: "Eduardo! Não me deixe!", e o terror em minha voz me desperta sobressaltada. No quarto ao lado, minha mãe acende uma vela na lareira e abre a porta.

— Está vindo? O bebê? Antes da hora?

— Não. Tive um sonho. Mamãe, tive um sonho terrível.

— Pronto, pronto, já passou — diz, me confortando. Ela acende velas na cabeceira da minha cama, atiça o fogo na lareira com um movimento de seus pés calçados com chinelos. — Acabou, Elizabeth, agora está segura.

— Não estamos seguros — digo sem hesitar. — Esta é a questão.

— Por que diz isso? O que sonhou?

— Era Eduardo, em um navio, na tormenta. Era noite. As ondas eram imensas. Nem mesmo sei se o navio dele vai aguentar. Era um vento forte, que não traz nada de bom, mãe, ele estava enfrentando um vento muito forte. Era o nosso vento. Era a rajada que invocamos para empurrar Warwick e George para longe. Nós a invocamos, mas ela não se extinguiu. Eduardo está em uma tormenta que nós provocamos. Ele estava vestido como criado, um homem pobre: não carregava nada além das roupas do corpo. Ele teve de dar a capa. Anthony estava lá, não usava nem mesmo seu manto sem mangas. William Hastings estava com eles, e também o irmão de Eduardo, Ricardo. Eram os únicos sobreviventes, os únicos que podiam correr. Estavam... — Fecho os olhos tentando me lembrar. — Estavam nos deixando, mãe. Oh, mamãe, ele partiu da Inglaterra, ele nos deixou. Está perdido. Estamos perdidos. Eduardo se foi, Anthony também. Tenho certeza disso.

Ela pega minhas mãos frias e as esfrega nas suas.

147

— Talvez tenha sido apenas um pesadelo. Talvez não passe de um sonho. Mulheres que estão próximas da hora do parto têm fantasias estranhas, sonhos vívidos...

Balanço a cabeça e afasto as cobertas.

— Não, tenho certeza. Foi uma Visão. Ele foi derrotado. Ele fugiu.

— Acha que foi para Flandres? — pergunta. — Refugiar-se com sua irmã, a duquesa Margarida, e Carlos de Borgonha?

— É claro. É claro que sim — confirmo. — E mandará me buscar, não tenho dúvida. Ele me ama, ama as meninas, e jurou que nunca me abandonaria. Mas partiu, mãe. Margarida de Anjou deve ter desembarcado e marchará para cá, para Londres, para libertar Henrique. Temos de ir embora. Tenho de tirar as meninas daqui. Não poderemos estar aqui quando o exército chegar. Eles nos aprisionarão para sempre se nos encontrarem.

Minha mãe joga um xale ao redor dos meus ombros.

— Você tem certeza? Pode viajar? Devo mandar uma mensagem ao cais para embarcarmos em um navio?

Hesito. Tenho muito medo da viagem, com meu bebê perto de nascer. Penso em Isabel, gritando de dor no navio e sendo jogada violentamente de um lado para o outro, sem ninguém para ajudá-la no parto. Penso no bebê morrendo, sem nem mesmo um padre para batizá-lo. Não posso enfrentar o mesmo que ela, com o vento assobiando no cordame. Tenho medo de que o vento que invoquei continue a soprar nos mares, sua má índole insatisfeita com a morte de um único bebê, procurando no horizonte embarcações inseguras. Se esse vento nos encontrar, a mim e às meninas, no mar revolto, seremos submersas.

— Não, eu não suportaria. Não me atrevo. Temo demais o vento. Vamos para o santuário. Iremos para a Abadia de Westminster. Não se atreverão a nos fazer mal lá. Ficaremos a salvo. Os londrinos ainda nos amam, e a rainha Margarida não violaria um lugar santo. Se o rei Henrique estiver em seu juízo perfeito, nunca a deixará violar um santuário. Ele acredita na atuação do poder de Deus no mundo. Ele respeitará o local sagrado e obrigará Warwick a nos deixar em paz. Levaremos as meninas e meus filhos Grey para lá. Pelo menos até meu filho nascer.

Novembro de 1470

Quando eu ouvia falar de homens desesperados que buscavam refúgio no santuário, batendo no sino da porta da igreja e gritando provocações aos seus perseguidores ou precipitando-se pelo corredor central e apoiando as mãos no altar-mor, como se fossem crianças brincando de pique, sempre achava que eles deviam se alimentar do vinho da missa e do pão da hóstia e dormir nos bancos, usando as almofadas nas quais os fiéis se ajoelham como travesseiros. Acabou não sendo tão ruim assim. Vivemos na cripta da igreja construída no cemitério de St. Margaret, dentro dos limites da abadia. É mais ou menos como viver em uma adega, mas podemos ver o rio das janelas baixas na lateral da sala, e temos um vislumbre da estrada através da grade na porta do outro lado. Vivemos como uma família pobre, dependente da boa vontade dos partidários de Eduardo e dos cidadãos de Londres, que amam a família York apesar de o mundo ter mudado outra vez. Agora os York estão escondidos e o rei Henrique é aclamado mais uma vez.

Warwick, o influente lorde Warwick, o assassino do meu pai e do meu irmão, o sequestrador do meu marido, entra em Londres triunfante, e George, seu genro infeliz, está ao seu lado. O duque de Clarence pode ser um espião nas fileiras deles e estar secretamente do nosso lado, ou pode ter mudado de posição e, de novo, espera as migalhas da mesa real Lancaster. De qualquer maneira, não me traz nenhuma mensagem, nem faz nada para garantir a minha segurança. Segue na esteira do Fazedor de Reis, como se não tivesse irmão nem cunhada, talvez ainda com esperança de se tornar rei.

Warwick, triunfante, retira seu antigo inimigo, o rei Henrique, da Torre e o proclama apto a governar e completamente restabelecido. Ele agora é o libertador desse rei e o salvador da Casa de Lancaster, e o país está alegre. O rei Henrique está confuso com essa guinada nos acontecimentos, mas lhe explicam, devagar e delicadamente, um pouco a cada dia, que ele é rei novamente, e que seu primo Eduardo de York desapareceu. Até lhe dizem que nós, a família de Eduardo, estamos escondidos na Abadia de Westminster, mas ele ordena — ou ordenam em seu nome — que o refúgio dos lugares santos tem de ser respeitado. Portanto, ficamos seguros na prisão que impusemos a nós mesmos.

Diariamente, os açougueiros nos mandam carne, os padeiros nos mandam pão, até mesmo as leiteiras, vindas dos campos de pasto da cidade, nos trazem baldes de leite para as meninas, e vendedores de frutas vindos de Kent trazem o melhor da safra para a abadia e deixam à porta, para nós. Dizem aos fabriqueiros que é para a "pobre rainha" em seu momento de dificuldade, e então se lembram de que há uma nova rainha, Margarida de Anjou, que apenas espera o vento favorável para zarpar e retornar a seu trono. Eles tropeçam nas palavras e, finalmente, dizem: "Sabem o que quero dizer. Mas não deixem de entregar as frutas a ela. As frutas de Kent são muito boas para a mulher que está para dar à luz. Fazem com que o bebê venha mais facilmente. E diga-lhe que desejamos o seu bem e que voltaremos."

É difícil para as meninas não terem notícias de seu pai, é difícil para elas serem mantidas dentro de pequenos cômodos, uma vez que nasceram para ter tudo do melhor. Viveram nos palácios mais suntuosos da Inglaterra, e agora estão confinadas. Podem subir em um banco e olhar o rio pelas janelas, o rio em que o barco real costumava levá-las e trazê-las de um palácio a outro, ou se revezam para subir em uma cadeira e olhar para além das grades, para as ruas de Londres, onde costumavam passear e ouvir as pessoas abençoarem seus nomes e seus rostos bonitos. Elizabeth, minha filha mais velha, tem somente 4 anos, mas é como se compreendesse que estamos vivendo um momento de grande tristeza e dificuldades. Nunca me pergunta onde estão suas aves domesticadas, ou os criados que costumavam mimá-la e brincar com ela. Nunca pergunta por seu cachorrinho ou por seus brinquedos preciosos. Age como se tivesse nascido e sido criada nesse pequeno espaço e brinca com suas irmãs mais novas como se fosse uma ama-seca que recebeu ordens de se mostrar animada. A única pergunta que faz é: "Onde está o meu pai?" E tenho de me acostumar com a maneira como me olha, com seu pequeno rosto redondo, franzido e intrigado. Ela pergunta: "Meu pai ainda é o rei aqui, milady mãe"?

Para os meus meninos, é ainda mais difícil. Eles parecem filhotes de leão confinados em um pequeno espaço, ociosos, brigando. No fim, minha mãe começa a fazê-los se exercitar, a lutarem espadas com cabos de vassouras, a aprenderem poemas, a saltarem e correrem todos os dias, e eles se empenham e esperam que os exercícios os tornem mais fortes na batalha que tanto desejam, aquela que vai restaurar Eduardo ao trono.

Os dias se tornam mais curtos e as noites, mais escuras, e sei que está chegando a hora esperada por meu bebê. Meu grande terror é morrer aqui, de parto, e minha mãe ser deixada sozinha na cidade de nosso inimigo, guardando meus filhos.

— Sabe o que vai acontecer? — pergunto de forma direta. — Previu algo? O que acontecerá com minhas meninas?

Percebo o conhecimento em seus olhos, mas o rosto que virou para mim está imperturbável.

— Você não vai morrer, se é o que está perguntando — responde também abruptamente. — É uma mulher jovem e saudável, e o conselho do rei está mandando Lady Scrope para cuidar de você, e duas parteiras. Não há razão nenhuma para pensar que vai morrer, assim como não havia nos partos anteriores. Espero que sobreviva a isso e tenha mais filhos.

— O bebê? — pergunto, tentando ler sua expressão.

— Você sabe que ele está sadio — replica ela, sorrindo. — Qualquer um que sinta essa criança chutar sabe que é forte. Não há nenhuma razão para você ter medo.

— Mas há alguma coisa — afirmo, segura. — Você viu alguma coisa em relação a Eduardo, meu bebê, o príncipe Eduardo.

Ela me olha por um momento e, então, decide falar francamente:

— Não consigo vê-lo se tornando rei. Li as cartas, examinei o reflexo da lua na água. Tentei perguntar à bola de cristal e ver sinais na fumaça. Na verdade, tentei tudo o que conheço dentro dos limites das leis de Deus e do que é permitido neste lugar sagrado. Mas, para falar a verdade, Elizabeth, não consigo vê-lo rei.

Dou uma gargalhada.

— É isso? Isso é tudo? Meu Deus, mãe, não consigo nem ver o pai dele sendo rei de novo, e Eduardo foi coroado e ordenado! Não consigo ver a mim mesma como rainha de novo, e fui ungida com o óleo sagrado e segurei os cetros. Não espero um príncipe de Gales, apenas um menino saudável. Quero apenas que nasça forte e cresça para ser um homem, e ficarei satisfeita. Não preciso que ele seja rei da Inglaterra. Só quero saber se ele e eu sobreviveremos a isso.

— Ah, sobreviverão a isso. — Com um movimento delicado da mão, desdenha dos cômodos apertados, das camas baixas das meninas em um canto, dos colchões de palha das criadas em outro canto, da pobreza do espaço, do frio do porão, da umidade das paredes de pedra, do fogo fumegando e da coragem de meus filhos, que já estão se esquecendo de que já viveram em lugar melhor. — Isso não é nada. Espero nos ver nos erguendo disso.

— Como? — pergunto, sem dar crédito.

Ela inclina-se à frente e fala ao meu ouvido.

— Seu marido não está plantando vinhas em Flandres — diz. — Não está cardando lã e aprendendo a fiar. Está equipando uma expedição, fazendo aliados, levantando dinheiro, planejando invadir a Inglaterra. Os mercadores de Londres não são os únicos no país a preferirem os York aos Lancaster. E Eduardo nunca perdeu uma batalha. Lembra-se?

Indecisa, balanço a cabeça. Embora frustrado e no exílio, é verdade que nunca perdeu uma batalha.

— Portanto, quando ele atacar as forças de Henrique, mesmo chefiadas por Warwick e incentivadas por Margarida de Anjou, não acha que ele vai vencer?

~

Não é um confinamento apropriado. Uma rainha deve ser confinada em um retiro cerimonial da corte seis semanas antes da data do parto. As venezianas devem ser fechadas e o quarto, abençoado.

— Bobagem — diz minha mãe animadamente. — Você se retirou da própria luz do dia, não? Confinamento? Eu diria que nenhuma rainha ficou tão enclausurada. Qual rainha já foi confinada em um santuário antes?

Não é um parto real apropriado, com três parteiras e duas amas de leite, berços, madrinhas nobres, damas enfermeiras de prontidão ao meu lado e embaixadores esperando com ricos presentes. Lady Scrope é enviada pela corte Lancaster para garantir que eu tenha tudo o que é preciso, e acho o gesto gentil comigo, da parte do conde de Warwick. Mas tenho de trazer meu bebê ao mundo sem meu marido aguardando, a corte à porta, e quase ninguém para me ajudar. Seus padrinhos são o abade de Westminster e o prior, e sua madrinha é Lady Scrope: as únicas pessoas que estão comigo; nem lordes importantes no país nem reis estrangeiros, os padrinhos habituais de um bebê real, mas pessoas boas, generosas, que ficam presas conosco em Westminster.

Dou-lhe o nome de Eduardo, como quer seu pai, e como a colher de prata puxada do rio predisse. Margarida de Anjou, com sua frota, presa no porto pela tempestade, manda-me uma mensagem em que diz para eu chamá-lo de John. Ela não quer outro príncipe Eduardo na Inglaterra para rivalizar com seu filho. Ignoro suas palavras, como se viessem de uma pessoa qualquer. Por que eu daria ouvidos às preferências de Margarida

153

de Anjou? Meu marido deu-lhe o nome de Eduardo e a colher de prata veio do rio com seu nome gravado. Ele é Eduardo. Será príncipe de Gales, mesmo que minha mãe esteja certa e ele nunca venha a ser rei.

Entre nós, o chamamos de Baby; ninguém o chama de príncipe de Gales. Penso, quando estou prestes a adormecer depois do parto, sentindo o calor dele em meus braços, um pouco embriagada pela taça que me deram para beber, que talvez ele não vá ser rei. Não houve tiros de canhão para ele, nenhuma fogueira foi acesa no alto das colinas. As fontes e canos de Londres não jorraram vinho, os cidadãos não estão bêbados de alegria, não há um comunicado de sua chegada às grandes cortes da Europa. É como ter um bebê comum, não um príncipe. Talvez ele seja um menino comum e eu volte a ser uma mulher comum. Talvez não sejamos pessoas importantes, escolhidas por Deus, mas apenas felizes.

Inverno de 1470-1471

Passamos o Natal no santuário. Os açougueiros de Londres nos mandam um ganso gordo, e meus filhos, minha pequena Elizabeth e eu jogamos cartas, e fico atenta para perder. Mando-a para a cama com os ânimos exaltados por ser uma jogadora séria. Passamos o Dia de Reis no santuário, e mamãe e eu compusemos uma peça para as crianças, com fantasias, máscaras e encantamentos. Contamos a elas a nossa história de Melusina, a bela mulher, metade humana, metade peixe, encontrada em uma fonte na floresta e que se casa com um mortal por amor. Envolvo-me com um lençol, que amarramos nos pés para formar um grande rabo, solto o cabelo, e quando me ergo do chão, as meninas são arrebatadas pela mulher-peixe Melusina, e os meninos aplaudem. Minha mãe entra com uma cabeça de cavalo de papel presa no cabo de uma vassoura, vestida com o gibão do porteiro e uma coroa de papel na cabeça. As meninas não a reconhecem e assistem à representação como se fôssemos atores pagos na corte mais importante do mundo. Contamos a história de amor entre a bela mulher que é metade peixe e seu amado, que a convence a deixar a fonte na floresta para se arriscar no grande mundo. Só contamos metade da história: que ela vive com ele e lhe dá belos filhos, e que são felizes juntos.

A história não para por aí, é claro. Mas não quero pensar em casamentos por amor que acabam em separação. Não quero pensar em ser uma mulher que não consegue viver num novo mundo feito pelos homens. Não quero pensar em Melusina se erguendo da fonte e se confinando em um castelo, enquanto estou confinada em um santuário, e todas nós, filhas dela, estamos presas em um lugar onde não podemos ser inteiramente nós mesmas.

~

O marido mortal de Melusina a amava, mas ela o intrigava. Ele não entendia a sua natureza e não estava satisfeito em viver com uma mulher que era um mistério para ele. Deixou que um hóspede o persuadisse a espioná-la. Escondeu-se atrás das tapeçarias nas paredes da casa de banho dela e a viu nadar sob a água da banheira. Viu, horrorizado, o brilho da ondulação da água nas escamas, e conheceu o seu segredo: apesar de amá-lo sinceramente, ela continuava a ser metade mulher, metade peixe. Ele não suportou o fato de ela ser o que era, e ela não podia deixar de sê-lo. Portanto a abandonou, porque, no fundo de seu coração, temeu que ela fosse uma mulher com uma natureza dividida — e não percebeu que todas as mulheres são criaturas de natureza dividida. Não suportou pensar no segredo dela, que ela tinha uma vida oculta para ele. Não pôde, de fato, tolerar a verdade: que Melusina era uma mulher que conhecia as profundezas desconhecidas, que nadava nelas.

Pobre Melusina, que se esforçou tanto para ser uma boa esposa, teve de deixar o homem que amava e voltar para a água, achando a terra difícil demais. Como tantas mulheres, ela não conseguiu se ajustar perfeitamente à visão de seu marido. Seus pés doíam: ela não podia andar no caminho escolhido por seu esposo. Tentou dançar para agradá-lo, mas não conseguiu negar a dor. Ela é a ancestral da casa real de Borgonha, e nós, suas descendentes, continuamos a tentar andar no caminho de homens, e às vezes nós também o achamos insuportavelmente difícil.

~

Soube que a nova corte teve uma festa de Natal alegre. Henrique, o rei, recuperou o juízo, e a Casa de Lancaster está triunfante. Das janelas do santuário é possível ver os barcos subindo e descendo a correnteza, com os nobres vindo de seus palácios localizados à margem do rio para Whitehall. Vejo o barco de Stanley passar. Lorde Stanley, que beijou minha mão no torneio de minha coroação e me disse que seu lema era *Sans Changer*, foi um dos primeiros a saudar Warwick quando este desembarcou na Inglaterra. Acabou se revelando um lancastriano. Talvez nunca tenha mudado sua lealdade a eles.

Vejo o barco Beaufort com a bandeira do dragão vermelho do País de Gales agitando-se na popa. Jasper Tudor, o todo-poderoso do País de Gales, está levando seu sobrinho, o jovem Henrique Tudor, à corte para visitar o rei, seu parente. Metade proscrito, metade príncipe. Jasper voltará aos castelos do País de Gales, e Lady Margaret Beaufort derramará lágrimas de alegria por seu filho de 14 anos, não tenho dúvida. Ela foi separada dele quando o colocamos com bons guardiões York, os Herbert, e teve de suportar a perspectiva de ele se casar com a menina Herbert yorkista. Mas agora William Herbert está morto, morreu nos servindo, e Margaret Beaufort quer seu filho de volta. Ela o promoverá na corte, o impulsionará na obtenção de favores e posições. Ela vai querer seus títulos restaurados, a sua herança garantida. George, duque de Clarence, roubou o título e as terras, e ela deve, desde então, ter incluído o nome dele em suas preces. É uma mulher muito ambiciosa e uma mãe determinada. Não duvido que retire o condado de Richmond de George em um ano e que seu filho seja nomeado o herdeiro Lancaster, depois do príncipe.

Vejo o barco de lorde Warwick, o mais belo no rio, seus remadores obedecendo ao ritmo marcado pelo tambor na popa, deslocando-se veloz contra a maré, como se nada pudesse impedir seu avanço, nem mesmo a correnteza. Chego até a distingui-lo em pé na proa, como se fosse governar a água do próprio rio, seu chapéu em sua mão, de modo que possa sentir o ar frio em seu cabelo escuro. Franzo os lábios para invocar um vento, mas deixo-o ir. Não faz diferença.

A filha mais velha de Warwick, Isabel, talvez esteja de mãos dadas com meu cunhado George nos bancos de trás do barco quando passam pela minha prisão subterrânea. Talvez ela se lembre do Natal em que apareceu na corte como uma noiva contrariada e eu fui gentil com ela, ou talvez prefira esquecer a corte em que eu era a rainha da Rosa Branca. George sabe que estou aqui, a mulher de seu irmão, a mulher que, ao contrário dele, permaneceu leal ao rei, vivendo na pobreza, na semiobscuridade. Ele sabe que estou aqui, pode até mesmo sentir que o estou observando. Meus olhos estreitos o examinam — esse homem já foi George da Casa de York, e agora é apenas um parente favorecido na corte Lancaster.

Minha mãe põe a mão no meu braço.

— Não lhes deseje mal — adverte ela. — Esse mal volta para você. É melhor esperar. Eduardo está vindo. Não tenho a menor dúvida disso. Não duvidei dele nem por um momento. Dessa vez será como um sonho ruim. Como Anthony diz: sombras no muro. O que importa é que Eduardo reúna um exército grande o bastante para vencer Warwick.

— Como ele poderia fazer isso? — digo, olhando a cidade que agora se declara inteira a favor dos Lancaster. — Como ele poderia até mesmo começar?

— Ele tem mantido contato com seus irmãos, e com todos os nossos parentes. Está reunindo forças, e ele nunca perdeu uma batalha.

— Ele nunca combateu Warwick. E o conde lhe ensinou tudo o que sabe sobre guerra.

— Ele é rei — retruca. — Mesmo que agora digam que isso nada signifique. Ele foi coroado, foi ordenado divinamente; o óleo sagrado foi passado em seu peito, não podem negar que ele é rei. Mesmo que outro rei coroado e ordenado sente-se no trono. Mas Eduardo tem sorte, e Henrique não. Talvez se resuma simplesmente a isto: se você é um homem de sorte. E a Casa de York é afortunada. — Ela sorri. — E é claro que ele pode contar conosco. Podemos lhe desejar o bem, não há mal algum em um pequeno feitiço de boa sorte. E se isso não aumentar suas chances, nada as aumentará.

Primavera de 1471

Minha mãe prepara tisanas, se debruça na janela e as despeja no rio, sussurrando palavras que ninguém pode ouvir. Joga pó no fogo das lareiras, formando uma fumaça verde. Ela nunca mexe o mingau das crianças sem sussurrar uma prece, vira sempre o travesseiro duas vezes antes de se deitar e bate seus sapatos um no outro antes de calçá-los, para livrá-los da má sorte.

— Alguma dessas coisas tem significado? — pergunta meu filho Richard quando olha para a avó, que está trançando uma fita e sussurrando.

Dou de ombros.

— Às vezes.

— É bruxaria? — pergunta ele, nervosamente.

— Às vezes.

Então, em março, minha mãe me diz:

— Eduardo está vindo encontrá-la. Tenho certeza.

— Você teve a Visão? — pergunto.

Ela dá um risinho.

— Não, o açougueiro me contou.

— O que o açougueiro lhe disse? Em Londres, o que mais circula são fofocas.

— Sim, mas ele recebeu uma mensagem de um homem em Smithfield que serve os navios que vão para Flandres. Ele viu uma pequena frota navegando em direção ao norte, enfrentando um clima terrível, e em um desses navios, agita-se um sol em esplendor: a insígnia de York.

— Eduardo vai invadir o país?

— Talvez esteja fazendo isso neste exato momento.

~

Em abril, assim que anoitece, ouço o som de saudações e vivas nas ruas. Levanto-me da cama em um pulo e corro para a janela. A jovem que nos serve na abadia bate forte na porta e entra correndo.

— Vossa Graça! — balbucia ela, confusamente. — Vossa Graça! É ele. É o rei. Não o rei Henrique, o outro rei. O seu rei. O rei York. O rei Eduardo!

Ajeito a camisola e ponho a mão na trança do meu cabelo.

— Aqui, agora? Estão gritando vivas a ele?

— Agora os vivas são para ele! — exclama. — Acendem tochas para iluminar o caminho. Cantam e jogam moedas de ouro à sua frente. Ele e um bando de soldados. E ele deve estar vindo para cá!

— Mamãe! Elizabeth! Richard! Thomas! Meninas! — grito. — Acordem! Levantem-se! Vistam-se! Seu pai está chegando. Seu pai está vindo nos ver! — Pego a jovem pelo braço. — Traga-me água quente para me lavar e separe o meu melhor vestido. Não se preocupe com a lenha, não tem importância. Quem vai se sentar ao fogo baixo de novo? — Empurro-a para fora do quarto, para que busque a água, e desfaço a trança em meu cabelo quando Elizabeth aparece correndo no meu quarto, seus olhos arregalados.

— A rainha má está chegando? Milady mãe, a rainha má está aqui?

— Não, querida! Estamos salvos. É o seu bom pai que vem nos visitar. Não está ouvindo os vivas?

Coloco-a sobre um banco, para que possa ver pela grade da porta, e então borrifo água no meu rosto e retorço meu cabelo sob o toucado. A jovem servente traz meu vestido mas, ao me ajudar a fechá-lo, se atrapalha com as fitas do corpete. Então ouvimos uma batida forte na porta. Elizabeth grita e pula do banco para abri-la, mas recua quando ele entra, mais alto e mais sério do que se lembra, e em um momento corro para ele, ainda descalça. Estou de novo em seus braços.

— Meu filho — pergunta Eduardo depois de me abraçar, me beijar e passar seu queixo áspero na minha bochecha. — Onde está meu filho? Está forte? Está bem?

— Está forte e bem. Está prestes a completar cinco meses — diz minha mãe, mostrando-o envolvido em cueiros, e faz uma reverência. — Seja bem-vindo de volta, filho Eduardo, Vossa Graça.

Ele me afasta com delicadeza e vai rapidamente até ela. Tinha me esquecido de como se movia com leveza, como um dançarino. Pega seu filho dos braços de minha mãe, e embora sussurre um "obrigado", nem mesmo a vê: está completamente absorto. Leva o bebê para a luz da janela, e Baby Eduardo abre seus olhos azul-escuros e boceja, abrindo sua boca em botão. Ele olha o rosto do pai como se para devolver o intenso escrutínio dos olhos cinza.

— Meu filho — diz ele baixinho. — Elizabeth, me perdoe por ter sido obrigada a dar à luz aqui. Jamais quis que isso acontecesse.

Balanço a cabeça em silêncio.

— E ele foi batizado com o nome de Eduardo, como eu queria?

— Sim.

— Está se desenvolvendo bem?

— Começamos agora a dar-lhe alimentos sólidos — replica minha mãe, orgulhosamente. — E ele está aceitando. Dorme bem e é um menino inteligente. Elizabeth amamentou-o, e ninguém poderia ter sido melhor ama de leite para ele. Fizemos aqui um pequeno príncipe para você.

Eduardo olha para ela.

— Obrigado por cuidar dele — diz. — E por ficar com minha Elizabeth. — O rei baixa os olhos. Suas filhas Elizabeth, Mary e Cecily estão ao seu redor, olhando-o como se fosse um animal estranho, quem sabe um unicórnio, que repentinamente entrou no quarto delas.

Ele ajoelha-se para não ficar tão mais alto do que elas, ainda com o bebê nos braços.

— E vocês são minhas meninas, minhas princesas — diz, em tom sereno. — Lembram-se de mim? Fiquei longe muito tempo, mais de meio ano, mas sou o pai de vocês. Estive afastado por tempo demais, mas não se passou um dia sem que eu pensasse em vocês e em sua bela mãe, e jurei voltar para casa e recolocá-las na posição que têm por direito. Lembram-se de mim?

O lábio inferior de Cecily treme, mas Elizabeth fala:

— Eu me lembro. — Põe a mão no ombro dele e o encara sem medo. — Sou Elizabeth, a mais velha. Lembro-me do senhor, as outras são pequenas demais. Lembra-se de mim, da sua Elizabeth? Princesa Elizabeth? Um dia, serei rainha da Inglaterra, como minha mãe.

Rimos disso, e ele se levanta, passa o bebê para a minha mãe e me abraça. Richard e Thomas se aproximam e se ajoelham para receber a sua bênção.

— Meus meninos — diz ele afetuosamente. — Devem ter odiado ficar engaiolados aqui.

Richard balança a cabeça, confirmando.

— Queria ter estado com o senhor.

— Na próxima vez estará — promete Eduardo.

— Há quanto tempo está na Inglaterra? — pergunto, minhas palavras abafadas, enquanto ele começa a soltar meu cabelo. — Você tem um exército?

— Vim com seu irmão e com meus amigos verdadeiros — responde. — Meu irmão Ricardo, seu irmão Anthony, Hastings, os que foram para o exílio comigo. E agora outros estão vindo para o meu lado. George, meu irmão, abandonou Warwick e lutará comigo. Ele, Ricardo e eu nos abraçamos como irmãos mais uma vez, diante dos muros de Coventry, na cara de Warwick. George trouxe lorde Shrewsbury para a nossa causa. E Sir William Stanley também veio para o nosso lado. Haverá outros.

Penso no poder de Warwick, em seu parentesco lancastriano através do casamento de sua filha, e no exército francês que Margarida trará, e sei que não é o bastante.

— Posso ficar esta noite — continua. — Eu tinha de vê-la. Mas amanhã terei de ir para a guerra.

Mal acredito no que ouço.

— Vai me deixar amanhã?

— Querida, corro risco só de vir aqui. Warwick está enfurnado em Coventry e nunca se renderá nem combaterá, pois sabe que Margarida de Anjou está chegando com seu exército, e juntos serão uma força poderosa. George está conosco e trouxe Shrewsbury e seus arrendatários. Mas isso não é o bastante. Tenho de fazer Henrique refém e partir para enfrentá-la. Estão esperando que eu seja encurralado aqui, mas enfrentarei a batalha e, se tiver sorte, encontrarei Warwick e o vencerei antes de ir ao encontro de Margarida e derrotá-la.

Minha boca resseca, engulo em seco com medo de imaginá-lo enfrentando um grande general e depois o forte exército de Margarida.

— O exército francês virá com Margarida?

— É um milagre ela ainda não ter desembarcado. Ficamos prontos para partir ao mesmo tempo, e estávamos disputando para ver quem chegaria primeiro à Inglaterra. Nós dois ficamos presos pelo mau tempo desde fevereiro. A frota dela estava pronta para zarpar de Honfleur havia quase um mês, mas foi atrasada por uma série de tormentas. Houve uma brecha do vento a meu favor por não mais do que um dia. Foi como mágica, meu amor, e zarpamos, sendo impulsionados a viagem toda até York. Pelo menos isso me dá a oportunidade de enfrentá-los um de cada vez, e não como um exército unido comandado.

Olho de relance para a minha mãe quando ele menciona a tormenta, mas ela sorri, com a expressão inocente.

— Não vai embora amanhã?

— Querida, você me tem nesta noite. Vamos passar o tempo conversando?

Viramo-nos e vamos para o meu quarto. Ele fecha a porta com um chute e me pega nos braços, como sempre faz.

— Cama, minha esposa — diz.

Ele me possui como sempre faz, apaixonadamente, como um homem que sacia sua sede. Mas pela primeira vez, nesta noite, ele é um homem diferente. O cheiro de seu cabelo e de sua pele é o mesmo, e isso é o bastante para me fazer implorar por seu toque, mas depois que me tem, abraça-me forte, como se, pela primeira vez, o prazer não fosse o suficiente. É como se ele quisesse algo mais de mim.

— Eduardo? — murmuro. — Você está bem?

Ele não responde, apenas afunda a cabeça em meu ombro e em meu pescoço, como se fosse se isolar do mundo com o calor da minha pele.

— Meu amor, tive medo — Mal o escuto, tão baixo ele fala. — Querida, tive muito medo.

— Do quê? — pergunto, uma pergunta idiota feita a um homem que teve de fugir para salvar a própria vida e reunir uma tropa no exílio, e que está enfrentando o exército mais potente do mundo cristão.

Ele vira-se, deitando-se de barriga para cima, me segurando firme ao seu lado, de modo que meu corpo está pressionado ao dele das costelas aos dedos do pé.

— Quando disseram que Warwick estava vindo me capturar e que George estava com ele, percebi que, dessa vez, ele não me faria prisioneiro. Dessa vez, seria a minha morte. Nunca antes eu havia pensado que alguém me mataria, mas soube que Warwick faria isso, e que George permitiria.

— Mas você fugiu.

— Fugi. Não foi uma retirada pensada, meu amor, não foi uma manobra. Foi uma debandada. Fugi com medo por minha vida e, o tempo todo, me senti um covarde. Fugi e a abandonei.

— Não é covardia fugir de um inimigo. De qualquer maneira, voltou para enfrentá-lo.

— Fugi e deixei você e as meninas enfrentarem-no. Não tenho orgulho de mim por ter feito isso. Não fugi para Londres, para você. Não vim para cá e resisti. Fugi para o porto mais perto e embarquei no primeiro navio.

— Qualquer um teria feito o mesmo. Nunca o culpei. — Apoio-me nos cotovelos e olho o rosto dele. — Teve de fugir para formar um exército e voltar para nos salvar. Todo mundo sabia disso. E meu irmão foi com você, e o seu irmão Ricardo. Eles também acharam que era o certo a fazer.

— Não sei o que sentiram quando estavam fugindo feito corças, mas sei o que senti. Eu estava apavorado, como uma criança que corre de um monstro a perseguindo.

Calo-me. Não sei como confortá-lo, ou o que dizer.

Ele dá um suspiro.

— Desde menino tenho lutado por meu reino ou por minha vida. E o tempo todo nunca pensei que poderia perder. Nunca pensei que poderia ser capturado. Que morreria. É estranho, não é? Vai me achar um tolo, mas durante todo esse longo tempo, mesmo quando meu pai e meu irmão foram mortos, nunca pensei que isso poderia acontecer comigo. Nunca pensei que teria minha cabeça cortada e enfiada em uma estaca nos muros da cidade. Eu me achava invencível, invulnerável.

Espero.

— E agora sei que não — prossegue. — Não disse isso a ninguém. Não direi a ninguém, além de você. Mas não sou o homem com quem se casou, Elizabeth. Casou-se com um garoto que não conhecia o medo. Eu achava que isso significava ser valente. Mas eu não era valente. Era apenas afortunado. Até agora. Agora sou um homem que sentiu medo e fugiu.

Quase digo algo para confortá-lo, uma doce mentira, mas então prefiro falar a verdade:

— Um tolo não tem medo de nada. O homem valente é aquele que conhece o medo, que parte e o enfrenta. Você fugiu, mas agora voltou. Vai fugir da batalha amanhã?

— Por Deus, não!

Sorrio.

— Então você é o homem com quem me casei. Pois ele era um jovem valente, e você, agora homem feito, continua a ser corajoso. O homem com quem me casei não conhecia o medo, tampouco tinha um filho homem, nem sabia o que era o amor. Todas essas coisas aconteceram conosco, e nós mudamos com elas, mas não fomos destruídos.

Ele olha seriamente para mim.

— Fala sério?

— Sim — respondo. — Eu também senti muito medo, mas não tenho mais medo com você aqui.

Ele me puxa ainda mais para si.

— Acho que vou dormir agora — diz, confortado como um menino. Abraço-o ternamente, como se fosse o meu menino.

Acordo de manhã admirada com minha alegria, com a sensação sedosa de minha pele, com o calor em minha barriga, com a sensação de renovação e vida. Então ele se mexe do meu lado, e sei que estou em segurança, que ele está em segurança, que estamos juntos mais uma vez, e que é por isso que despertei com o sol batendo no meu corpo nu. No momento seguinte, lembro-me de que ele tem que ir. E embora esteja se levantando da cama, não está sorrindo. Isso me abala de novo. Eduardo é sempre muito confiante, mas nesta manhã, sua expressão é austera.

— Não diga uma palavra para me atrasar — pede, saindo da cama e se vestindo. — Não suporto ter de ir. Não suporto ter de deixá-la de novo. Se me abraçar, juro que vacilarei. Sorria e me deseje boa sorte, meu amor. Preciso da sua bênção, preciso da sua coragem.

Reprimo meu medo

— Você tem a minha bênção — digo, contrariada. — Você sempre terá a minha bênção. E toda a boa sorte do mundo. — Esforço-me para parecer animada, mas minha voz treme. — Você já vai?

— Vou buscar Henrique, que estão chamando de rei — responde. — Vou levá-lo comigo, como refém. Eu o vi ontem, em seus aposentos na Torre, antes de vir vê-la. Ele me reconheceu. Disse que sabia que estaria a salvo comigo, seu primo. Parecia uma criança, o pobre coitado. Não aparentava saber que tinha sido feito rei de novo.

— Há somente um rei da Inglaterra — digo, confiante. — E sempre houve somente um rei desde que você foi coroado.

— Eu a verei em alguns dias. Sairei agora sem me despedir de sua mãe, nem das crianças. É melhor assim. Deixe-me ir logo.

— Não vai nem mesmo tomar café? — Não tenho intenção de me lamuriar, mas não suporto vê-lo ir.

— Comerei com os homens.

— É claro — retruco, animada. — E os meninos?

— Vou levá-los comigo. Poderão servir como mensageiros. Farei o possível para mantê-los seguros.

Meu coração se comprime de terror também por eles.

— Ótimo. Além do mais, você estará de volta em uma semana, não estará?

— Se for a vontade de Deus — replica. Esse é o homem que costumava me jurar que tinha nascido e morreria em uma cama, comigo do seu lado. Nunca antes tinha dito "se for a vontade de Deus". Antes sempre era a sua vontade, não a de Deus.

Ele faz uma pausa na porta.

— Se eu morrer, parta com as crianças para Flandres. Há uma casa pobre em Tournai, onde um homem me deve um favor. Ele é um primo bastardo ou algo parecido da família de sua mãe. Ele a acolherá como um parente. Ele tem uma história pronta para contar sobre você. Eu o procurei e ele concordou com o que deve ser feito em caso de necessidade. Eu já lhe dei dinheiro e anotei o nome dele para você. Está em cima da mesa, na sala. Leia-o e depois o queime. Fique com esse homem, e quando a perseguição tiver acabado, poderá conseguir uma casa só sua. Mas esconda-se lá por um ou dois anos. Quando meu filho crescer, talvez possa reivindicar o que é seu.

— Não fale assim — replico com fúria. — Nunca perdeu uma batalha, nunca perde. Estará de volta em uma semana, eu sei disso.

— É verdade. Nunca perdi uma batalha. — Dá um sorriso austero.
— Mas nunca antes confrontei o próprio Warwick. E não vou conseguir reunir homens suficientes a tempo. Estou nas mãos de Deus, e com a Sua vontade, venceremos.

E com isso, sai.

~

É Sábado de Aleluia. A noite cai e os sinos das igrejas de Londres começam a repicar lentamente, um depois do outro. A cidade está silenciosa, ainda sombria por causa das preces da Sexta-Feira da Paixão, apreensiva: uma capital que tinha dois reis e agora não tem nenhum, uma vez que Eduardo partiu levando Henrique em sua comitiva. Se os dois forem mortos, o que será da Inglaterra? O que será de Londres? O que será de mim e de meus filhos adormecidos?

Mamãe e eu passamos o dia costurando, brincando com as crianças e arrumando nossos quatro cômodos. Dissemos as preces para o Sábado Santo, cozinhamos e pintamos ovos, como presentes de Páscoa. Assistimos à missa e recebemos a Comunhão Sagrada. Se alguém falar de nós a Warwick, terá de dizer que estamos calmas, que parecemos confiantes. Mas agora, quando a tarde cai, ficamos juntas à pequena janela que dá para o rio que corre tão perto, embaixo de nós. Mamãe abre o caixilho para escutar as pequenas ondulações da água, como se o rio pudesse sussurrar notícias do exército de Eduardo e dizer se o filho de York poderá se erguer de novo, como já fez antes, da mesma forma que narcisos na primavera.

Warwick deixou sua fortaleza em Coventry para uma marcha acelerada a Londres, certo de vencer Eduardo. Os lordes lancastrianos recorrem a seu estandarte; metade da Inglaterra está com ele, e a outra metade aguarda Margarida de Anjou desembarcar na costa sul. O vento da bruxa, que a prendera na enseada, aquietou-se. Estamos desprotegidos.

Eduardo reúne homens da cidade e dos subúrbios de Londres e vai para o norte enfrentar Warwick. Seus irmãos Ricardo e George vão com ele e cavalgam acompanhando a infantaria, lembrando-lhes de que York nunca perdeu uma batalha com seu rei no comando. Ricardo é amado por todos os homens. Confiam nele, embora tenha apenas 18 anos. George é acompanhado por lorde Shrewsbury e seu exército, e há outros que o seguirão sem se importarem com o lado em que estão, contanto que apenas obedeçam ao seu senhor. Todos juntos formam um exército de cerca de 9 mil homens, não mais. William Hastings cavalga à direita de Eduardo, leal como um cachorro. Meu irmão Anthony comanda a retaguarda, vigiando a estrada atrás, cético como sempre.

∼

Começa a anoitecer, e os homens estão pensando em armar acampamento, quando Richard e Thomas Grey, enviados por Eduardo para seguirem na frente do exército na grande estrada do norte para fazer o reconhecimento das terras adiante, retornam.

— Ele está aqui! — diz Thomas. — Vossa Graça! Warwick está aqui com uma força numerosa, e estão em formação de batalha na periferia de Barnet, em uma cordilheira alta que atravessa a estrada de leste a oeste. Não vamos conseguir passar. Ele deve saber que estamos chegando: está preparado para nos enfrentar, bloqueou o nosso caminho.

— Baixe a voz, garoto — diz Hastings severamente. — Não é preciso contar para o exército todo. São quantos?

— Não consegui ver. Não sei. Está muito escuro. Estão em maior número.

Eduardo e Hastings trocam um olhar grave.

— São muitos mais? — pergunta Hastings.

Richard aparece atrás do irmão.

— Parece o dobro, talvez três vezes a nossa força, senhor.

Hastings debruça-se em sua sela para falar:

— Guarde isso para você também — diz. Faz sinal com a cabeça para os meninos irem e se volta para Eduardo. — Devemos recuar e esperar a manhã? Talvez recuar para Londres, fortificar a Torre? Preparar para o cerco? Esperar que Borgonha mande reforços?

Eduardo balança a cabeça.

— Vamos prosseguir.

— Se os meninos estão certos e Warwick está em terreno elevado, com o dobro da nossa força, nos esperando... — Hastings não precisa concluir a predição. A única esperança de Eduardo contra um exército maior era a surpresa. Seu estilo de luta é a marcha acelerada e o ataque inesperado, mas Warwick sabe disso. Foi ele quem ensinou Eduardo a habilidade do comando, e está completamente preparado para recebê-lo. O mestre vai se encontrar com seu pupilo e conhece todos os truques.

— Vamos prosseguir — insiste Eduardo.

— Não enxergaremos um palmo adiante dentro de meia hora — retruca Hastings.

— Exatamente. Eles também. Mande os homens marcharem em silêncio, dê a ordem: quero silêncio absoluto. Faça-os entrarem em formação, prontos para a batalha, para enfrentar o inimigo. Quero-os na posição ao alvorecer. Atacaremos nas primeiras luzes da manhã. Nada de tochas, nenhuma luz, silêncio absoluto. Diga-lhes que a ordem é minha. Falarei com eles em sussurros. Não quero ouvir nenhuma palavra.

George, Ricardo, Hastings e Anthony assentem e começam a percorrer as fileiras, instruindo os homens a marcharem em completo silêncio e, quando for dada a ordem, a montarem acampamento ao pé da cordilheira, de frente para o exército de Warwick. Quando partem para subir a estrada, o dia torna-se ainda mais escuro, e a cordilheira e as silhuetas dos estandartes desaparecem no céu noturno. A lua ainda não nasceu, o mundo se dissolve em trevas.

— Está tudo bem — diz Eduardo, tanto para si mesmo quanto para Anthony. — Mal podemos vê-los, e eles estão no alto contra o céu. Não nos verão ao olharem para baixo, para o vale. Só verão a escuridão. Se tivermos sorte e houver cerração pela manhã, não saberão que estamos aqui. Estaremos no vale, ocultos pela névoa, mas eles estarão onde poderemos vê-los, como pombos no telhado de um celeiro.

— Acha que vão simplesmente esperar até a manhã? — pergunta Anthony. — Para serem pegos como pombos no telhado de um celeiro?

Eduardo balança a cabeça.

— Eu não esperaria. Warwick não vai esperar.

Como confirmação, há um estrondo terrivelmente próximo, e as chamas do canhão de Warwick são lançadas no escuro, iluminando, em uma língua de fogo, o exército que os aguarda, concentrado acima deles.

— Meu Deus, há 20 mil homens, pelo menos — exclama Eduardo. — Mande os soldados continuarem em silêncio, passe a mensagem adiante. Não disparem, diga-lhes que os quero como camundongos. Como camundongos adormecidos.

Há um risinho abafado quando um dos homens emite um guincho de rato, baixinho. Anthony e Eduardo ouvem a ordem de silêncio percorrer a formação.

O canhão estrondeia de novo e Ricardo se aproxima, seu cavalo negro na escuridão quase invisível.

— É você, irmão? Não consigo enxergar nada. A claridade do disparo passa acima das nossas cabeças, graças a Deus. Ele não faz ideia de onde estamos. Calculou errado. Pensa que estamos uns 500 metros atrás.

— Diga aos homens para ficarem em silêncio e ele não saberá até amanhecer — diz Eduardo. — Ricardo, diga-lhes que têm de ficar abaixados: nenhuma luz, nenhum fogo, silêncio absoluto. — O irmão assente e volta para o escuro total. Eduardo chama Anthony com um movimento do dedo. — Vá com Richard e Thomas Grey a um local a cerca de um quilômetro daqui. Acendam duas ou três pequenas fogueiras, espaçadas, como se estivéssemos montando acampamento, onde as balas estão caindo. Depois se afastem. Dê-lhes um alvo. As fogueiras apagarão imediatamente, não retornem a elas e não se deixem alvejar. Simplesmente deixem que pensem que estamos distantes.

Anthony balança a cabeça, compreendendo, e parte.

Eduardo desmonta Fúria; o pajem avança e pega a rédea.

— Providencie para que seja alimentado, retire sua sela, remova o freio de sua boca, mas deixe a rédea — ordena Eduardo. — Mantenha a sela ao seu lado. Não sei quanto tempo esta noite vai durar. E depois pode descansar, garoto, mas não por muito tempo. Vou precisar dele pronto uma hora antes do amanhecer, talvez antes disso.

— Sim, sire — responde o garoto. — Estão distribuindo comida e água para os cavalos.

— Diga-lhes para fazer isso em silêncio — repete o rei. — Diga-lhes que eu mandei.

O garoto leva o cavalo para um pouco mais longe de onde estão os lordes.

— Posicione uma sentinela — diz Eduardo a Hastings. O canhão estrondeia de novo, fazendo com que se sobressaltem com o barulho. Eles ouvem o assobio das balas e, depois, o baque surdo quando elas caem bem distantes, ao sul, muito atrás da linha do exército oculto. Eduardo sorri.

— Não vamos dormir muito, mas eles não dormirão nada — diz. — Acorde-me depois da meia-noite, por volta das 2 horas.

Ele tira seu manto e o estende no chão. Puxa seu chapéu para cobrir o rosto. Em alguns instantes, apesar do rugido regular do canhão e do baque da bala, ele adormece. Hastings tira o próprio manto e também o estende, com a ternura de uma mãe, sobre o rei adormecido. Vira-se para George, Ricardo e Anthony.

— Duas horas de sentinela cada um? — pergunta. — Farei o primeiro turno, depois acordarei você, Ricardo, e você e George podem fiscalizar os homens e despachar batedores. Anthony será o último. — Os três homens concordam.

Anthony ajeita o manto ao redor dos ombros e se deita perto do rei.

— George e Ricardo juntos? — pergunta, baixinho, a Hastings.

— Não confiaria em George nem por decreto. Mas confiaria minha vida ao jovem Ricardo. Ele manterá seu irmão do nosso lado até a batalha acontecer. Até termos vencido, se Deus assim quiser.

— São poucas as chances — diz Anthony, pensativamente.

— Nunca vi tão poucas — retruca Hastings animadamente. — Mas estamos no lado justo, e Eduardo é um comandante de sorte. Os três filhos de York estão juntos de novo. Sobreviveremos, se Deus quiser.

— Amém. — Anthony faz o sinal da cruz e vai dormir.

— Além do mais — diz Hastings bem baixo, a si mesmo —, não há nada mais que possamos fazer.

Não dormi no santuário em Westminster, e minha mãe manteve-se em vigília comigo. Algumas horas antes do amanhecer, quando a noite se torna mais escura e a lua está indo embora, minha mãe abre a janela e ficamos uma do lado da outra enquanto o grande rio escuro passa. Expiro com delicadeza na noite e, no ar frio, minha respiração forma uma nuvem, como uma bruma. Minha mãe, do meu lado, dá um suspiro. A respiração dela junta-se à minha e se desfaz em espiral. Expiro várias vezes, e agora a bruma se concentra no rio, cinza contra a água escura, uma sombra sobre a negritude. Minha mãe suspira de novo e a névoa rodopia para o rio, obscurecendo a outra margem, retendo a escuridão da noite. A neblina torna-se mais densa, ocultando a luz das estrelas, e começa a se espalhar fria pelo rio, pelas ruas de Londres. Ela se estende a norte e a oeste, rodeando os vales, retendo as trevas no solo, de modo que, embora o céu clareie lentamente, a terra continua encoberta. Os homens de Warwick, na cordilheira próxima a Barnet, ao despertarem na hora fria antes do alvorecer e procurarem o inimigo encosta abaixo, não veem nada a não ser, afastado da costa, um estranho mar de nuvens que jaz em pesadas faixas ao longo do vale; eles não conseguem ver nada do exército que está encoberto e silencioso na escuridão logo abaixo deles.

~

— Pegue Fúria — diz Eduardo, em tom baixo, ao pajem. — Vou lutar a pé. Dê-me minha alabarda e minha espada.

Os outros lordes — Anthony, George, Ricardo e William Hastings — já estão armados para o terror moroso do dia. Seus cavalos estão fora da formação, arreados, preparados, embora ninguém diga isso, para a fuga, caso tudo dê errado, ou para um ataque, caso tudo corra bem.

— Está pronto? — pergunta Eduardo a Hastings.

— Como nunca estive antes.

Eduardo olha de relance para o alto da montanha e, de súbito, diz:

— Que Deus nos proteja. Erramos.

— O quê?

A cerração cedeu uma pequena brecha e mostrou ao rei que ele não estava alinhado de frente para os homens de Warwick, uma tropa diante da outra, porém muito longe à esquerda. O flanco direito inteiro de Warwick não tem nada contra eles. É como se o exército de Eduardo estivesse reduzido em um terço. Seus soldados se sobrepõem ligeiramente para a esquerda. Lá, eles não terão inimigos: avançarão sem encontrar nenhuma resistência e romperão a ordem da linha de frente, mas à sua direita, ele é extremamente insuficiente.

— É tarde demais para reagrupar — decide. — Que Deus nos ajude ao começarmos errado. Soe as trombetas. Nossa hora chegou.

Os estandartes se levantam, as bandeiras se agitam no ar úmido, erguendo-se acima da cerração como uma súbita floresta desfolhada. As trombetas ressoam graves e abafadas no escuro. Ainda não amanheceu, e a neblina torna tudo estranho e desconcertante.

— Atacar — diz Eduardo, apesar de seu exército mal enxergar o inimigo. Há um momento de silêncio em que sente que os homens estão como ele, oprimidos pelo ar denso, gelados até os ossos com a neblina, mortos de medo. — Atacar! — grita, abrindo caminho colina acima, e com o bramido seus homens o seguem em direção ao exército de Warwick que, despertado em sobressalto, a vista ofuscada, os ouve chegando. Os soldados lancastrianos veem espectros aqui e ali, mas não conseguem ter certeza de nada até que o exército de York se lança sobre eles feito gigantes surgindo das trevas, atingindo-os como se os jogassem contra um muro. O rei, o mais alto de todos, está no comando, girando uma alabarda.

No centro do campo, o rei avança e os lancastrianos recuam, mas no flanco, no lado direito fatalmente vazio, estes últimos podem derrubar o exército de York, cair sobre ele em maior número. Há centenas de soldados inimigos contra os poucos homens na ala direita. Na escuridão e na neblina, os homens York em menor número começam a sucumbir, enquanto a ala esquerda do exército de Warwick pressiona-os para baixo da colina, apunhalando, golpeando com a maça, chutando, decapitando, forçando cada vez mais o caminho para o centro dos yorkistas. Um homem se vira e corre, mas não dá mais do que alguns passos: sua cabeça é aberta por um golpe de maça. O primeiro movimento de fuga, porém, gera outros. Um soldado yorkista, vendo cada vez mais homens rolando colina abaixo, na direção deles, e sem nenhum companheiro ao seu lado, vira-se e procura ficar em segurança se refugiando na bruma e no escuro. Outro o segue, depois mais um. Um soldado desce a colina com uma espada enfiada nas costas; outro olha para trás, sua face de repente pálida na escuridão, e então larga a arma e se põe a correr. Por toda a linha de frente, homens hesitam, olham para trás, para a segurança tentadora do escuro, e para a frente e ouvem os gritos do inimigo, que sente a vitória, que mal enxerga as mãos na frente do rosto, mas que pode sentir o cheiro do sangue e do medo. A ala lancastriana esquerda, sem oposição, desce a colina em disparada, e o flanco direito yorkista não se atreve a resistir. Larga as armas e corre como uma corça, dispersando-se, aterrorizado.

Os homens do conde de Oxford, que lutam por Lancaster, perseguem-nos imediatamente, uivando feito cães de caça. Eles seguem seus inimigos pelo cheiro, pois continuam cegos com a neblina. O conde incentiva-os até deixarem o campo de batalha e o barulho das espadas ser abafado na cerração; até os yorkistas fugitivos se perderem. Então ele se dá conta de que seus homens estão correndo por conta própria em direção a Barnet e às tavernas, já mais devagar, limpando suas espadas e se vangloriando da vitória. O conde é obrigado a galopar até eles para contê-los, bloqueando a estrada com seu cavalo. Tem de açoitá-los, tem de obrigar seus capitães a xingá-los e acossá-los. Tem de se inclinar na sela, transpassar o peito de um de seus próprios homens e amaldiçoar os demais até conseguir fazê-los parar.

— A batalha ainda não acabou, seus filhos da mãe! — grita. — York ainda está vivo, assim como seu irmão Ricardo, e seu irmão desertor George! Todos juramos que a batalha só acabaria com a morte deles. Vamos! Vamos! Sentiram o gosto de sangue, viram-no fluir. Acabem com eles, venham e concluam a luta. Pensem no saque! Eles estão praticamente derrotados, estão perdidos. Vamos fazer o resto correr, vamos fazê-los fugir. Vamos, rapazes, vamos vê-los correr como lebres!

Contidos à força e persuadidos a formar fileiras, os homens dão meia-volta e o conde de Oxford os lança em uma marcha acelerada de volta para o campo de batalha, sua bandeira à frente, com o seu emblema orgulhosamente erguido. Sua visão é ofuscada pelo nevoeiro, e ele anseia por se unir de novo a Warwick, que prometeu riqueza a todos que ficassem do seu lado nesse dia. Mas o que o conde de Oxford não sabe, enquanto conduz seus novecentos soldados, é que a batalha se inverteu. A ruptura da ala direita yorkista e o avanço da esquerda empurraram o combate para a parte de baixo da montanha, e agora a luta se passa ao longo da estrada que vai para Londres.

Eduardo continua no centro, mas sente que está perdendo terreno, sendo forçado a recuar cada vez mais para fora da estrada pelos homens de Warwick. Começa a experimentar a sensação de derrota, o que é algo novo para ele: tem o gosto do medo. Não consegue ver nada na cerração e no escuro; e responde aos atacantes, que surgem da neblina, um atrás do outro, com os instintos de um homem cego. Eles aparecem sem cessar vindos da bruma à sua frente armados com espadas, machados e foices.

Pensa em sua mulher e em seu filhinho que o esperam, contando com a sua vitória. Não tem tempo para pensar no que acontecerá com eles se fracassar. Sente seus próprios soldados ao seu redor cedendo, como se estivessem sendo empurrados violentamente pelo peso dos homens de Warwick. Ele próprio começa a se sentir exausto com a abordagem incessante de seus inimigos, a exigência constante de girar, perfurar com a espada, lancear, matar. Ou ser morto. Em meio a sua resistência, Eduardo tem um vislumbre, quase uma visão, de tão intensa: seu irmão Ricardo gira, golpeia sem parar, ainda que sentindo o braço que segura a espada cansar e falhar cada vez mais. O rei visualiza a imagem de Ricardo sozinho em um campo de batalha, sem ele, enfrentando um ataque sem nenhum amigo ao seu lado, e isso faz sua raiva crescer:

— York! Deus e York! — grita.

De Vere, o conde de Oxford, reúne seus soldados e dá a ordem de atacar. Ele vê a linha de batalha à sua frente e espera conduzir seus homens para a retaguarda das fileiras York, pois sabe que a devastará se surgir da cerração como um bom reforço lancastriano recém-chegado, tão aterrador quanto uma emboscada. Porém, no escuro, investem, espadas e armas empunhadas, já manchadas de sangue, na retaguarda não dos soldados York, mas do seu próprio exército de Lancaster, que deu a volta e não está mais na colina.

— Traidor! Traição! — grita um homem, golpeado pelas costas, que olha em volta e vê De Vere. Um oficial lancastriano olha por cima do ombro e tem a visão mais temida em um campo de batalha: soldados desconhecidos surgindo da retaguarda. No nevoeiro, não pode enxergar a bandeira com nitidez, mas vê, tem certeza de que vê, o sol em esplendor, o estandarte York, adejando orgulhosamente acima de soldados audaciosos que sobem a estrada, vindos de Barnet. Suas espadas bramem à sua frente, alabardas giram, as bocas abertas gritam em um ataque potente. O oficial confundiu a bandeira de Oxford, com os raios saindo do sol, com o emblema de York. Ele e seus homens têm soldados inimigos à sua frente, investindo violentamente contra eles, lutando como homens que não têm nada a perder. Porém, deparar-se com um exército de espectros na retaguarda, sem trégua, em meio à cerração, é mais do que qualquer homem pode suportar.

"Recuem! Recuem!", alguém urra em pânico, e outra voz grita: "Reagrupar! Reagrupar! Bater em retirada!" As ordens estão corretas, mas as vozes são repletas de pânico. Os homens se viram no sentido contrário ao dos York e se deparam com outro exército atrás deles. Não reconhecem seus aliados. Consideram-se cercados e em menor número, e certos de sua morte, a coragem os abandona.

— De Vere! — grita o conde de Oxford, vendo seus homens atacarem seu próprio lado. — De Vere! Por Lancaster! Parem! Parem! Por Deus, parem! — Mas é tarde demais. Os que agora reconhecem o estandarte de Oxford e veem De Vere no meio da confusão, gritando para controlar seus homens, pensam que ele mudou de lado no meio da batalha, como é comum acontecer, e os que estão próximos dele, seus antigos amigos, investem contra ele como cães furiosos para matá-lo, como se fosse algo pior do que um inimigo: um traidor no campo de batalha. Na neblina e no caos, a maior parte das forças lancastrianas percebe apenas um inimigo em número incalculável à sua frente, avançando com soldados feitos de nuvens, mas agora há um novo batalhão na retaguarda, e a escuridão e o nevoeiro na estrada poderiam estar ocultando ainda mais homens em cada margem. Quem poderia saber quantos soldados ainda surgiriam do rio? Quem saberia que horror esse Eduardo, casado com uma bruxa, seria capaz de conjurar das fontes e dos riachos? Ouvem os sons da batalha e os gritos dos feridos, mas não conseguem ver seus senhores, não reconhecem seus comandantes. O campo de batalha está mudando, não podem mais nem mesmo ter certeza de quem são seus companheiros na meia-luz sinistra. Centenas largam suas armas e começam a correr. Todos sabem que essa é uma guerra em que não haverá prisioneiros. Será a morte para o lado que perder.

Eduardo golpeia e corta no centro do campo de batalha, e William Hastings, ao seu lado do escudo, a espada empunhada, a faca na outra mão, grita:

— Vitória a York! Vitória a York! — E seus soldados acreditam nesse grito potente, assim como o exército lancastriano, atacado no escuro, na retaguarda, na cerração, e agora sem líder. Warwick grita para seu pajem salvá-lo, salta para o cavalo e foge.

É um sinal para a batalha se desmembrar em milhares de aventuras.

— Meu cavalo! — grita Eduardo para seu pajem. — Traga-me Fúria! — E William, com as mãos em concha, impulsiona o rei para a sela, segura suas próprias rédeas, monta com esforço o próprio cavalo de batalha e galopa atrás de seu senhor e querido amigo. Os lordes York precipitam-se atrás de Warwick, amaldiçoando-o por fugir.

~

Minha mãe endireita o corpo com um suspiro, e nós duas fechamos a janela. Estamos, as duas, pálidas por causa da vigília durante a noite toda.

— Acabou — diz ela com segurança. — Seu inimigo está morto. Seu principal inimigo, o mais perigoso. Warwick não fará mais reis. Terá de se encontrar com o Rei dos Céus e explicar o que acha que andou fazendo a este pobre reino aqui embaixo.

— Meus filhos estão a salvo, acho, não?

— Tenho certeza de que sim.

Minhas mãos estão dobradas como garras de um gato.

— E George, duque de Clarence? — pergunto. — O que vê? Diga-me que está morto no campo de batalha!

Minha mãe sorri.

— Ele está do lado vencedor, como sempre — diz. — O seu Eduardo venceu essa batalha, e o leal George está do seu lado. Talvez você tenha de perdoar George pela morte de seu pai e de seu irmão. Talvez eu tenha de deixar minha vingança para Deus. George pode sobreviver. Afinal, ele é irmão do próprio rei. Mataria um príncipe real? Conseguiria matar um príncipe da Casa de York?

Abro minha caixa de joias e pego o medalhão negro laqueado. Abro-o. Há dois nomes — George, duque de Clarence, Richard Neville, conde de Warwick — escritos em um pedaço de papel rasgado da última carta de meu pai. Da carta que ele escreveu esperançoso à minha mãe, falando de seu resgate, sem sequer imaginar que aqueles dois, que ele conhecia desde o nascimento, o matariam por simples despeito. Rasgo-o em dois e amasso a parte em que está escrito Richard Neville, conde de Warwick. Não me dou nem mesmo o trabalho de jogá-lo no fogo. Deixo-o cair no chão e o piso. Que vire pó. Devolvo o nome de George ao medalhão, que guardo de novo na caixa de joias.

— George não vai sobreviver — digo em tom trivial. — Nem que eu mesma tenha de segurar um travesseiro sobre seu rosto quando estiver dormindo na cama sob meu teto, hóspede na minha própria casa, sob a minha proteção, um parente querido de meu marido. George não vai sobreviver. Um filho da Casa de York não é inviolável. Eu o verei morto. Pode estar dormindo tranquilamente em uma cama na Torre de Londres, e ainda assim, o verei morto.

~

Tenho dois dias com Eduardo quando ele volta para casa depois da batalha, dois dias em que nos mudamos para os apartamentos reais na Torre, limpos às pressas. Os pertences do pobre Henrique foram jogados de lado. Henrique, o coitado do rei louco, é recolocado em seus antigos aposentos com grades nas janelas, e se ajoelha, rezando. Eduardo come como se tivesse passado fome durante semanas, espojando-se como Melusina em uma grande banheira funda. Ele me toma sem delicadeza, sem ternura, me possui como um soldado possui sua amante, e dorme. Só acorda para anunciar aos cidadãos de Londres que as histórias sobre Warwick ter sobrevivido não são verdadeiras. Ele mesmo viu o corpo do homem. Foi morto quando tentava escapar da batalha, fugindo como um covarde, e Eduardo ordena que seu corpo seja exposto na Catedral de St. Paul, para que não reste dúvida de que está morto.

— Mas não o desonrarei — diz.

— Ele pôs a cabeça do nosso pai em uma estaca no portão de York — lembra-lhe George. — Com uma coroa de papel. Devíamos enfiar a cabeça dele em uma estaca na Fonte de Londres, esquartejar seu corpo e fazê-lo circular pelo reino.

— Um belo plano este que propõe para o seu sogro — observo. — Não seria perturbador para sua esposa, quando desmembrar o pai dela? Além do mais, achei que tinha jurado amá-lo e segui-lo, não?

— Warwick pode ser enterrado com honra por sua família em Bisham Abbey — determina Eduardo. — Não somos selvagens. Não fazemos guerra com cadáveres.

Passamos dois dias e duas noites juntos, mas Eduardo espera um mensageiro e mantém seus homens armados e preparados. O mensageiro chega. Margarida de Anjou desembarcou em Weymouth tarde demais para dar apoio a seu aliado, mas disposta a defender sua causa sozinha. Imediatamente recebemos relatos da reação em todo o país. Lordes e nobres rurais que não equipariam seus homens para lutarem por Warwick acham que é sua obrigação apoiar a rainha quando ela está vindo armada para a batalha, e uma vez que seu marido Henrique fora detido por nós, o inimigo. O povo começa a dizer que essa será a última batalha, a decisiva, a que significará tudo. Warwick está morto; não há intermediários. É a rainha Lancaster contra o rei Eduardo, a real Casa de Lancaster contra a real Casa de York, e todo homem e toda aldeia do reino terá de fazer uma escolha. E muitos escolhem Margarida de Anjou.

Eduardo ordena que seus lordes em todos os condados se apresentem a ele armados e com o número apropriado de homens, e exige que cada cidade lhe envie soldados e dinheiro para pagá-los. Não isenta ninguém.

— Tenho de ir de novo — diz ele ao amanhecer. — Mantenha meu filho a salvo, independentemente do que acontecer.

— Mantenha-se a salvo — respondo. — Independentemente do que acontecer.

Ele assente com a cabeça, pega minha mão e beija a palma, dobrando meus dedos.

— Você sabe que a amo. Sabe que a amo hoje tanto quanto a amei quando a vi sob o carvalho?

Respondo que sim balançando a cabeça. Não consigo falar. Ele parece um homem se despedindo para sempre.

— Ótimo — diz vivamente. — Não se esqueça de que, se as coisas derem errado, levará as crianças para Flandres, certo? Lembra-se do nome do barqueiro em Tournai, onde vai se esconder?

— Lembro-me — respondo com um sussurro. — Mas nada vai dar errado.

— Se for a vontade de Deus — replica ele, e com essas últimas palavras ditas, vira-se e sai para enfrentar mais uma batalha.

~

Os dois exércitos movem-se rapidamente um contra o outro; o exército de Margarida na direção do País de Gales para reunir reforços, e o de Eduardo em seu encalço, tentando detê-la. A força de Margarida, comandada pelo conde de Somerset e por seu filho, o jovem príncipe mau que segue à frente de sua própria tropa, vai iniciar o ataque pela região rural, no oeste do País de Gales, onde Jasper Tudor sublevará os galeses e onde os habitantes da Cornualha os encontrarão. Uma vez nas montanhas do País de Gales, serão imbatíveis. Jasper Tudor e seu sobrinho Henrique podem lhes oferecer um porto seguro e exércitos preparados. Ninguém conseguirá retirá-los das fortalezas de Gales, e poderão reunir forças, o quanto quiserem, e marchar para a Inglaterra poderosos.

Com Margarida viaja a pequena Anne Neville, filha mais nova de Warwick, a noiva do príncipe, atordoada com as notícias da morte de seu pai, da traição de seu cunhado George, duque de Clarence, e abandonada por sua mãe, que se retirou para um convento em sua dor pela perda do marido. Devem formar um trio desesperado, que aposta tudo na vitória, embora já tenha perdido muito.

Eduardo parte de Londres e reúne soldados no caminho, desesperado para capturar o inimigo antes de ele cruzar o grande rio Severn e desaparecer nas montanhas de Gales. Quase certamente isso não será possível. É longe demais, não conseguiriam marchar com a velocidade necessária. Os soldados, exaustos depois da batalha de Barnet, não chegariam a tempo.

Mas a primeira travessia de Margarida para Gloucester é bloqueada. A ordem de Eduardo é que não tenham permissão para atravessar o rio até Gales, e o forte de Gloucester a acata e bloqueia a vau. O rio, um dos mais fundos e poderosos da Inglaterra, está cheio, e a correnteza é forte. Sorrio ao pensar nas águas da Inglaterra agindo contra a rainha francesa.

Assim, o exército de Margarida tem de se voltar para o norte e prosseguir rio acima, para encontrar outro lugar onde possa atravessar. Com isso, o exército de Eduardo está apenas 30 quilômetros atrás do inimigo, trotando como cães de caça açoitados por Eduardo e seu irmão Ricardo. Nessa noite, os lancastrianos montam acampamento em um velho castelo em ruínas, fora de Tewkesbury, abrigados do mau tempo pelos muros ruídos, certos de que atravessarão o rio de manhã. Esperam, com alguma confiança, pelo exército exausto de York, marchando direto de uma batalha para a seguinte, e agora ainda mais debilitado por uma marcha acelerada de 58 quilômetros em um único dia, atravessando o país. Eduardo talvez alcance o inimigo, mas pode ter extenuado o ânimo de seus soldados no ímpeto da batalha. Ele vai chegar lá, mas com soldados esbaforidos, que não servirão para nada.

3 de maio de 1471

A rainha Margarida e sua infeliz nora Anne Neville tomaram, durante a guerra, uma casa nas proximidades chamada Payne's Place para aguardar a batalha que, acreditam, as tornará rainha e princesa de Gales. Anne Neville passa as noites de joelhos, rezando pela alma de seu pai, cujo corpo está exposto nos degraus diante do altar da Catedral de St. Paul, em Londres, para que todos os cidadãos possam ver. Reza pelo sofrimento de sua mãe, que, ao desembarcar na Inglaterra, soube antes mesmo de seus pés secarem que seu marido havia sido derrotado, morto ao tentar fugir da batalha, e que era viúva. A duquesa viúva, Anne de Warwick, recusou-se a dar mais um passo com o exército de Lancaster e se enclausurou na Abadia de Beaulieu, abandonando suas duas filhas com seus maridos divergentes: uma casada com um príncipe de Lancaster, e a outra, com o duque de York. A pequena Anne reza pela sorte de sua irmã Isabel, agora, mais uma vez, duquesa de York, presa por toda a vida ao traidor George, que lutará amanhã no outro lado da batalha. Ela reza, como sempre faz, para que Deus envie a luz da Sua razão a seu jovem marido, o príncipe Eduardo de Lancaster, que se torna cada vez mais perverso e cruel, e reza por si mesma, para que sobreviva a essa batalha e consiga voltar para casa. Já não sabe com certeza qual será a sua casa, a sua terra.

O exército de Eduardo é comandado pelos homens que ele ama: os irmãos ao lado de quem morrerá feliz, se for a vontade de Deus que morram nesse dia. Seu medo cavalga junto com ele, sabe o que uma derrota significa agora, e nunca mais se esquecerá disso. Também sabe que não tem como evitar essa batalha: terá de persegui-la com a marcha mais acelerada que a Inglaterra já viu. Talvez esteja com medo, mas se quer ser rei, tem de lutar, e lutar melhor do que nunca. Seu irmão Ricardo, duque de Gloucester, comanda os soldados no front, lidera com sua coragem brilhante, ferrenha e leal. Eduardo assume a batalha no centro, e William Hastings, que daria a própria vida para impedir que um ataque surpresa atingisse o rei, defende a retaguarda. Para Anthony Woodville, Eduardo tem uma missão especial.

— Anthony, quero que você e George escolham uma pequena companhia de lanceiros e se escondam nas árvores à nossa esquerda — diz o rei, em tom baixo. — Terão duas tarefas a cumprir. A primeira será vigiar para que Somerset não envie nenhuma tropa das ruínas do castelo para nos surpreender pela esquerda, a segunda será observar a batalha e atacar quando acharem necessário.

— Confia em mim tanto assim? — pergunta Anthony, pensando no tempo em que os dois jovens eram inimigos, e não irmãos.

— Confio — responde Eduardo. — Mas Anthony, sabe que é um homem sábio, um filósofo, e vida e morte são iguais para você?

Anthony faz uma careta.

— Tenho certa erudição, mas sou muito apegado à minha vida, sire. Ainda não alcancei o desapego.

— Nem eu — replica Eduardo com veemência. — E sou muito apegado ao meu pau, irmão. Garanta que sua irmã possa pôr mais um príncipe no berço — diz ele, direto. — Salve minhas bolas para ela, Anthony!

Anthony ri e o saúda de maneira zombeteira.

— Fará um sinal em caso de necessidade?

— Verá minha necessidade claramente. Meu sinal será quando parecer que estou perdendo — responde ele simplesmente. — Não aja até então, é só o que peço.

— Farei o possível, sire — concorda Anthony, com serenidade. Ele vira-se e conduz sua companhia de duzentos lanceiros ao esconderijo.

Eduardo espera até vê-los posicionados, invisíveis para a força Lancaster atrás dos muros do castelo na colina e, então, dá ordens ao seu canhão: "Fogo!" Ao mesmo tempo, a tropa de arqueiros de Ricardo dispara uma saraivada de flechas. O disparo do canhão atinge a alvenaria do velho castelo em ruínas e blocos de pedras desmoronam sobre as cabeças dos homens abrigados embaixo. Há um grito quando um homem é atingido no rosto por uma flecha, e depois mais gritos à medida que as flechas certeiras os atingem. O castelo revela-se mais ruína do que fortaleza. Não há abrigo atrás dos muros, e as arcadas que ruem e as pedras que caem significam um risco e não um refúgio. Os homens se dispersam; alguns deles se precipitam colina abaixo antes de receberem ordens para avançar, outros batem em retirada, na direção de Tewkesbury. Somerset grita ordens para o exército se reagrupar e atacar os soldados do rei, mas seus homens já haviam se lançado na fuga.

Gritando de raiva, e ajudados pela inclinação do solo, correndo cada vez mais rápido, os soldados lancastrianos se precipitam para baixo e se concentram no coração das forças de York, onde o rei, alto, a coroa sobre o seu elmo, está preparado, aguardando-os. Eduardo está inflamado por uma alegria intensa e inclemente, que ele reconhece da infância de guerras. Assim que a primeira fileira de homens de Lancaster se lança sobre ele, recebe-a com sua espada larga em uma mão e, na outra, um machado. Suas horas de treinamento intensivo na justa e na arena entram em jogo, e seus movimentos são tão ligeiros e naturais quanto os de um leão enfurecido: desfere um golpe, ruge, gira o corpo e apunhala o inimigo. Os homens não param de vir e ele nunca hesita. Trespassa gargantas desprotegidas sob o elmo. Corta habilmente os braços que empunham as espadas. Chuta um homem na virilha e, enquanto a vítima se dobra de dor, ele baixa o machado sobre a cabeça dele, rachando-lhe o crânio.

Assim que o choque do impacto é revidado, o flanco comandado por Ricardo ataca pela lateral e começa a golpear e trespassar corpos, uma carnificina implacável comandada pelo jovem duque, pequeno, impiedoso, um matador no campo de batalha, um aprendiz do terror. A investida determinada dos homens de Ricardo rompe o avanço dos lancastrianos, e eles se refreiam. Como sempre, há uma calmaria na luta corpo a corpo, quando até mesmo os homens mais fortes recuperam o fôlego. Mas nessa pausa, os yorkistas se arremessam, liderados pelo rei, com Ricardo do seu lado, e empurram os lancastrianos de volta a seu refúgio.

Há gritos gélidos e aterradores de homens determinados que surgem da floresta à esquerda da batalha, onde ninguém sabia que havia soldados escondidos. E duzentos — apesar de parecerem 2 mil — lanceiros, armados pesadamente, mas com passos ligeiros, aparecem correndo na direção dos lancastrianos. O maior cavaleiro da Inglaterra, Anthony Woodville, segue à frente, na liderança. As lanças estão estendidas à frente dos homens, ávidos por atacar; os soldados lancastrianos erguem os olhos de seu combate moroso e se deparam com eles, como um homem que vê uma tempestade se aproximando: a morte chega rápido demais para ser evitada.

Correm, não têm outra coisa a fazer. As lanças os atingem como se fossem duzentas lâminas em uma única arma letal. Ouvem o barulho quando elas atravessam o ar, e logo depois os gritos quando atingem seus alvos. Os soldados disparam colina acima, tentando alcançar um abrigo, mas os homens de Ricardo os perseguem e derrubam sem qualquer misericórdia. Os soldados de Anthony cercam-nos rapidamente, empunhando espadas e facas. Os soldados lancastrianos correm na direção do rio e o atravessam vadeando ou nadando, ou se afogam, debatendo-se para se apoiarem nos juncos, por causa do peso de suas armaduras. Correm em direção ao parque, e os homens de Hastings cerram fileiras e os golpeiam como se fossem lebres no fim de uma colheita, quando os ceifadores formam um círculo ao redor do último monte de trigo e cortam com a foice os animais assustados. Correm para a cidade, e os soldados de Eduardo, com ele no comando, perseguem-nos como corças exaustas, alcançam-nos e fazem a carnificina. O garoto que chamam de príncipe Eduardo, Eduardo de Lancaster, príncipe de Gales, está entre eles, logo depois dos muros da cidade, e os yorkistas derrubam todos, com espadas flamejantes e lâminas ensanguentadas, entre gritos de misericórdia, sem piedade.

— Poupem-me! Poupem-me! Sou Eduardo de Lancaster, nasci para ser rei, minha mãe... — O resto se perde em um gorgolejo de sangue real, quando um soldado de infantaria, um homem comum, enfia sua faca na garganta do jovem príncipe, encerrando assim as esperanças de Margarida de Anjou, a vida de seu filho e a linhagem Lancaster. O soldado logo se apossa de um belo cinturão e uma espada lavrada.

Não é nenhuma diversão para o rei: é um negócio fatal. Eduardo apoia-se em sua espada, limpa a adaga e observa seus homens cortarem gargantas e entranhas, esmagarem crânios e quebrarem pernas, até os homens do exército de Lancaster estarem chorando no solo ou terem fugido para longe, e a batalha, pelo menos esta batalha, estar vencida.

Mas há sempre consequências e é sempre uma confusão. A alegria de Eduardo não se estende a matar prisioneiros ou torturar cativos. Nem mesmo sente prazer com uma decapitação judicial, ao contrário da maioria dos outros senhores da guerra de sua época. Mas os lordes de Lancaster reivindicaram refúgio na Abadia de Tewkesbury e não têm permissão para ficar ali ou receber salvo-conduto para ir para casa.

— Ponha-os para fora — diz Eduardo bruscamente a Ricardo, seu irmão, os dois unidos no desejo de encerrar a questão. Vira-se para os meninos Grey, seus enteados. — Procurem lordes lancastrianos sobreviventes no campo de batalha, tirem suas armas e os prendam.

— Eles reivindicam a segurança do santuário — salienta Hastings. — Estão na abadia, no altar-mor. Sua mulher, a rainha, sobreviveu somente porque o santuário foi honrado. Seu único filho homem nasceu em segurança lá.

— Uma mulher. Um bebê — retruca Eduardo rudemente. — Santuário é para os indefesos. O duque Edmund de Somerset não é indefeso. Ele é um traidor letal, e Ricardo o tirará da abadia e o levará ao cadafalso na praça do mercado de Tewkesbury. Certo, Ricardo?

— Sim — responde este concisamente. — Respeito mais a vitória do que qualquer santuário. — Ele põe a mão no punho da espada e vai arrombar a porta da abadia, apesar de o abade segurar seu braço e implorar que tema a vontade de Deus e demonstre misericórdia. O exército de York não o escuta. Está além do perdão. Os homens de Ricardo arrastam para fora seus inimigos e ele, junto com Eduardo, observa seus homens esfaquearem prisioneiros que suplicam remissão no cemitério da igreja, agarrando-se nos túmulos, implorando aos mortos que os salvem, até a escada da abadia estar escorregadia com o sangue e o solo sagrado cheirar a um açougue, como se nada fosse sagrado. Pois nada mais é sagrado na Inglaterra.

14 de maio de 1471

Estamos aguardando notícias na Torre quando o som de vivas me diz que meu marido está vindo para casa. Desço correndo a escadaria, meus saltos batendo nas pedras, as meninas atrás de mim. Porém, quando o portão abre e os cavalos entram, não é meu marido, e sim meu irmão Anthony quem chefia a tropa. Ele sorri para mim.

— Irmã, as notícias são boas, seu marido está bem e venceu uma grande batalha. Mamãe, dê-me sua bênção. Tenho precisado dela.

Anthony pula de seu cavalo, faz uma reverência para mim e vira-se para a nossa mãe. Ele tira o chapéu e se ajoelha, enquanto ela põe a mão sobre a cabeça dele. Há um momento de silêncio quando ela o toca. É uma bênção de verdade, não o gesto vazio que a maior parte das famílias faz. O coração dela vai para ele, seu filho mais talentoso, e ele curva sua cabeça loura para ela. Depois, se levanta e volta-se para mim.

— Mais tarde, vou lhe contar tudo, mas saiba agora que ele conquistou uma grande vitória. Margarida de Anjou é nossa prisioneira. O filho dela está morto: ela não tem herdeiro. As esperanças dos Lancaster jazem no sangue e na lama. Eduardo queria estar com você, mas teve de marchar para o norte, onde há mais sublevações por Neville. Seus filhos estão com ele e estão bem, animados. Ele mandou-me voltar para protegê-la e defender

Londres. Os homens de Kent se levantaram contra nós, e Thomas Neville os está apoiando. Metade deles são homens bons, mal orientados, mas a outra metade é apenas de ladrões interessados no saque. A parte menor e mais perigosa é composta pelos que acham que podem libertar o rei Henrique e capturar vocês, e juraram fazer isso. Neville está a caminho de Londres com uma pequena frota. Vou ver o prefeito e os vereadores da cidade e organizar a defesa.

— Vamos ser atacados aqui?

Ele balança a cabeça, confirmando.

— Foram derrotados, seu herdeiro está morto, mas ainda assim prosseguem com a guerra. Vão escolher outro herdeiro para Lancaster: Henrique Tudor. Juraram vingança. Eduardo me mandou para defendê-la. Na pior das hipóteses, devo organizar a sua retirada.

— Corremos realmente perigo?

— Lamento, irmã. Eles têm navios e o apoio da França, e Eduardo dominou todo o exército do norte. — Faz uma mesura e se vira para entrar na Torre, gritando para o guardião do castelo que o prefeito deverá ser admitido imediatamente e que quer um relatório das condições da Torre para resistir a um cerco.

Homens chegam e confirmam que Thomas Neville tem navios nas proximidades de Kent e que jurou apoiar uma esquadra que navegará pelo Tâmisa e tomará Londres. Acabamos de vencer uma batalha dramática e matar um rapaz, o herdeiro do trono, e deveríamos estar seguros. Mas ainda estamos em perigo.

— Por que ele faria isso? — pergunto. — Acabou. Eduardo de Lancaster está morto, seu primo Warwick está morto, Margarida de Anjou é cativa, Henrique é nosso prisioneiro, nesta mesma Torre. Por que um Neville conduziria seus navios para tomar Londres?

— Porque não acabou — observa minha mãe. Estamos andando no telhado plano da Torre, o bebê no meu colo para apanhar ar, as meninas nos acompanhando. Mamãe e eu, olhando para baixo, vemos Anthony supervisionando a rotação do canhão para ficar de frente para o rio, ordenando sacas de areia do rio para empilhar atrás das portas e janelas da Torre Branca.

Olhando para o rio, vemos os homens trabalhando nas docas, empilhando sacos de areia e preparando baldes de água, receosos de incêndio nos armazéns quando Neville surgir com seus navios.

— Se Neville tomar a Torre e Eduardo for derrotado no norte, vai começar tudo de novo — diz minha mãe. — Neville pode libertar o rei Henrique. Margarida pode se unir de novo a seu marido, talvez façam outro filho. A única maneira definitiva de acabar com essa linhagem, a única maneira de acabar com essas guerras para sempre, é a morte. A morte de Henrique. Eliminamos o herdeiro, agora temos de matar o pai.

— Mas Henrique tem outros herdeiros — digo. — Mesmo que tenha perdido seu filho, ainda há Margaret Beaufort. A Casa de Beaufort segue com Henrique Tudor.

Minha mãe dá de ombros.

— Uma mulher — diz ela. — Ninguém vai guerrear para colocar uma mulher nesse trono. Quem poderia controlar a Inglaterra a não ser um soldado?

— Ela tem um filho, o menino Tudor.

Minha mãe dá de ombros.

— Ninguém vai lutar por um adolescente. Henrique Tudor não tem importância. Henrique Tudor nunca poderia ser rei da Inglaterra. Ninguém lutaria por um Tudor contra um Plantageneta. Os Tudor são apenas metade reais, e do lado da família real francesa. Ele não é ameaça para você. — Ela olha de relance para o muro branco até a janela gradeada, onde o esquecido rei Henrique voltou às suas orações. — Não, depois que ele estiver morto, a linhagem Lancaster acabará, e ficaremos todos a salvo.

— Mas quem conseguiria matá-lo? É um homem impotente, que perdeu a razão. Quem teria um coração tão duro a ponto de matá-lo, sendo ele nosso prisioneiro? — Baixo a voz, os aposentos do antigo rei ficam logo abaixo dos nossos. — Ele passa o dia de joelhos, em um genuflexório ou olhando mudo pela janela. Matá-lo será o mesmo que massacrar um louco. Há quem diga que ele é um santo. Quem se atreveria a matar um santo?

— Espero que seu marido se atreva — diz minha mãe, sem fazer rodeios. — Pois a única maneira de dar estabilidade ao trono inglês é segurar um travesseiro no rosto de Henrique e ajudá-lo a dormir eternamente.

Uma sombra atravessa o sol, e abraço forte meu bebê Eduardo, como se para impedi-lo de ouvir um conselho tão cruel. Arrepio-me como se minha mãe estivesse prevendo a minha própria morte.

— O que foi? — pergunta. — Está com frio? Quer entrar?

— É a Torre — respondo com irritação. — Sempre odiei este lugar. E você dizendo coisas tão vis quanto assassinar um prisioneiro indefeso na Torre! Não devia falar essas coisas, especialmente na frente do bebê. Queria que tudo isso já tivesse terminado e pudéssemos voltar para o Palácio de Whitehall.

Distante, lá embaixo, meu irmão Anthony ergue o olhar e acena para mim, indicando que o canhão está na posição e que estamos preparados.

— Logo poderemos ir — replica minha mãe, em tom confortador. — Eduardo voltará para casa e você ficará segura de novo, com o bebê.

Mas nessa noite o alarme soa e todos levantamos da cama em um pulo. Pego Baby e as meninas correm para mim. Anthony abre a porta do meu quarto com violência e diz:

— Seja corajosa, estão subindo o rio e haverá disparos. Fique longe das janelas.

Fecho as janelas e as venezianas e coloco as trancas, puxo as cortinas ao redor da cama grande e fico lá, atenta, com as meninas e o bebê. É possível ouvir o estrondo dos disparos dos canhões e o zunido das balas no ar, e então o baque surdo quando atingem os muros da Torre. Elizabeth, minha filha mais velha, olha para mim, lívida, o lábio inferior tremendo, e sussurra:

— É a rainha má?

— Seu pai venceu a rainha má e ela é nossa prisioneira, assim como o velho rei — respondo, pensando em Henrique nos aposentos embaixo de nós, me perguntando se alguém teria lembrado de fechar suas venezianas e mantê-lo longe das janelas. Seria bem-feito para Neville e nos pouparia muitos problemas se, nessa noite, ele matasse seu próprio rei com um tiro de canhão.

Há um estrondo de nossos canhões diante da Torre, e as janelas se iluminam brevemente com o fulgor dos disparos. Elizabeth se encolhe contra mim.

— É o nosso canhão atirando nos navios dos homens maus — digo, animada. — É o primo de Warwick, Thomas Neville, que é idiota demais para saber que a guerra acabou e que nós vencemos.

— O que ele quer? — pergunta Elizabeth.

— Ele quer começar tudo isso de novo — digo com tristeza. — Mas seu tio Anthony está preparado, tem tropas treinadas em Londres a postos nos muros da cidade. E todos os garotos aprendizes, como gostam de uma luta! Estão prontos para defendê-la. E então, seu pai virá para casa.

Ela me encara com seus enormes olhos cinza. Ela sempre pensa mais do que diz, a minha pequena Elizabeth. Enfrenta a guerra desde que era bebê, até mesmo agora sabe que é uma peça no tabuleiro de xadrez da Inglaterra. Sabe que será negociada, sabe que tem um valor, sabe que tem estado em perigo durante toda a sua vida.

— E isso vai acabar? — pergunta.

— Sim — prometo ao seu rostinho hesitante. — Vai acabar.

Três dias sitiados, três dias de bombardeios, depois o ataque dos homens de Kent e os navios de Neville, com Anthony e nosso parente Henry Bour-chier, conde de Essex, organizando a defesa. A cada dia, mais membros da minha família afluem à Torre, minhas irmãs e seus maridos, a esposa de Anthony, minhas antigas damas de companhia, todos considerando-a o lugar mais seguro em uma cidade sitiada, até Anthony decretar que temos oficiais e homens suficientes para um contra-ataque.

— A que distância está Eduardo? — pergunto nervosamente.

— A última notícia que tive foi de que estava a quatro dias daqui. Longe demais. Não nos atrevemos a esperar que chegue. E acho que podemos resistir com as forças que tenho.

— E se você perder? — pergunto, apreensiva.

Ele ri.

— Então, irmã rainha, terá de se tornar militante e comandar a defesa da Torre você mesma. Pode resistir por dias. O que temos de fazer agora é obrigá-los a recuar, antes que se aproximem mais. Se apertarem o cerco ou intensificarem os disparos de canhão ou se, que Deus não permita, conseguirem entrar de alguma maneira, você pode morrer antes de Eduardo chegar.

Balanço a cabeça.

— Prossiga então — digo, inflexível. — Ataque-os.

Ele faz uma reverência.

— Falou como uma verdadeira yorkista. A família York não passa de um bando sedento de sangue, nascida e criada no campo de batalha. Vamos torcer para que, quando finalmente tivermos paz, eles não matem uns aos outros só por puro hábito.

— Vamos conseguir a paz primeiro, antes de nos preocuparmos com que os irmãos York a estraguem — digo.

Ao alvorecer, Anthony está pronto. Os homens de Londres foram bem treinados e estão bem armados. É uma cidade que está em guerra há 16 anos, e cada aprendiz tem uma arma e sabe como usá-la. Os homens de Kent, sob o comando das forças de Neville, estão acampados ao redor da Torre e dos muros da cidade, mas estão dormindo quando a poterna da Torre se abre e Anthony e seus homens passam em fila, silenciosamente. Seguro o portão para eles. Henry Bouchier é o último a sair.

— Vossa Graça, minha prima, tranque a poterna, entre e fique em segurança — diz ele.

— Não, vou esperar aqui. Se algo der errado, estarei aqui para abrir a porta para meu irmão e para todos vocês entrarem com ele.

Ele sorri.

— Bem, espero retornar com a vitória.

— Se Deus quiser — replico.

Devia fechar e aferrolhar o portão, mas não o faço. Permaneço ali para ver. Penso em mim como uma heroína em um conto, a bela rainha que despacha seus cavalheiros para a batalha e depois zela por eles como um anjo.

No começo, parece assim. Meu irmão, sem chapéu e com sua bela armadura entalhada, avança silenciosamente em direção ao acampamento, a espada larga em sua mão, seguido de seus homens, nossos amigos leais e parentes. Ao luar, parecem fidalgos em missão de busca, o rio cintilando atrás deles, o céu noturno e escuro acima. Os rebeldes estão acampados à margem do rio, a maior parte alojada nas ruas sujas e estreitas das proximidades. São homens pobres, há algumas barracas e abrigos, porém a maioria dorme no chão, do lado das fogueiras. As ruas fora dos muros da cidade são repletas de tabernas e bordéis, e metade dos homens está bêbada. A força de Anthony se divide em três, e então, a uma palavra sussurrada, tudo muda. Colocam os elmos na cabeça, baixam os visores sobre seus olhos excitados, empunham as espadas, soltam as pesadas bolas de suas maças, transformam-se de meros mortais em homens de metal.

De alguma maneira, sinto a mudança que ocorre neles enquanto observo do portão, e embora eu os tenha mandado para o combate e seja a mim que vão defender, pressinto que algo ruim e violento está para acontecer. "Não", murmuro, como se pudesse detê-los. Eles começam a avançar correndo, as espadas empunhadas, as maças girando.

Homens sonolentos se levantam com um grito de medo e recebem um golpe de espada no coração ou de machado na cabeça. Não há aviso: despertam de sonhos com a vitória ou com a volta para casa para se depararem com uma lâmina fria e uma morte agonizante. As sentinelas que dormitavam acordam sobressaltadas e gritam o alarme, mas são silenciadas por uma adaga atravessando suas gargantas. Agitam-se a esmo. Um homem cai nas chamas e grita em agonia, mas ninguém se detém para ajudá-lo. Nossos homens chutam as brasas das fogueiras, algumas barracas, e os cobertores pegam fogo. Cavalos empinam e relincham amedrontados quando o feno se inflama diante deles. No mesmo instante, o acampamento todo está desperto e correndo em pânico, enquanto os homens de Anthony investem como matadores silenciosos, apunhalando homens no chão enquanto rolam e tentam se levantar, derrubando os homens que conseguem se erguer, cortando a barriga de um soldado desarmado, acertando com a maça um homem que tentou pegar a espada. O exército de Kent acorda e se põe a correr. Os que não são derrubados agarram o que podem e fogem. Alertam os homens nas ruas do lado da Torre, e alguns deles correm para o campo. Os homens de Anthony se viram para eles urrando e os atacam, as espadas já vermelhas de sangue, e os rebeldes, quase todos garotos do campo, fogem.

Os soldados de Anthony iniciam uma perseguição, mas ele os chama de volta: não vai deixar a Torre indefesa. Envia um grupo ao cais para capturar os navios de Neville. O resto retorna à Torre, as vozes altas e exaltadas no frio da manhã. Gritam uns para os outros, falando sobre um homem apunhalado enquanto dormia, uma mulher sendo decapitada e um cavalo quebrando o pescoço ao recuar do fogo.

Abro a poterna para eles. Não quero saudá-los, não quero ver mais nada, não quero ouvir mais nada. Subo para os meus aposentos, reúno minha mãe, minhas filhas e o bebê e tranco a porta do nosso quarto, em silêncio, como se temesse meu próprio exército. Ouvi homens contarem muitas batalhas nesta guerra entre primos, e sempre falavam de heroísmo, da coragem dos homens, do poder da camaradagem, da ferocidade da batalha e da fraternidade dos sobreviventes. Ouvi canções sobre grandes batalhas e poemas sobre a beleza de um ataque e a elegância do líder. Não sabia que a guerra não passava de carnificina, tão selvagem e inábil quanto espetar a garganta de um porco e deixá-lo sangrar para a carne ficar tenra. Eu não sabia que a elegância e a nobreza da justa não tinham nada a ver com a violência do ataque. Exatamente como matar um leitão, para ter bacon, depois de persegui-lo na pocilga. Eu não sabia que a guerra excitava tanto os homens: voltaram rindo como colegiais, agitados depois de uma travessura. Mas têm sangue nas mãos, manchas em suas capas, o cheiro de fumaça no cabelo e uma excitação terrivelmente repulsiva no rosto.

Agora entendo por que arrombam conventos, possuem mulheres contra a vontade delas, desafiam o santuário para acabar a perseguição assassina. Despertam em si mesmos uma fome selvagem e feroz, são mais animais do que homens. Eu não sabia que a guerra era assim. Acho que sou tola por não ter sabido, uma vez que cresci em um reino em guerra e sou filha de um homem capturado em batalha, viúva de um cavaleiro, esposa de um soldado impiedoso. Mas agora eu sei.

21 de maio de 1471

Eduardo chega liderando seus homens, parecendo um rei voltando para casa glorioso. Não há vestígio algum da batalha em seu porte, em seu cavalo ou nos arreios luzentes. Ricardo está do seu lado, e do outro está George; meus filhos vêm, emocionados, atrás deles. Os rapazes York voltaram a ser como antes, os três em um só, e Londres enlouquece de alegria ao vê-los. Três duques, seis condes e 16 barões cavalgam com eles, todos yorkistas sinceros que juraram lealdade. Quem diria que tínhamos tantos amigos? Eu não os vi, quando estava em um santuário que mais parecia uma prisão, dando à luz o bebê que é herdeiro desta glória, no escuro, com medo e praticamente sozinha.

Atrás do séquito vem Margarida de Anjou, lívida e austera, em uma liteira puxada por mulas. Não ataram suas mãos e seus pés nem colocaram uma corrente ao redor de seu pescoço, mas acho que todos percebem muito bem que essa mulher foi derrotada e que não se erguerá mais. Levo Elizabeth comigo quando vou receber Eduardo no portão da Torre porque quero que minha filha veja essa mulher que tem lhe causado terror durante seus cinco anos de vida. Quero que a veja derrotada e saiba que estamos todos a salvo daquela que ela chama de rainha má.

Eduardo me saúda formalmente diante da multidão que o aclama, mas murmura em meu ouvido:

— Não vejo a hora de ficarmos a sós.

Mas ele tem de esperar. Arma cavaleiro metade da cidade de Londres em agradecimento à sua fidelidade, e há um banquete para celebrar a sua ascensão. Na verdade, todos temos muito a agradecer. Eduardo lutou de novo por sua coroa e venceu, e continuo a ser a esposa de um rei que nunca foi derrotado em batalha. Ponho minha boca em seu ouvido e murmuro em resposta:

— Eu também, marido.

Vamos tarde para a cama; metade dos hóspedes está bêbada, e os demais não cabem em si de felicidade por se verem em uma corte York novamente. Eduardo me puxa para si e me possui como se fôssemos recém-casados e estivéssemos na pequena cabana de caça à margem do rio. E eu o abraço, o homem que me salvou da pobreza e que salvou a Inglaterra do estado de guerra permanente, e fico feliz quando me chama: "Esposa, minha querida."

Diz, com a boca roçando em meu cabelo:

— Você me apoiou quando senti medo, meu amor. Sou-lhe grato por isso. É a primeira vez que tive de partir sabendo que poderia perder. Isso me deixou morto de medo.

— Vi uma batalha. Não uma batalha, um massacre — digo, com a testa em seu peito. — É horrível, Eduardo. Eu não sabia.

Ele deita-se de costas, a expressão severa.

— É terrível — replica. — E ninguém deseja mais a paz do que um soldado. Trarei a paz a este país, e a lealdade a nós. Juro. Independentemente do que eu tiver de fazer para conseguir isso. Temos de parar com essas batalhas intermináveis. Temos de pôr um fim a essa guerra.

— É vil. Não há honra alguma nisso.

— Tem de acabar — diz ele. — Tenho de encerrá-la.

Ficamos os dois em silêncio, e penso que ele vai adormecer, mas fica deitado, pensativo, os braços cruzados atrás da cabeça, olhando fixo o baldaquim dourado sobre a cama.

— O que é, Eduardo? Alguma coisa o preocupa?

— Não — responde ele devagar —, mas tenho de fazer uma coisa antes de dormir em paz esta noite.

— Posso ir com você?

— Não, meu amor, é trabalho para homens.

— O que é?

— Nada. Nada com que se preocupar. Nada. Durma. Voltarei para você depois.

Fico assustada. Sento-me na cama.

— O que é, Eduardo? Você parece... sei lá... qual é o problema? Está doente?

Ele se levanta da cama com uma determinação súbita e se veste.

— Fique calma, meu amor. Tenho de fazer isso, e quando tiver feito, poderei descansar. Voltarei em uma hora. Durma, a acordarei e a possuirei de novo assim que voltar.

Rio e me deito de costas, mas quando se veste e sai silenciosamente do quarto, levanto da cama e visto o penhoar. Descalça, sem fazer barulho, atravesso na ponta dos pés os aposentos privados e saio para a câmara de audiências. Os guardas à porta estão silenciosos; balanço a cabeça para eles, sem dizer nenhuma palavra. Eles levantam as alabardas e me deixam passar. Paro no topo da escadaria e olho para baixo. O corrimão desce em espiral até o poço do edifício, e vejo a mão de Eduardo descendo até o andar abaixo do nosso, onde ficam os aposentos do antigo rei. Vejo o cabelo escuro de Ricardo abaixo de mim, à porta de Henrique, como se esperando para entrar, e ouço a voz de George flutuar na escada.

— Achamos que tinha mudado de ideia!

— Não, tem de ser feito.

Então compreendo o que estão prestes a fazer, os três irmãos de ouro de York que venceram sua primeira batalha sob três sóis no céu, tão abençoados por Deus que nunca perdem uma luta. Mas não grito para detê-los. Não desço correndo e seguro o braço de Eduardo e juro que ele não fará isso. Sei que ele está hesitando, mas não opino a favor da compaixão, de viver com um inimigo, de confiar a nossa segurança a Deus. Não penso; se fazem isso, o que podem fazer conosco? Vejo a chave na mão de Eduardo, ouço-a girar na fechadura e o som da porta do quarto do rei se abrindo. Deixo que os três entrem, sem nenhuma interferência.

Henrique, louco ou santo, é um rei consagrado: seu corpo é sagrado. Ele está no coração de seu próprio reino, de sua própria cidade, de sua própria torre. Deveria estar em segurança. É guardado por bons homens. É um prisioneiro de honra da Casa de York, deveria estar seguro como se estivesse em sua própria corte: ele nos confiou sua proteção.

É um homem frágil para três guerreiros jovens. Como não são misericordiosos? É primo deles, seu parente, e todos os três juraram, no passado, amá-lo e lhe serem fiéis. Ele dorme como uma criança quando os três entram no quarto. O que vai acontecer a nós todos se realmente assassinarem um homem tão inocente e impotente quanto um menino adormecido?

Sei que é por isso que sempre odiei a Torre. Sei que é por isso que o alto palácio escuro na beira do Tâmisa sempre me enche de presságios. Essa morte estava na minha consciência antes mesmo de a cometermos. O quanto vai me oprimir a partir de agora só Deus e a minha consciência sabem. E que preço terei de pagar por minha parcela nesse ato, por escutar em silêncio, sem nenhuma palavra de protesto?

Não volto para a cama de Eduardo. Não quero estar na cama dele quando voltar com o cheiro da morte em suas mãos. Não quero estar aqui na Torre de jeito nenhum. Não quero que meu filho durma aqui, na Torre de Londres, supostamente o lugar mais seguro da Inglaterra, onde homens armados podem entrar no quarto de um inocente e segurar um travesseiro no seu rosto. Vou para os meus próprios aposentos, atiço o fogo e me sento próxima ao calor, durante a noite toda. Sei com absoluta certeza que a Casa de York deu um passo em uma estrada que nos conduzirá ao inferno.

Verão de 1471

Estou sentada com minha mãe em um canteiro de camomila. O perfume cálido da erva está por toda parte no jardim da mansão real de Wimbledon, um de meus bens de viúva que me foi concedido novamente quando rainha e que continua a ser uma das minhas casas de campo preferidas. Estou escolhendo cores para um bordado. As crianças estão à margem do rio, alimentando patos com sua ama-seca. Ouço suas vozes ao longe, chamando os patos pelos nomes que lhes deram e repreendendo-os quando não respondem. De vez em quando, ouço o gritinho agudo de meu filho. Toda vez que ouço a voz dele, o meu coração enaltece: tenho um menino, um príncipe, e ele é um bebê feliz. E minha mãe, pensando a mesma coisa, balança ligeiramente a cabeça, satisfeita.

O país está tão estabilizado, tão em paz, que até se pensaria que nunca houve reis e exércitos rivais marchando em passos acelerados uns contra os outros. O país acolheu com alegria a volta de meu marido, todos desejávamos a paz. Mais do que qualquer outra coisa, todos queremos continuar com as nossas vidas sob um governo justo e esquecer as perdas e o sofrimento dos últimos 16 anos. Oh, há alguns que resistem: o filho de Margaret Beaufort, o herdeiro mais improvável da linhagem dos Lancaster, hiberna agora no Castelo de Pembroke, no País de Gales, com seu tio Jasper Tudor, mas isso não vai durar por muito tempo. O mundo mudou, e terão de pedir a reconciliação. O marido de Margaret Beaufort, Henry Stafford, agora é um yorkista e lutou do nosso lado em Barnet. Talvez somente ela, obstinada como um mártir, e seu filho tolo sejam os últimos lancastrianos que restam no mundo.

Tenho uma dúzia de tons de verde sobre o meu joelho, e minha mãe está enfiando a linha na agulha, segurando-a na direção do céu para ver melhor, trazendo-a para mais perto dos olhos e depois afastando-a de novo. Acho que é a primeira vez na minha vida que percebo um vestígio de fraqueza nela.

— Não consegue enfiar a linha na agulha? — pergunto, achando certa graça.

Ela se vira e sorri:

— Meus olhos não são as únicas coisas que estão falhando, e a linha não é a única coisa borrada. Não completarei 60 anos, minha menina. Deve se preparar.

É como se o dia, de súbito, esfriasse e escurecesse.

— Não vai chegar aos 60 anos! — exclamo. — Por que não? Está doente? Não disse nada! Vai ver o médico? Devemos voltar a Londres?

Ela nega sacudindo a cabeça, e dá um suspiro.

— Não, não há nada para o médico ver e, graças a Deus, nada que um tolo com uma faca pensaria em extirpar. É o meu coração, Elizabeth. Posso ouvi-lo. Está batendo de maneira errada. Sinto que pula uma batida, e então segue lentamente. Não baterá forte de novo, acho que não. Não espero ver muitos verões.

Fico tão chocada que nem sinto tristeza.

— Mas o que vou fazer? — pergunto, minha mão na barriga, onde outra nova vida está começando. — Mãe, o que vou fazer? Não pode nem pensar nisso! Como vou ficar?

— Não pode dizer que não lhe ensinei tudo — diz ela com um sorriso. — Tudo o que sei e tudo em que acredito eu lhe ensinei. E parte disso talvez seja até verdade. Tenho certeza de que finalmente você está segura no seu trono. Eduardo tem a Inglaterra na mão e um filho para sucedê-lo, e você tem outro bebê a caminho. — Põe a cabeça de lado, como se ouvisse um murmúrio distante. — Não posso afirmar. Não acho que seja o seu segundo menino, mas sei que terá outro menino, Elizabeth, tenho certeza. E que menino ele será! Também tenho certeza disso.

— Terá de estar comigo para o nascimento de outro príncipe. Vai querer ver um príncipe de York batizado como deve ser — digo queixosamente, como se lhe prometesse um brinde, se ficasse. — Será madrinha. Eu o colocarei sob a sua guarda. Poderá escolher o seu nome.

— Ricardo — retruca ela no mesmo instante. — Chame-o de Ricardo.

— Portanto fique boa e junto de mim, veja Ricardo nascer — falo com insistência.

Ela sorri e agora percebo os sinais reveladores que não havia notado antes. Seu cansaço até mesmo quando mantém o corpo ereto na cadeira, a cor pálida de seu rosto, as sombras marrons sob seus olhos. Como não vi antes? Eu, que a amo tanto, que beijo seu rosto todos os dias, que me ajoelho para receber a sua bênção, como pude deixar de notar que ela emagreceu tanto?

Ponho a seda de lado e me ajoelho aos seus pés, seguro suas mãos, percebendo, de repente, que estão ossudas, notando de súbito que ficaram com sardas por causa da idade. Olho para o seu rosto cansado.

— Mamãe, você esteve do meu lado em tudo o que passei. Não vai me abandonar agora, vai?

— Não, se eu pudesse escolher ficar. Mas tenho sentido essa dor há anos, e sei que ela está chegando ao fim.

— Desde quando? — pergunto, furiosa. — Há quanto tempo sente essa dor?

— Desde a morte de seu pai — diz, sem alterar o tom. — Desde o dia que me disseram que ele estava morto, que o tinham decapitado por traição, senti algo se mover no fundo do meu ser, como se meu coração se rompesse. E quis estar com ele, mesmo na morte.

— Mas não para me abandonar! — grito de maneira egoísta. E então, habilmente, acrescento: — E certamente não vai suportar deixar Anthony, vai?

Ela ri.

— Vocês dois são adultos. Os dois podem viver sem mim. E devem aprender a fazer isso. Anthony vai seguir em peregrinação a Jerusalém, como sempre desejou fazer. Você verá seu filho se tornar um homem. Verá a nossa pequena Elizabeth se casar com um rei e ter a sua própria coroa.

— Não estou pronta! — Choro como uma criança desolada. — Não vou saber viver sem você!

Ela sorri bondosamente e toca em minha bochecha com sua mão magra.

— Ninguém nunca está pronto — diz com ternura. — Mas vai viver sem mim, e através de você e de seus filhos, terei fundado uma linhagem de reis da Inglaterra. E de rainhas também, acho.

Primavera de 1472

Estou nos últimos meses de gravidez e a corte encontra-se no belo Palácio Nonesuch, em Sheen, residência ótima para passarmos a primavera, quando um grande e delicioso escândalo provoca agitação em todos nós: o casamento do irmão de Eduardo, Ricardo. Tudo se tornou ainda mais extraordinário por nunca termos imaginado que Ricardo fosse escandaloso. George, sim, perseguindo incessantemente seus próprios interesses. George sempre forneceria assunto aos mexeriqueiros, pois não se importa com nada a não ser consigo mesmo. Nenhuma honra, nenhuma lealdade, nenhuma afeição o impede de agradar a si próprio.

Eduardo também segue o próprio caminho e não se importa com absolutamente nada do que as pessoas falam dele. Mas Ricardo! Ricardo é o bom menino da família, o que trabalha com mais afinco para ser forte, que estuda para ser inteligente, que reza com devoção para ser favorecido por Deus, que se esforça tanto para ter o amor da mãe e sempre é negligenciado. Ricardo causar um escândalo é o mesmo que o meu melhor cão de caça decidir que não quer mais caçar. Contraria a sua natureza.

Só Deus sabe como me esforço para amar Ricardo, uma vez que tem se mostrado um verdadeiro amigo de meu marido e um bom irmão. Eu deveria amá-lo: ficou do lado de meu marido sem pensar duas vezes quando tiveram de fugir da Inglaterra em um pequenino barco de pesca, suportou o exílio e voltou para casa junto com ele, além de ter arriscado sua vida várias vezes. E Eduardo disse uma vez que, se Ricardo comandava a ala esquerda, ele sempre podia ter certeza de que ela resistiria. Se a tropa de Ricardo guardasse a retaguarda, ele sabia que nunca haveria um ataque surpresa por trás. Eduardo confia em Ricardo como irmão e vassalo, e o ama muito — por que eu não consigo amá-lo? O que há nesse jovem que me faz querer estreitar os olhos quando o vejo, como se alguma falha me escapasse? Mas agora esse frangote, que ainda nem completou 20 anos, tornou-se um herói, herói de uma balada.

— Quem teria imaginado que o pequeno e parvo Ricardo guardaria tal paixão em seu interior? — pergunto a Anthony, que está sentado a meus pés sob um caramanchão, olhando para o rio. Minhas damas estão à minha volta, com meia dúzia de rapazes da corte de Eduardo, cantando e jogando bola, ociosas e flertando. Estou trançando prímulas para fazer uma coroa para o vencedor de uma corrida que acontecerá mais tarde.

— Tem intensidade — diz Anthony, fazendo meu filho Richard Grey, de 16 anos, cair na gargalhada.

— Silêncio — digo a ele. — Respeite seu tio, por favor. E me passe algumas folhas.

— Intensidade e paixão — prossegue Anthony. — E todos nós achávamos que não passava de um chato. Surpreendente.

— Na verdade, ele é impetuoso — diz meu filho. — Vocês o subestimam porque não é imponente e espalhafatoso como os outros irmãos York.

Meu filho Thomas Grey, do seu lado, balança a cabeça concordando.

— Você tem razão.

Anthony ergue o sobrolho à crítica implícita ao rei.

— Os dois podem ir se aprontar para a corrida — digo, mandando-os ir.

A corte está pasma com a pequena Anne Neville, a jovem viúva do jovem príncipe Eduardo de Lancaster. Trazida para Londres como parte do nosso desfile de vitória depois da batalha de Tewkesbury, a garota e sua fortuna foram imediatamente percebidas por George, duque de Clarence, como seu caminho para os bens e o dinheiro dos Warwick. Com a mãe das garotas Neville, a pobre condessa de Warwick, tendo se retirado para um convento em completo desespero, George planejou ficar com tudo. Já possuía metade da fortuna dos Warwick através de seu casamento com Isabel Neville, e então simulou generosidade colocando a jovem irmã de sua esposa sob sua custódia. Chamou a pequena Anne Neville, deu-lhe os pêsames pela morte de seu pai e mostrou-se condoído com a ausência de sua mãe, congratulou-a por ter escapado do pesadelo de seu casamento com o pequeno monstro, príncipe Eduardo de Lancaster, e pensou em mantê-la sob sua proteção, abrigá-la junto de sua mulher para controlar sua fortuna.

— Foi um ato cavalheiresco — diz Anthony, para me irritar.

— Foi uma oportunidade, e gostaria de tê-la percebido antes — replico.

Anne, um peão no jogo de poder de seu pai, viúva de um monstro, filha de um traidor, tinha apenas 15 anos quando foi viver com sua irmã e seu cunhado George, duque de Clarence. Ela não fazia ideia, não mais do que a minha gatinha de estimação, de como sobreviveria nesse reino comandado por seus inimigos. Deve ter achado que George era o seu salvador.

Mas não por muito tempo.

Ninguém sabe exatamente o que aconteceu depois disso, mas algo deu errado no plano conveniente de George em relação às duas garotas Neville e a manter a imensa fortuna para si. Alguns dizem que Ricardo, em visita à suntuosa casa de George, reviu Anne, que conhecera na infância. Os dois se apaixonaram e ele a salvou, como um cavaleiro de uma fábula, de uma hospedagem que não era nada menos do que um aprisionamento. Dizem que George a disfarçava de criada para mantê-la longe de seu irmão. Dizem que a trancava no quarto. Mas o amor verdadeiro prevaleceu e o jovem duque e a jovem princesa viúva se jogaram um nos braços do outro. De qualquer maneira, a versão da história é absolutamente romântica e maravilhosa. Tolos de todas as idades se deleitam com ela.

— Gosto da história contada dessa maneira — diz meu irmão Anthony.

— Tenho pensado em compor um rondel.

Mas há outra versão. Outras pessoas, que admiram Ricardo, duque de Gloucester, tanto quanto eu, dizem que ele viu na garota solitária, recém-viúva, uma mulher que poderia lhe proporcionar a popularidade que seu nome de solteira impõe no norte da Inglaterra, e terras que se juntariam às que Eduardo já havia lhe dado, além de um dote generoso, se ele conseguisse obtê-lo da mãe da noiva. Uma jovem tão só e desprotegida não poderia rejeitá-lo. Uma garota tão habituada a receber ordens que poderia ser intimidada a trair a própria mãe. A versão sugere que Anne, aprisionada por um irmão York, foi sequestrada por outro e obrigada a se casar com ele.

— Uma história menos bonita — comento com Anthony.

— Você poderia ter impedido — retruca ele em um de seus momentos repentinos de seriedade — se a tivesse posto sob sua guarda, se tivesse feito Eduardo ordenar a Ricardo e a George que não a disputassem como cães sobre um osso.

— Eu deveria ter feito isso. Pois agora Ricardo tem uma garota Neville, a fortuna de Warwick e o apoio do norte, e George tem a outra. É uma combinação perigosa.

Anthony ergue o sobrolho.

— Deveria ter feito isso porque era a coisa certa a fazer — observa ele, com toda a pompa de um irmão mais velho. — Mas vejo que continua a pensar somente em poder e lucro.

Abril de 1472

A aptidão de minha mãe para fazer profecias é confirmada. Menos de um ano depois de ela ter me avisado de que seu coração não duraria muito mais, queixa-se de cansaço e se retira para seus aposentos. O bebê que eu carregava no jardim no dia da competição de prímulas se adiantou, e, pela primeira vez, fui para o confinamento sem a companhia de minha mãe. Envio-lhe mensagens de meu quarto escurecido e ela, no seu, responde animadamente. Mas quando saio com uma menina recém-nascida e frágil, encontro minha mãe em sua câmara, cansada demais para se levantar. Ponho o bebê, leve como um passarinho, nos braços dela todas as tardes. Por uma ou duas semanas, as duas observam o sol desaparecer abaixo da janela e, como a luz dourada do pôr do sol, elas vão embora, deixando-me juntas.

No crepúsculo, no último dia de abril, ouço um ruído como o de uma coruja de asas brancas. Vou até a janela, abro as venezianas e olho para fora. Há uma lua minguante nascendo no horizonte, branca contra um céu branco. Ela também está definhando e, na sua luz fria, ouço um chamado, como um coro, e sei que não é a música das corujas, nem dos cantores nem dos rouxinóis, e sim de Melusina. A nossa deusa ancestral está clamando, no telhado da casa, pois sua filha Jacquetta, da Casa de Borgonha, está morrendo.

Fico escutando o assobio sinistro por certo tempo e então fecho as venezianas. Vou para o quarto de minha mãe. Não me apresso. Sei que não há mais necessidade de me apressar por ela. Ela está deitada na cama com o bebê em seus braços, a cabecinha pressionada na bochecha de minha mãe. As duas estão pálidas como mármore, as duas estão com os olhos fechados, as duas parecem dormir em paz, enquanto as sombras do entardecer escurecem o quarto. O luar no rio do outro lado da janela lança o reflexo de pequenas ondas no teto caiado, de modo que parecem estar sob a água, flutuando com Melusina na fonte. Mas sei que as duas partiram, e a nossa mãe da água está cantando para elas em sua viagem pelo doce rio até as profundas fontes de nosso lar.

Verão de 1472

A dor que sinto pelo falecimento de minha mãe não cessa com seu funeral, não se cura com a lenta passagem dos meses. Acordo e sinto saudades dela todas as manhãs, tanto quanto na primeira após sua morte. Todo dia tenho de me lembrar de que não posso pedir a sua opinião ou discutir seu conselho ou rir de seu sarcasmo, ou procurar a orientação de sua magia. E a cada dia percebo que culpo cada vez mais George, duque de Clarence, pelo assassinato de meu pai e pelo de meu irmão. Creio que foi com a notícia dessas mortes, executadas sob as ordens de Warwick, que o coração amoroso de minha mãe se partiu, e se eles não tivessem sido mortos traiçoeiramente, ela também estaria viva hoje.

É verão, tempo para o prazer despreocupado, mas levo minha tristeza comigo nos piqueniques, nas viagens pela região rural, nas longas cavalgadas e noites sob a lua cheia. Eduardo torna meu filho Thomas conde de Huntingdon, e isso não me anima. Não falo de minha tristeza com ninguém, a não ser Anthony, que também perdeu a mãe. Quase nunca falamos dela. É como se não conseguíssemos falar dela morta e não pudéssemos mentir para nós mesmos dizendo que ela continua viva. Mas culpo George, duque de Clarence, pela tristeza de minha mãe e pela morte dela.

— Odeio George de Clarence mais do que nunca — digo a Anthony enquanto cavalgamos na estrada para Kent. Um banquete nos aguarda após uma semana viajando nas vias ladeadas de vegetação entre os pomares de maçãs. Meu coração deveria estar leve quando a corte está feliz. Mas a minha sensação de perda me acompanha, como um falcão pousado em meu pulso.

— Porque está com ciúmes — provoca meu irmão Anthony, uma das mãos nas rédeas de seu cavalo e a outra conduzindo meu filho, príncipe Eduardo, em seu pônei. — Tem ciúmes de todos que Eduardo ama. Tem ciúmes de mim, tem ciúmes de William Hastings, tem ciúmes de tudo que entretém o rei, que o faz ir a bordéis e voltar para casa embriagado, e que o diverte.

Dou de ombros, indiferente à provocação de Anthony. Há muito sei que o prazer do rei em beber com seus amigos e visitar outras mulheres faz parte de sua natureza. Passei a tolerar isso, especialmente porque ele nunca ficou muito longe de minha cama, e quando estamos juntos é como se tivéssemos casado em segredo naquela mesma manhã. Foi um soldado em campanha, longe de casa, com centenas de amantes à sua disposição. Esteve no exílio em cidades em que as mulheres correram para confortá-lo, e agora ele é o rei da Inglaterra, e toda mulher em Londres ficaria feliz em tê-lo — realmente acredito que metade delas o teve. Ele é o rei. Nunca achei que tinha me casado com um homem comum, de apetites moderados. Nunca esperei um casamento em que ele ficaria em silêncio aos meus pés. Ele é o rei: fatalmente fará como quiser.

— Não, está enganado. Frequentar prostitutas não me perturba. Ele é o rei, pode ter prazer onde quiser. E sou a rainha, ele sempre voltará para mim. Todo mundo sabe disso.

Anthony assente com a cabeça, cedendo.

— Mas não entendo por que concentra seu ódio em George. A família toda do rei é má. A mãe dele a odeia, e a todos nós, desde que aparecemos em Reading, e Ricardo se torna mais desajeitado e rude a cada dia. A paz não lhe assenta bem, isso está claro.

— Nada em nós lhe convém. Ele é tão diferente de seus dois irmãos quanto a água do vinho: pequeno, moreno, e sempre apreensivo quanto à sua saúde e posição, quanto à sua alma, sempre esperando uma fortuna e orando.

— Eduardo vive como se não existisse o amanhã, Ricardo vive como se não quisesse o amanhã, e George como se alguém devesse dá-lo a ele por nada em troca.

Rio.

— Bem, eu gostaria mais de Ricardo se ele fosse tão mau quanto vocês — observo. — E já que se casou, é ainda mais honrado. Sempre nos olhou com menosprezo, a nós, os Rivers, e agora olha George também com ares de superioridade. É essa santidade pomposa que não consigo suportar. Às vezes, ele me olha como se eu fosse uma espécie de...

— Uma espécie de...?

— De peixeira gorda.

— Bem, para ser franco, você não é mais jovem, e sob certos aspectos, entende...

Bato no seu joelho com meu chicote curto, ele ri e pisca o olho para meu filho Eduardo em seu pônei.

— Não gosto de como ele pôs todo o norte sob sua proteção. Eduardo o tornou excessivamente importante. Tornou-o príncipe em seu próprio principado. É um perigo para nós e para os nossos herdeiros. É o mesmo que dividir o reino.

— Ele tinha de recompensá-lo com alguma coisa. Ricardo sacrificou a vida por causa das aventuras de Eduardo inúmeras vezes. Conquistou o reino para o irmão mais velho. Ele tem de ter a sua parcela.

— Mas isso torna Ricardo quase um rei em seu próprio domínio — protesto. — Dá a ele o reino do norte.

— Ninguém duvida da lealdade dele, exceto você.

— Ele é leal a Eduardo e à sua casa, mas não gosta de mim nem da minha casa. Inveja tudo o que tenho e não admira a minha corte. E o que isso significa, levando em consideração os nossos filhos? Será leal a meu filho porque também é filho de Eduardo?

Anthony dá de ombros.

— Crescemos, sabe? Você nos alçou muito alto. Tem muita gente que acha que ascendemos mais do que merecemos, e graças a nada além de seus encantos na beira da estrada.

— Não gosto da maneira como Ricardo casou-se com Anne Neville.

Anthony ri.

— Ah, irmã, ninguém gostou de ver Ricardo, o rapaz mais rico da Inglaterra, se casar com a moça mais rica da Inglaterra, mas nunca pensei que você tomaria o partido de George, duque de Clarence!

Rio, contrafeita. O ultraje de George ao ter sua cunhada herdeira sequestrada de sua própria casa por seu próprio irmão entreteve nós todos durante a metade do ano.

— De qualquer maneira, foi seu marido que o obrigou — observa Anthony. — Se Ricardo quisesse se casar com Anne por amor, poderia ter feito isso, sendo recompensado pelo amor da jovem. Mas o rei resolveu declarar que a fortuna da mãe dela deveria ser dividida entre as duas filhas. Seu honrado marido cismou de declará-la legalmente morta, embora eu acredite que a velha senhora declare resolutamente que continua viva e exija o direito de pleitear as próprias terras. Foi seu marido que tirou toda a fortuna da pobre Warwick para dá-la às suas duas filhas, portanto, e tão convenientemente, a seus irmãos.

— Eu lhe disse para não fazer isso — replico, irritada. — Mas ele não me deu atenção alguma. Ele sempre favorece seus irmãos, e Ricardo muito mais do que George.

— Ele tem razão em preferir Ricardo, mas não devia ter infringido suas próprias leis em seu próprio reino — diz Anthony, com uma gravidade repentina. — Não é assim que se governa. É ilegal roubar uma viúva, e foi justamente o que ele fez. E é a viúva de um inimigo, que está no santuário de um convento. Ele deveria ser generoso com ela, piedoso. Se fosse um verdadeiro fidalgo e cavaleiro, deveria tê-la encorajado a deixar o convento e assumir suas terras, proteger suas filhas e refrear a ganância de seus irmãos.

— A lei é o que homens poderosos dizem ser — retruco, ainda irritada.

— E um santuário não é inviolável. Se não fosse um sonhador que estivesse com a cabeça em Camelot, já saberia disso. Esteve em Tewkesbury, não? Viu a santidade do solo sagrado quando arrastaram os lordes para fora da abadia e os apunhalaram no cemitério da igreja? Defendeu o santuário então? Pois soube que todos desembainharam suas espadas e abateram os homens que se rendiam com o cabo da espada estendido, não foi assim?

— Sou um sonhador — admite. — Não nego, mas já vi o bastante para conhecer o mundo. Talvez meu sonho seja o de um mundo melhor. Este reino York às vezes é demais para mim, sabe, Elizabeth? Não suporto o que Eduardo faz quando o vejo favorecer um homem e desprezar outro, sem nenhuma outra razão a não ser que isso o torna mais forte e seu reino, mais seguro. E você fez do trono o seu feudo: distribui favores e riquezas a seus favoritos, não àqueles que merecem. Vocês dois têm inimigos. O povo diz que só nos importamos com o nosso próprio sucesso. Quando vejo o que fazemos, agora que estamos no poder, às vezes me arrependo de lutar em defesa da rosa branca. Às vezes acho que Lancaster teria feito igual, ou pelo menos não teria sido pior.

— Então se esquece de Margarida de Anjou e de seu marido louco — replico rispidamente. — Minha mãe me disse no dia em que partimos de Reading que eu não poderia ser pior rainha do que Margarida de Anjou, e não fui.

Ele reconhece.

— Está bem. Você e seu marido não são piores do que um louco e uma harpia. Muito bem.

Fico surpresa com a sua gravidade.

— É assim que é o mundo, meu irmão — lembro-lhe. — Você também recebe meus favores e os do rei. Agora você é conde de Rivers, além de cunhado do rei, e tio do futuro rei.

— Achei que estávamos fazendo mais do que forrar nossos próprios bolsos — diz ele. — Achei que estávamos fazendo mais do que colocar no trono um rei e uma rainha que só são melhores do que a pior possibilidade. Sabe, às vezes eu gostaria de vestir um tabardo branco com uma cruz vermelha e lutar por Deus no deserto.

Penso na previsão de minha mãe, de que a espiritualidade de Anthony um dia triunfaria sobre sua mundanidade típica dos Rivers e ele me deixaria.

— Ah, não diga isso. Preciso de você. E quando meu filho Baby crescer e tiver seu próprio conselho privado, vai precisar de você. Não consigo imaginar ninguém melhor do que você para guiá-lo e instruí-lo. Nenhum cavaleiro na Inglaterra é mais erudito. Não há nenhum poeta neste país que possa lutar tão bem. Não diga que vai partir, Anthony. Sabe que tem de ficar. Não posso ser rainha sem você. Não posso ser eu sem você.

Ele faz uma mesura com seu sorriso irônico, pega minha mão e a beija.

— Não a deixarei enquanto precisar de mim — promete. — Nunca a deixarei, por vontade própria, enquanto precisar de mim. E certamente logo virão bons tempos.

Sorrio, mas ele faz as palavras otimistas parecerem um lamento.

Setembro de 1472

Eduardo me chama com um sinal depois do jantar, certa noite no Castelo de Windsor, e vou até ele sorrindo.

— O que quer, marido? Quer dançar comigo?

— Quero. E depois vou beber como nunca.

— Alguma razão especial?

— Nenhuma. Só por prazer. Mas antes disso tudo, tenho algo a lhe pedir. Pode aceitar mais uma dama de honra em seus aposentos?

— Tem alguém em mente? — Fico instantaneamente alerta ao perigo de Eduardo ter um novo flerte e querer se aproveitar de sua posição, achando que torná-la minha dama será mais conveniente para sua sedução. Isso deve estar estampado em meu rosto, pois ele dá uma risada e diz:

— Não fique tão furiosa. Eu não impingiria minhas prostitutas a você. Posso abrigá-las eu mesmo. Não, é uma dama de família irrepreensível. Ninguém além de Margaret Beaufort, a última lancastriana.

— Quer que ela me sirva? — pergunto, incrédula. — Quer que ela seja uma de minhas damas?

Ele balança a cabeça, confirmando.

— Tenho um motivo. Lembra-se de que ela se casou recentemente com lorde Thomas Stanley? — Respondo que sim com um movimento da cabeça. — Ele declarou-se nosso amigo, jurou nos apoiar, e seu exército ficou de prontidão e nos salvou na batalha de Blore Heath, embora ele tivesse jurado lealdade a Margarida de Anjou. Com a sua fortuna e influência no país, preciso mantê-lo do nosso lado. Ele obteve a nossa permissão para se casar com ela e agora procura introduzi-la na corte. Achei que poderíamos lhe dar uma posição. Devo tê-lo em meu conselho.

— Ela não é enfadonhamente religiosa? — pergunto inutilmente.

— Ela é uma dama. Adaptará o comportamento ao seu — replica ele com serenidade. — E preciso ter seu marido perto de mim, Elizabeth. É um aliado que será importante agora e no futuro.

— Você me pede com tanta doçura, como eu poderia dizer não? — Sorrio para ele. — Mas não me culpe se ela for maçante.

— Não a verei, nem qualquer outra mulher, se você estiver na minha frente — sussurra. — Portanto, não se preocupe com o modo como ela se comporta. E em pouco tempo, quando ela pedir para seu filho Henrique Tudor voltar para casa, eu permitirei, contanto que ela seja leal a nós e ele seja persuadido a esquecer seus sonhos de ser o herdeiro lancastriano. Os dois virão para a corte e nos servirão, e todos esquecerão que um dia existiu essa tal Casa de Lancaster. Nós o casaremos com uma bela moça da Casa de York, que você poderá escolher, e a Casa de Lancaster deixará de existir.

— Vou convidá-la — prometo.

— Então diga aos músicos para tocarem algo alegre e dançarei com você.

Viro-me e faço sinal com a cabeça para os músicos, que conferenciam por um instante e começam a tocar uma música moderna, vinda direto da corte borgonhesa. Lá, a irmã de Eduardo, Margarida, continua a tradição York de diversão e de alta-costura. A dança é até mesmo chamada de a "giga da duquesa Margarida", e Eduardo me conduz pelo salão e me gira em passos rápidos, até todos estarem rindo e batendo palmas em um círculo ao nosso redor, antes de começarem também eles a dançar.

A música termina e rodopio para um canto mais tranquilo, onde Anthony, meu irmão, me oferece um copo de cerveja. Bebo com avidez.

— Então, ainda pareço uma peixeira gorda? — pergunto.

— Ah, isso doeu, não? — Dá um sorriso amplo. Põe os braços à minha volta e me abraça delicadamente. — Não, parece a beldade que é, e sabe disso. Você tem esse dom, que a nossa mãe tinha, de ficar ainda mais adorável à medida que envelhece. Seus traços mudaram, deixaram de ser os de uma menina bonita para tornarem-se os de uma bela mulher com o rosto parecido com o de uma escultura. Quando estava rindo e dançando com Eduardo, parecia ter 20 anos, mas quando fica quieta e pensativa, é tão adorável quanto as estátuas que estão esculpindo na Itália. Não me admira que as mulheres a detestem.

— Contanto que os homens não me odeiem. — Sorrio.

Janeiro de 1473

Nos dias frios de janeiro, Eduardo vem aos meus aposentos, onde estou sentada diante do fogo, com um banquinho para apoiar os pés. Ao me ver extraordinariamente ociosa, ele para à porta e balança a cabeça para os homens atrás dele e para as minhas damas.

— Deixem-nos a sós — diz. Elas saem com certo alvoroço, a re-cém-chegada Lady Margaret Stanley entre elas. As mulheres sempre ficam agitadas quando Eduardo está por perto, até mesmo a santa Margaret Stanley.

Fecham a porta atrás delas.

— Lady Margaret? É divertida e boa companhia para você?

— Está indo bem — replico, sorrindo para ele. — Ela sabe e eu sei que passou no barco dos Tudor por minha janela quando eu estava no santuário, e então desfrutou seu momento de triunfo. Também sabemos que agora eu tenho as melhores cartas do jogo. Não nos esquecemos disso. Não somos homens para bater nas costas um do outro e dizer "Sem ressentimentos" depois de uma batalha. Mas também sabemos que o mundo mudou e que temos de mudar com ele, e ela nunca diz uma palavra para sugerir que deseja que seu filho seja reconhecido herdeiro lancastriano do trono, assim como Baby é o herdeiro yorkista.

— Vim para falar sobre Baby — diz o rei. — Mas vejo que você é quem tem algo a me dizer.

Arregalo os olhos e sorrio para ele.

— Ah? Sobre o quê?

Ele dá uma risada, puxa uma almofada da cadeira de espaldar alto e a deixa cair no chão para se sentar do meu lado. As ervas espalhadas no piso sob sua almofada exalam o perfume de menta aquática.

— Acha que sou cego? Ou apenas idiota?

— Nenhum dos dois, milorde — replico com coquetismo. — Deveria achar isso?

— Em todo esse tempo que a conheço, sempre se sentou como sua mãe lhe ensinou. Ereta, os pés juntos, as mãos no colo ou nos braços da cadeira. Não foi assim que ela lhe ensinou a se sentar? Como uma rainha? Como se soubesse o tempo todo que você teria um trono?

Sorrio.

— Provavelmente ela sabia.

— E agora a encontro ociosa à tarde, os pés sobre um banquinho. — Ele inclina-se para trás e ergue a bainha de meu vestido, de modo que possa ver meus pés. — E sem sapatos! Estou chocado. Está claramente se tornando uma mulher desleixada. Minha corte real está sendo governada por uma desmazelada, exatamente como minha mãe me avisou.

— E então? — pergunto impassível.

— Então sei que está grávida. A única vez que se senta com os pés para cima é quando está grávida. E foi por isso que perguntei se acha que sou cego ou idiota.

— Acho que você é fértil como um touro no pasto, se quer saber o que penso! — exclamo. — Ano sim, ano não tenho um filho seu.

— Todas as outras também — diz ele, impenitente. — Não se esqueça delas. Então, para quando é esse bebê precioso?

— Para o verão. E tem mais...

— Sim?

Puxo sua cabeça loura para mim e sussurro no seu ouvido.

— Acho que vai ser menino.

A cabeça dele se ergue abruptamente e sua expressão é de alegria.

— Mesmo? Tem sinais?

— Coisas de mulher — respondo, pensando em minha mãe com sua cabeça inclinada, como se estivesse escutando o som dos pezinhos de um menino em botas de montar retinindo pelo paraíso. — Mas acho que sim. Espero que sim.

— Um menino York nascido em tempo de paz — diz ele, enternecido. — Ah, minha querida, você é uma boa esposa. É a minha beldade. Meu único amor.

— E todas as outras?

Ele descarta todas as amantes e os bebês delas com um gesto da mão.

— Esqueça-as. Eu as esqueço. A única mulher no mundo para mim é você. Hoje e sempre.

Ele me beija com delicadeza, reprimindo sua excitação usual. Só seremos amantes de novo depois do nascimento do bebê, depois que eu for levada à igreja.

— Minha querida — murmura.

Ficamos em silêncio por um tempo, observando o fogo.

— Mas por que veio me ver? — pergunto.

— Ah, sim. Não vai fazer diferença, acho. Quero mandar Eduardo iniciar sua pequena monarquia no País de Gales. No Castelo de Ludlow.

Balanço a cabeça, entendendo. É como deve ser. É o que significa ter um príncipe e não uma menina. Minha querida filha mais velha, Elizabeth, pode ficar comigo até se casar, mas meu filho tem de partir e fazer o seu aprendizado como rei. Tem de ir para o País de Gales, pois é príncipe de Gales, e terá de governá-lo com seu próprio conselho.

— Mas ele ainda não completou 3 anos — digo, em tom queixoso.

— É idade suficiente — replica meu marido. — E você viajará para Ludlow com ele, se se sentir forte o suficiente, e dará as ordens segundo a sua vontade, se certificando de que ele tenha os companheiros e tutores que você escolher. Eu a designarei para o seu conselho, e poderá escolher os outros membros. Você o orientará e determinará seus estudos e sua vida até ele completar 14 anos.

Puxo o rosto de Eduardo e o beijo na boca.

— Obrigada — digo. Ele está deixando meu filho sob minha guarda quando a maioria dos reis diz que um menino tem de viver somente com homens, longe dos conselhos das mulheres. Mas Eduardo me torna a guardiã de meu filho, honra meu amor por ele, respeita meu julgamento. Posso suportar a separação de meu filho se for designada para o seu conselho, pois isso significa que o visitarei com frequência e que a sua vida continuará sob a minha proteção.

— E ele poderá vir para casa nos dias de festas e feriados religiosos — diz Eduardo. — Vou sentir falta dele também, você sabe. Mas ele terá de estar em seu principado. Tem de ser instruído a governar. Gales tem de conhecer seu príncipe e aprender a amá-lo. E Eduardo tem de conhecer sua terra desde a infância, e assim manteremos a lealdade dos galeses.

— Eu sei — concordo — Eu sei.

— E Gales sempre foi leal aos Tudor — acrescenta ele, quase como uma observação. — E quero que o povo os esqueça.

~

Reflito cuidadosamente sobre quem se incumbirá da educação de meu filho em Gales, quem liderará seu conselho e governará o principado até sua maioridade, e tomo a mesma decisão que teria tomado se escolhesse o primeiro nome que me ocorreu, sem pensar. É claro. A quem mais eu confiaria o bem mais precioso do mundo?

Vou aos aposentos do meu irmão Anthony, que dão para os jardins privados. Sua porta é guardada por um criado, que a abre e me anuncia com um sussurro respeitoso. Atravesso sua câmara de audiência, bato na porta de seus aposentados privados e entro.

Ele está sentado à mesa diante do fogo, um copo de vinho na mão, uma dúzia de penas afiadas na sua frente, folhas de papel valioso repletas de linhas cruzadas. Está escrevendo, como faz quase todas as tardes quando a escuridão precoce do inverno atrai todo mundo para dentro de casa. Ele escreve diariamente agora e não mais divulga seus poemas na justa: são importantes demais para ele.

Anthony sorri e põe uma cadeira perto do fogo para mim. Coloca um banquinho sob meus pés sem fazer nenhum comentário. Deve ter adivinhado que estou grávida. Ele tem os olhos e as palavras de um poeta. Não sente falta de muita coisa.

— É uma honra — diz com um sorriso. — Tem uma ordem a me dar, Vossa Graça, ou é uma visita particular?

— É um pedido — respondo. — Eduardo vai mandar Baby para Gales para iniciar sua corte, e quero que vá com ele como seu principal conselheiro.

— Eduardo não vai mandar Hastings? — pergunta.

— Não, cabe a mim designar o conselho de Baby. Anthony, há muito o que ganhar com Gales. É preciso uma mão forte, e gostaria que ficasse sob o comando da nossa família. Não pode ser Hastings nem Ricardo. Não gosto de Hastings e nunca vou gostar, e Ricardo tem as terras dos Neville no norte. Não podemos deixá-lo ter também o oeste.

Anthony dá de ombros.

— Temos riqueza e influência o bastante, não?

— Nunca se tem o suficiente — declaro o óbvio. — De qualquer maneira, o mais importante é que quero que você tenha a guarda de Baby.

— É melhor parar de chamá-lo de Baby se ele vai ser príncipe de Gales, com sua própria corte — lembra meu irmão. — Ele vai ser um homem, comandar, ter sua própria corte, seu próprio país. Em breve você procurará uma princesa com quem casá-lo.

Sorrio para as chamas.

— Eu sei, eu sei. Já estamos pensando nisso. Não consigo acreditar. Chamo-o de Baby porque gosto de lembrar como ele era em suas camisolinhas, mas agora tem seus calções e seu próprio pônei, e cresce a cada dia. Troco suas botas de montar de três em três meses.

— É um belo menino — diz Anthony. — E embora se pareça com o pai, às vezes vejo nele o avô. Dá para ver que é um Woodville, um dos nossos.

— Não tenho ninguém a não ser você para ser seu guardião — digo. — Ele deve ser criado como um Rivers em uma corte Rivers. Hastings é um grosseirão, e eu não confiaria nem o meu gato de estimação aos cuidados de um dos irmãos de Eduardo. George só pensa em si mesmo, e Ricardo é jovem demais. Quero que o meu príncipe Eduardo aprenda com você, Anthony. Não iria querer que ninguém mais o influenciasse, certo?

— Eu não deixaria que fosse criado por nenhum deles. Não pensei que o rei o enviasse a Gales tão cedo.

— Na primavera. Não sei como vou suportar vê-lo partir.

Anthony faz uma pausa.

— Não poderei levar minha esposa, caso tenha pensado que ela poderia ser Lady de Ludlow. Não está forte o bastante, piorou demais neste ano, enfraqueceu muito.

— Eu sei. Se ela quiser viver na corte, providenciarei para que seja bem-cuidada. Mas você não deixaria de ir por causa dela, deixaria?

Ele balança a cabeça.

— Que Deus a abençoe, não.

— Então, vai?

— Vou, e poderá nos visitar — diz Anthony pomposamente. — Na nossa nova corte. Onde vai ser? Ludlow?

— Vai poder aprender galês e se tornar um bardo.

— Bem, prometo educar o menino como você e a nossa família gostariam — diz ele. — Posso fazer com que se dedique aos estudos e aos esportes. Posso lhe ensinar o necessário para ser um bom rei York. É importante criar um rei. É um legado a deixar: instruir o menino que será rei.

— O bastante para sacrificar sua peregrinação por mais um ano? — pergunto.

— Sabe que nunca recusarei nada a você. E a sua palavra é a ordem do rei, e ninguém pode recusá-la. Na verdade, eu não recusaria servir ao jovem príncipe Eduardo: é muito importante ser o guardião de um menino desses. Ficarei orgulhoso de ter feito o próximo rei da Inglaterra. E ficarei feliz em estar na corte do príncipe de Gales.

— Vou ter de passar a chamá-lo sempre assim? Não será mais Baby?

— Não, não será. Vai ter de chamá-lo assim.

Primavera de 1473

O jovem Eduardo, príncipe de Gales, seu tio, o conde de Rivers, meu filho Richard Grey, agora Sir Richard por ordem de seu padrasto, o rei, e eu fazemos uma grande viagem para Gales, de modo que o pequeno príncipe possa ver seu país e ser visto pelo máximo de pessoas possível. Seu pai diz que é assim que tornamos o nosso governo seguro: nos mostramos ao povo e, ao exibir a nossa riqueza, a nossa fertilidade e a nossa elegância, fazemos com que se sintam seguros em sua monarquia.

Seguimos devagar. Eduardo é forte, mas ainda não tem 3 anos, e cavalgar o dia inteiro é cansativo demais para ele. Ordeno que descanse toda a tarde, e que vá cedo para a cama em meus aposentos. Fico feliz com o ritmo lento também por mim. Cavalgo na sela feminina, de modo que posso me sentar de lado, uma vez que minha barriga começa novamente a se revelar. Alcançamos a bonita cidade de Ludlow sem incidentes, e decido ficar em Gales com meu filho por meio ano, até ter certeza de que a casa está organizada para o seu conforto e segurança e de que ele está bem instalado e feliz.

Ele é só deleite, não demonstra nenhuma tristeza. Sente falta da companhia de suas irmãs, mas gosta de ser o pequeno príncipe em sua própria corte e da companhia de seu meio-irmão, Richard, e de seu tio. Começa

227

a conhecer a terra ao redor do castelo, os vales profundos e as belas montanhas. Ele tem por perto os criados que o acompanham desde que era bebê. Encontra novos amigos nas crianças da corte, que foram levadas para aprender e brincar com ele, e tem o cuidado vigilante de meu irmão. Sou eu que não durmo na semana anterior à minha partida. Anthony está tranquilo, Richard está feliz e Baby está alegre em sua nova casa.

Evidentemente, é insuportável ter de deixá-lo, pois não temos sido uma família real comum. Não levamos uma vida de formalidades e distância. Esse menino nasceu em um santuário sob a ameaça de morte. Dormiu na minha cama durante os primeiros meses de vida — fato inaudito para um príncipe real. Não teve ama de leite, eu mesma o amamentei, e foram os meus dedos que as mãozinhas dele seguraram quando aprendeu a andar. Nem ele nem meus outros filhos foram enviados para longe para serem criados por amas em uma ala real infantil em outro palácio. Eduardo manteve seus filhos perto, e esse, seu filho homem mais velho, é o primeiro a nos deixar para assumir suas obrigações reais. Eu o amo com paixão: é o meu menino de ouro, o menino que veio, finalmente, para firmar a minha posição como rainha e dar a seu pai, então nada mais que um pretendente York, um trono sólido. Ele é o meu príncipe, é a coroa do nosso casamento, é o nosso futuro.

Eduardo vem passar comigo meu último mês em Ludlow, em junho, e traz a notícia do falecimento da esposa de Anthony, Lady Elizabeth, que esteve doente por anos, vítima de uma enfermidade que a consumia. Anthony ordena a celebração de missas por sua alma e eu, envergonhada, começo a imaginar secretamente quem poderá ser a próxima esposa de meu irmão.

— Há muito tempo para isso — diz Eduardo. — Mas Anthony vai ter de desempenhar seu papel para a segurança do reino. Talvez tenha de se casar com uma princesa francesa. Preciso de aliados.

— Mas ele não vai partir, vai? — pergunto. — E deixar Eduardo?

— Não. Vou providenciar para que Ludlow lhe pertença. E Eduardo vai precisar dele quando formos embora. Temos de partir logo. Dei ordens de que retornaríamos em um mês.

Sobressalto-me, mas na verdade sei que esse dia chegaria.

— Voltaremos para vê-lo — promete o rei. — E ele irá nos ver. Não é nada tão trágico, meu amor. Ele está começando seu trabalho como príncipe da Casa de York: esse é seu futuro. Deve ficar feliz por ele.

— Estou feliz — replico, sem nenhuma convicção.

Quando chega a hora de partir, tenho de beliscar minhas bochechas para corá-las e morder minha boca para reprimir o choro. Anthony sabe o quanto me custa deixar os três, mas Baby está feliz, confiante de que logo visitará a corte em Londres, desfrutando de sua nova liberdade e da importância de ser o príncipe em seu próprio país. Deixa que o beije e o abrace. Até mesmo murmura no meu ouvido: "Amo você, mamãe", depois se ajoelha para que eu o abençoe. Mas logo se levanta sorrindo.

Anthony me ergue para a sela atrás de meu mestre das cavalariças, e seguro firme em seu cinto. Estou desajeitada agora, no sétimo mês de gravidez. Uma súbita onda de apreensão sinistra toma conta de mim e meu olhar vai de meu irmão para os meus dois filhos. Sinto um medo real.

— Cuide-se — digo a Baby. — Cuide dele — digo a Anthony. — Escreva. Não deixe que salte com o pônei. Sei que é o que ele quer, mas é pequeno demais. E não deixe que se resfrie. Não deixe que leia com iluminação fraca, e o mantenha longe de qualquer um que esteja doente. Se houver praga na cidade, leve-o embora daqui imediatamente. — Não consigo pensar em mais nada contra o que alertá-los. Sou simplesmente invadida pela apreensão enquanto olho de um rosto para outro. — Verdade — digo com a voz fraca. — É sério, Anthony, proteja-o.

Ele se aproxima do cavalo, pega na ponta de minha bota e a sacode delicadamente.

— Vossa Graça — replica ele simplesmente. — Verdade. Estou aqui para protegê-lo. Eu o protegerei. Eu o manterei a salvo.

— E você — sussurro —, mantenha-se a salvo também. Anthony, sinto tanto medo, mas não sei o que devo temer. Não sei o que dizer. Quero alertá-lo, mas não sei qual seria o perigo. — Olho para meu filho Richard Grey, que está recostado no portão do castelo, um rapaz alto e belo. — E meu filho Grey — prossigo. — Meu Richard. Não consigo saber a razão, mas temo por vocês todos.

Ele recua.

— Minha irmã — diz Anthony com ternura —, sempre há perigo. Seus filhos e eu seremos homens e o enfrentaremos como homens. Não se assuste com ameaças imaginárias. E tenha uma viagem segura e um confinamento seguro. Estamos todos torcendo por mais um príncipe tão bom quanto esse!

Eduardo dá ordem de partir e nos guia, seu estandarte seguindo na frente, sua guarda ao redor. O cortejo real começa a se desenrolar como uma fita escarlate pelos portões do castelo, o vermelho vivo dos uniformes adornado com os estandartes que tremulam. Soam as trombetas, os pássaros nos telhados do castelo levantam voo e giram no céu, anunciando que o rei e a rainha estão deixando seu filho precioso. Não posso impedir o avanço da marcha, não devo impedi-lo. Mas olho para meu filho pequeno, meu filho crescido e meu irmão por cima do ombro até a estrada descer e o muro externo ocultá-los. E quando deixo de vê-los, sou tomada por tal escuridão que, por um momento, penso que a noite caiu e que nunca mais haverá amanhecer.

Julho de 1473

Paramos na cidade de Shrewsbury no caminho de volta a Londres, nos últimos dias de julho, para o meu confinamento nos aposentos para hóspedes da grande abadia. Fico feliz em sair da luz forte e do calor do verão para o frescor de um quarto com venezianas. Ordenei que pusessem uma fonte no canto dos meus aposentos com paredes de pedras, e o pingar constante da água me acalma enquanto fico deitada no sofá durante o dia, e espero a minha hora.

A cidade foi construída ao redor do poço sagrado de St. Winifred, e quando escuto a fonte gotejar e ouço as badaladas das horas para as orações, penso nos espíritos que se movem nas águas desta terra úmida, tanto os pagãos quanto os santos, em Melusina e Winifred, e em como as fontes, os riachos e os rios falam com todos os homens, talvez especialmente com as mulheres, que percebem em seu próprio corpo o movimento das águas da terra. Todo local sagrado na Inglaterra é um poço ou uma fonte; as pias batismais estão cheias de água benta, que retorna, abençoada, à terra. É um país para Melusina, e seu elemento está em toda parte, às vezes flutuando nos rios, às vezes oculto sob o solo, mas sempre presente.

231

As dores têm início em meados de agosto. Volto para a fonte e escuto o gotejamento como se procurasse a voz de minha mãe na água. O bebê nasce com facilidade, como achei que seria, e é um menino, como minha mãe previra.

Eduardo vem à câmara, embora os homens supostamente sejam banidos dos meus aposentos até eu ser levada à igreja.

— Eu tinha de vê-la — diz. — Um filho. Outro filho. Que Deus a abençoe e guarde vocês dois. Que Deus a abençoe, meu amor, e obrigado por suas dores me darem mais um menino.

— Achei que não se importasse que fosse menino ou menina — provoco.

— Amo minhas filhas — retruca ele no mesmo instante. — Mas a Casa de York precisava de mais um menino. Pode ser um companheiro de seu irmão Eduardo.

— Podemos dar-lhe o nome de Ricardo? — pergunto.

— Pensei em Henrique.

— Henrique fica para o próximo. Vamos chamá-lo de Ricardo. Minha mãe deu-lhe este nome.

Eduardo inclina-se sobre o berço onde o bebezinho está dormindo, e então compreende o que eu disse.

— Sua mãe? Ela sabia que seria um menino?

— Sim, sabia — replico sorrindo. — Ou, de qualquer maneira, fingiu saber. Lembra-se de minha mãe. Era sempre parte magia, parte contrassenso.

— E este é o nosso último filho? Ela disse? Ou acha que haverá outro?

— Por que não outro? — respondo preguiçosamente. — Se ainda me quiser na sua cama. Se não se encheu de mim. Se não se cansou de mim. Se não prefere suas outras mulheres.

Ele se aproxima. Suas mãos deslizam para trás de minhas omoplatas e ele me ergue até sua boca.

— Ah, eu ainda quero você — diz.

Primavera de 1476

Eu estava certa, não foi meu último confinamento. Meu marido continuou tão fértil como um touro, como eu o havia acusado de ser. No segundo ano depois do nascimento de Ricardo, engravidei de novo, e em novembro tive outro bebê, uma menina que chamamos de Anne. Eduardo me recompensa por meus partos nomeando meu filho, Thomas Grey, marquês de Dorset, e eu o caso com uma garota adorável, herdeira de uma grande fortuna. Eduardo esperava um menino e prometemos que o chamaríamos de George, como uma homenagem ao outro duque York. Desse modo, haveria mais uma vez três rapazes York chamados Eduardo, Ricardo e George, mas o duque não demonstra nenhum sinal de gratidão. Ele foi um menino mimado e ganancioso, e se tornou um homem frustrado, de mau gênio. Está agora na casa dos 20 anos, e sua boca em formato de botão curvou-se, assumindo uma expressão de desdém. Vangloriava-se de ser um dos filhos York, quando era um garoto esperançoso. Desde então foi candidato ao trono da Inglaterra como herdeiro escolhido de Warwick, mas logo depois foi substituído quando este favoreceu Lancaster. Quando Eduardo reconquistou o trono, George se tornou o primeiro na linha de sucessão ao trono, mas foi rebaixado a segundo com o nascimento de meu bebê, o príncipe Eduardo. A partir do nascimento do príncipe Ricardo,

George caiu para terceiro na sucessão ao trono da Inglaterra. Na verdade, toda vez que tenho um filho, o duque George se afasta mais um passo do trono e se afunda ainda mais na inveja. E como Eduardo é um renomado apaixonado pela esposa e eu sou renomadamente fértil, a ascensão de George ao trono tornou-se um acontecimento improvável, e ele é o duque da frustração.

Ricardo, o outro irmão York, não parece se preocupar com isso, mas se voltou contra nós depois que os York retornaram da França sem lutar em uma guerra, conquistando a paz. Meu marido, o rei, e todo homem e mulher de juízo na Inglaterra, regozija-se de termos conseguido a paz com a França, paz que pode durar anos, cujos termos estabelecem o pagamento de uma fortuna para não reivindicarmos nossas terras naquele país. Todo mundo está exultante por escapar de uma guerra estrangeira cara e penosa, exceto o duque Ricardo, o garoto criado em um campo de batalha e que agora cita os direitos dos ingleses sobre nossas terras na França, aferra-se à memória de seu pai, que passou grande parte da vida combatendo os franceses, e que praticamente chama seu irmão, o rei, de covarde preguiçoso por não liderar mais uma expedição dispendiosa e perigosa.

Eduardo dá aquela sua risada bem-humorada e deixa o insulto passar, mas Ricardo parte furioso para as suas terras no norte, levando sua esposa obediente, Anne Neville. Lá ele se estabelece como um príncipe, recusando-se a vir para o sul, acreditando-se o único verdadeiro York da Inglaterra, o único verdadeiro herdeiro de seu pai em sua hostilidade com a França.

Nada perturba Eduardo, e ele sorri quando me procura na cocheira, onde estou examinando uma nova égua, presente do rei da França para assinalar a nova amizade entre os dois países. É um belo animal, mas nervoso com o novo ambiente, e nem mesmo se aproxima de mim, embora eu tenha uma maçã tentadora na mão.

— Seu irmão me procurou hoje para pedir permissão para partir em peregrinação e deixar Eduardo aos cuidados de seu meio-irmão Sir Richard por pouco tempo.

Saio do estábulo e fecho a portinhola com cuidado atrás de mim, para manter a égua segura lá dentro.

— Por quê? Aonde ele quer ir?

— Quer ir a Roma. Disse-me que quer passar um tempo longe do mundo. — Ele me dá um sorriso malicioso. — Parece que Ludlow lhe despertou uma propensão à solidão. Ele quer ser um santo. Disse-me que quer encontrar o poeta em si mesmo, que deseja o silêncio e a estrada deserta. Quer encontrar a quietude e a sabedoria.

— Ah, bobagem — digo, com um escárnio de irmã. — Ele sempre teve essa ideia de partir. Planeja ir a Jerusalém desde que era menino. Adora uma viagem e acha que os gregos e os muçulmanos sabem tudo. Pode querer ir, mas sua vida e seu trabalho estão aqui. Simplesmente responda que não e o mantenha em Ludlow.

Eduardo hesita.

— Ele tem grande desejo de fazer isso, Elizabeth, e é um dos maiores cavaleiros do mundo cristão. Não creio que alguém seja capaz de derrotá-lo na justa quando é seu dia. E sua poesia é tão boa quanto a escrita por qualquer poeta. Sua erudição e seu conhecimento são muito amplos, e seu domínio de idiomas é maior do que o de qualquer outro na Inglaterra. Ele não é um homem comum. Talvez seja o seu destino ir para longe e aprender mais. Ele nos serviu bem, ninguém nos serviu melhor, e se Deus o chamou para viajar, talvez devamos deixá-lo ir.

A égua vem e põe a cabeça por cima da portinhola para farejar meu ombro. Fico imóvel, para não assustá-la. Seu hálito quente cheirando a aveia sopra no meu pescoço.

— Está muito sensível aos talentos de Anthony — digo, desconfiada. — Por que passou a admirá-lo tanto assim de repente?

Ele dá de ombros, e diante desse pequeno gesto, como mulher, percebo tudo. Dou um passo atrás e pego suas mãos, de modo que não possa escapar do meu escrutínio.

— Então quem é ela?

— O quê? Do que está falando?

— A nova mulher. A nova prostituta. A que gosta da poesia de Anthony — falo com sarcasmo. — Você nunca a leu. Nunca teve uma opinião tão elevada sobre a erudição e o destino dele. Portanto, alguém tem lido para você. Meu palpite é que *ela* a tem lido para você. E se meu palpite se confirmar, ela conhece a poesia de meu irmão porque ele a leu para ela. E provavelmente Hastings também a conhece, e todos vocês a acham definitivamente adorável. Mas você vai para a cama com ela, e os outros ficarão farejando por perto, como cães. Você tem uma nova e agradável prostituta, e isso eu entendo. Mas se acha que vai partilhar suas opiniões estúpidas comigo, então ela terá de ir embora.

Ele desvia o olhar de mim para as suas botas, para o céu, para a nova égua.

— Qual é o nome dela? — pergunto. — Pode me dizer isso, pelo menos.

Ele me puxa para si e me envolve com seus braços.

— Não fique com raiva, meu amor — sussurra em meu ouvido. — Sabe que só existe você. Sempre só existiu você.

— Eu e umas vinte outras — replico irritada, mas não me afasto dele. — Passam por seu quarto como uma procissão.

— Não — diz ele. — Verdade. Só existe você. Tenho umas vinte prostitutas, talvez centenas. Mas somente uma única esposa. Isso é algo, não é?

— Suas prostitutas têm idade para serem minhas filhas — observo contrariada. — E você sai pela cidade atrás delas. Os mercadores se queixam para mim que suas mulheres e filhas não estão a salvo de você.

— Não — replica meu marido, com a vaidade de um homem bonito. — Não estão. Espero que nenhuma mulher resista a mim. Mas nunca possuí ninguém à força, Elizabeth. A única que já resistiu a mim foi você. Lembra-se de ter empunhado um punhal contra mim?

Rio contra a vontade.

— É claro que sim. E de você jurar que me daria a bainha, mas que seria o último presente que me ofereceria.

— Não existe ninguém igual a você. — Beija minhas sobrancelhas, depois minhas pálpebras e, então, meus lábios. — Só existe você. Ninguém a não ser a minha esposa tem o meu coração em suas belas mãos.

— Então, qual é o nome dela? — pergunto, enquanto me beija para me acalmar. — Qual é o nome da nova prostituta?

— Elizabeth Shore — responde, seus lábios no meu pescoço. — Mas isso não tem importância.

∽

Anthony vem aos meus aposentos assim que chega à corte, vindo de Gales, e o recebo imediatamente com uma recusa absoluta a deixá-lo ir embora.

— Não, querida, é sério — diz. — Tem de me deixar ir. Não vou a Jerusalém, não este ano, mas quero viajar para Roma e confessar meus pecados. Quero ficar longe da corte por algum tempo e pensar sobre o que é importante ou não no cotidiano. Quero ir de um mosteiro a outro, me levantar ao amanhecer para rezar e, onde não houver uma casa religiosa para eu passar a noite, quero dormir sob as estrelas e buscar Deus no silêncio.

— Não vai sentir saudades de mim? — pergunto, de maneira pueril. — Não vai sentir saudades de Baby? Das meninas?

— Sim, e é por isso que nem mesmo considero essa viagem uma cruzada. Não suportaria ficar longe por meses. Mas Eduardo está instalado em Ludlow com seus companheiros de brincadeiras e seus tutores, e o jovem Richard Grey é uma boa companhia e modelo para ele. Ficará em segurança se eu o deixar por pouco tempo. Sinto um desejo forte de viajar por estradas desertas, e tenho de realizá-lo.

— Você é filho de Melusina — digo, tentando sorrir. — Parece-se com ela quando precisa ter a liberdade de entrar na água.

— Sim — concorda. — Pense em mim como alguém que nada para longe mas que depois é trazido de volta pela correnteza.

— Está realmente decidido?

Ele assente com a cabeça.

— Preciso do silêncio para ouvir a voz de Deus. E do silêncio para escrever meus poemas, e para mim mesmo.

— Mas vai voltar?

— Em alguns meses — promete.

Estendo minhas mãos e ele as beija.

— Tem de voltar — digo.

— Voltarei. Dei minha palavra de que somente a morte me tirará de você e dos seus.

Julho de 1476

Anthony cumpre sua palavra e retorna da viagem a Roma a tempo de nos encontrar em Fotheringhay, em julho. Ricardo planejou e organizou um novo sepultamento solene de seu pai e de seu irmão Edmundo, mortos em combate e alvos de escárnio, enterrados sem nenhum funeral. A Casa de York se reúne para a cerimônia em memória dos dois, e fico feliz por Anthony chegar a tempo de trazer o príncipe Eduardo para homenagear o avô.

Anthony está moreno como um mouro e cheio de histórias. Escapamos para dar uma volta a sós nos jardins de Fotheringhay. Foi roubado na estrada, achou que nunca escaparia com vida. Passou uma noite ao lado de uma fonte em uma floresta e não conseguiu dormir, certo de que Melusina se ergueria das águas.

— E o que eu lhe diria? — pergunta ele, melancolicamente. — Como seria desconcertante para nós todos se eu me apaixonasse por minha bisavó.

Encontrou-se com o Santo Padre, jejuou por uma semana e teve uma visão, e agora está determinado a partir de novo um dia, mas dessa vez para muito longe. Quer conduzir uma peregrinação a Jerusalém.

— Quando Eduardo for homem feito e assumir sua posição, aos 16 anos, partirei — diz ele.

Sorrio.

— Está bem — concordo com tranquilidade. — Faltam muitos anos. Dez anos.

— Agora parece muito tempo — alerta Anthony. — Mas os anos passam rápido.

— É esta a sabedoria que adquiriu com a peregrinação? — Rio dele.

— É. Antes que perceba, ele será um jovem mais alto do que você, e teremos de refletir sobre o tipo de rei que fizemos. Ele será Eduardo V, herdará o trono pacificamente, se Deus quiser, e dará continuidade à real Casa de York sem contestação.

Sem saber o motivo, estremeço.

— O que foi?

— Nada, não sei. Um calafrio, nada mais. Sei que ele será um rei maravilhoso. É um autêntico York e um verdadeiro filho da Casa de Rivers. Não poderia haver começo melhor para um menino.

Dezembro de 1476

Chega o Natal e meu querido filho, o príncipe Eduardo, vem passá-lo conosco em Westminster. Todos se admiram com o quanto ele cresceu. Vai completar 7 anos no ano que vem, e é um menino louro bonito, que mantém o porte ereto. Tem rapidez de raciocínio, uma educação que é toda de Anthony e a promessa de beleza e encanto que é toda do pai.

Anthony traz meus dois filhos, Richard Grey e o príncipe Eduardo, para receberem minha bênção, depois os libera para verem os irmãos e as irmãs.

— Sinto saudades de vocês três. Muitas saudades — digo.

— E eu de você — retruca meu irmão, sorrindo. — Você parece bem, Elizabeth.

Faço uma careta.

— Para uma mulher que sente enjoo toda manhã.

Ele se mostra encantado.

— Está esperando bebê de novo?

— De novo, e considerando-se o enjoo, todos acham que será um menino.

— Eduardo deve estar vibrando de alegria.

— Suponho que sim. E demonstra seu contentamento flertando com todas as mulheres num raio de 100 quilômetros.

Anthony ri.

— Esse é Eduardo.

Meu irmão está feliz. Percebo isso de imediato pela descontração de seus ombros e pelo relaxamento das linhas ao redor dos olhos.

— E você? Continua a gostar de Ludlow?

— O jovem Eduardo, Richard e eu temos o que queremos na hora em que queremos — replica ele. — Somos uma corte devotada ao estudo, às regras da cavalaria, ao combate em torneios e à caça. É a vida perfeita para nós três.

— Eduardo estuda?

— Como relatei a você. É um menino inteligente e reflexivo.

— E não deixa que se arrisque caçando?

Ele dá um sorriso amplo.

— É claro que deixo! Queria que eu criasse um covarde para o trono de Eduardo? Ele tem de testar a sua coragem no campo de caça e na arena da justa. Tem de conhecer o medo e enfrentá-lo, ir ao seu encontro. Tem de ser um rei valente, não um medroso. Eu serviria muito mal a você e ao rei se o desviasse de qualquer perigo e lhe ensinasse a temê-lo.

— Sei, sei — digo. — Mas é que ele é tão precioso...

— Somos todos preciosos — interrompe Anthony. — E todos temos de viver riscos. Estou lhe ensinando a montar qualquer cavalo na cavalariça e a enfrentar uma luta sem hesitação. Isso o conservará mais em segurança do que tentar mantê-lo em cavalos seguros, longe da arena de combates. Agora, coisas mais importantes. O que vai me dar de Natal? E se o bebê for menino, você vai lhe dar o meu nome?

~

A corte se prepara para a celebração do Natal com sua extravagância de sempre, e Eduardo encomenda roupas novas para todos os seus filhos e para nós como parte do aparato que o mundo espera da bela família real da Inglaterra. Diariamente, passo certo tempo com o pequeno príncipe

Eduardo. Gosto de estar do seu lado quando adormece, de ouvi-lo rezar quando vai se deitar, e todos os dias o chamo ao meu quarto para o café da manhã. Ele é um menino sério, pensativo, e se oferece para ler para mim latim, grego ou francês, até eu ser obrigada a confessar que sua erudição ultrapassa de longe a minha.

Ele é paciente com seu irmãozinho Ricardo, que o idolatra, seguindo-o por toda parte com passos determinados, e é carinhoso com o bebê Anne, debruçando-se no berço, maravilhado com suas mãozinhas. Todo dia compomos uma peça ou uma mascarada, todo dia vamos caçar, todo dia temos um suntuoso jantar cerimonial, dança e entretenimento. O povo diz que os York têm uma corte encantadora, levam uma vida encantadora, e não posso negar.

Somente uma coisa lança uma sombra nos dias que antecedem o Natal: George, o duque da frustração.

— Acho realmente que seu irmão está ficando cada vez mais esquisito — queixo-me a Eduardo quando ele vem aos meus aposentos no Palácio de Whitehall para me acompanhar ao jantar.

— Qual deles? — pergunta indolentemente. — Pois, como sabe, nada do que eu faço é certo para nenhum dos dois. Deveriam estar alegres por ter um York no trono e paz no mundo cristão, e uma das celebrações do Natal mais belas que já tivemos. Mas não. Ricardo vai voltar para o norte assim que a celebração terminar, para demonstrar seu ultraje por não estarmos combatendo os franceses, e George está simplesmente mal-humorado.

— É o mau humor de George que está me incomodando.

— Por quê? O que ele fez agora?

— Disse a seu criado que não comerá nada enviado por nossa mesa. Disse-lhe que só comerá privadamente, em seu próprio quarto, depois que nós todos tivermos jantado. Quando lhe enviarmos um prato, como um gesto de cortesia, para que o experimente, ele o recusará. Soube que planeja mandar devolvê-lo a nós como um insulto. Vai se sentar à mesa com um prato vazio diante dele. Tampouco vai beber. Eduardo, tem de falar com ele.

— Se ele recusar a bebida, será mais do que um insulto, vai ser um milagre! — Eduardo sorri. — George não consegue recusar um copo de vinho nem que lhe seja oferecido pelo diabo em pessoa!

— Não vai ser nada engraçado se ele usar a nossa mesa de jantar para nos insultar.

— Sim, eu sei. Falei com ele. — Vira-se para a comitiva de lordes e ladies que se alinhavam atrás de nós. — Deem-nos um momento — diz ele, e me leva a uma janela, onde pode falar sem ser ouvido. — Na verdade, é pior do que imagina, Elizabeth. Acho que ele anda espalhando boatos contra nós.

— Dizendo o quê? — pergunto. O ressentimento de George em relação a seu irmão mais velho não se satisfez com sua rebelião fracassada e o perdão. Esperei que ele se tornasse mais ajuizado ao ser um dos dois duques mais importantes da Inglaterra. Achei que ele ficaria feliz com sua esposa, a pálida Isabel, e sua imensa fortuna, apesar de ter perdido o controle sobre sua cunhada Anne quando ela se casou com Ricardo. Mas como todo homem mesquinho e ambicioso, dá mais valor às perdas do que aos ganhos. Invejou Ricardo por sua mulher, a pequena Anne Neville. Invejou a fortuna que ela levou ao marido. Não consegue perdoar Eduardo por ter dado permissão ao irmão mais novo para se casar com ela, vigia cada privilégio que o rei concede à minha família e aos meus parentes e cada acre de terra que ele dá a Ricardo. A impressão é a de que a Inglaterra é um terreno minúsculo e que ele teme perder um renque de ervilhas, tal é sua desconfiança e apreensão.

— O que ele pode dizer contra nós? Você nunca deixou de ser generoso com ele.

— George anda dizendo de novo que minha mãe traiu meu pai e que sou um bastardo — diz, a boca em meu ouvido.

— Que vergonha! A velha história! — exclamo.

— E alega que fez um acordo com Warwick e Margarida de Anjou segundo o qual, com a morte de Henrique, ele seria rei. Portanto é ele o rei legítimo agora, como herdeiro designado por Henrique.

— Mas ele próprio matou Henrique! — exclamo.

— Silêncio. Nunca mencione isso.

Balanço a cabeça, e o véu do toucado que a envolve se agita.

— Não. Você não deve ser dissimulado sobre isso, não entre nós dois em particular. Naquele momento, você disse que seu coração cedeu, e que isso seria bom para todos. Mas George não pode fingir que foi escolhido e nomeado herdeiro, quando foi o assassino do rei.

— Ele diz coisas piores — avisa meu marido.

— Sobre mim?

— Diz que você é... — interrompe-se e olha em volta, para se certificar de que ninguém pode ouvir. — Diz que você é uma br... — Sua voz está tão baixa que não consegue proferir a palavra.

Encolho os ombros.

— Uma bruxa?

Ele confirma.

— Ele não é o primeiro a dizer isso. E suponho que não será o último. Enquanto você for rei da Inglaterra, ele não poderá me fazer mal.

— Não gosto que isso seja dito de você. Não somente por sua reputação, mas por sua segurança. É algo perigoso a ser associado a uma mulher, independentemente de quem seja seu marido. Além disso, as pessoas vão continuar a dizer que nosso casamento foi obra de um feitiço. O que as leva a dizer que, na verdade, não houve casamento algum.

Dou um silvo como um gato enfurecido. Não me importa a minha reputação: minha mãe me ensinou que uma mulher poderosa sempre atrairá calúnia. Mas aqueles que dizem que não houve casamento de verdade tornarão meus filhos bastardos. Isso significa deserdá-los.

— Vai ter de silenciá-lo.

— Falei com ele, adverti-o. Mas imagino que, apesar disso, ele está fazendo campanha contra mim. A cada dia atrai mais adeptos, e acho que mantém contato com Luís da França.

— Assinamos um tratado de paz com os franceses.

— O que não o impede de interferir. Acho que nada vai conseguir cessar suas intrigas. E George é muito tolo de usar seu dinheiro para me causar problemas.

Olho em volta. A corte está esperando por nós.

— Temos de ir para o jantar — digo. — O que vai fazer?

— Vou conversar com ele de novo. Mas, nesse meio-tempo, não lhe envie nenhum prato da nossa mesa. Não quero que ele faça uma cena recusando-os.

— Os pratos vão para os favoritos. Ele não é nenhum favorito meu.

O rei ri e beija minha mão.

— Tampouco o transforme em um sapo, minha bruxinha — diz ele em um sussurro.

— Não preciso. No fundo, ele já é um.

Eduardo não me conta o que disse ao irmão, o mais difícil dos dois, e não pela primeira vez, gostaria que minha mãe ainda estivesse comigo: preciso de seu conselho. Depois de algumas semanas de mau humor e de recusa a jantar conosco, andando pelo palácio como se tivesse medo de se sentar, afastando-se de mim como se meu olhar fosse capaz de transformá-lo em pedra, George anuncia que Isabel, nos últimos meses de gravidez, está doente: adoeceu por causa do ar, anuncia intencionalmente, e ele a levará para longe da corte.

— Talvez seja melhor assim — diz meu irmão Anthony, esperançoso, certa manhã em que voltamos para os meus aposentos depois da missa. Minhas damas seguem atrás de mim, exceto Lady Margaret Stanley, que continua de joelhos na capela, que Deus a abençoe. Reza como uma mulher que pecou contra o próprio Espírito Santo, mas sei com certeza que é inocente de tudo. Nem mesmo se deita com o marido. Acho que é completamente desprovida de desejo. Meu palpite é que nada mexe com esse coração lancastriano casto, exceto a ambição. — Ele faz todo mundo se perguntar o que Eduardo teria feito para enfurecê-lo, e insulta vocês dois. Faz as pessoas questionarem se o príncipe Eduardo se parece com o pai, e como seria possível saber se ele é filho legítimo de vocês, uma vez que nasceu em um santuário, sem as testemunhas adequadas. Pedi a permissão de Eduardo para desafiá-lo a uma justa. Ele não pode falar de você dessa maneira. Quero defender seu nome.

— O que Eduardo disse?

— Que é melhor ignorá-lo do que dar valor às mentiras dele, provocando-as. Mas não gosto disso. Ele a insulta e a nossa família, também a nossa mãe.

— Não é nada em comparação ao que faz com a própria família — observo. — Ele chama nossa mãe de bruxa, mas a dele, chama de prostituta. Não é homem que tema a difamação. Fico surpresa com que sua mãe não ordene seu silêncio.

— Acho que ela fez isso, e Eduardo repreendeu-o em particular, mas nada o deterá. O rancor o deixa fora de si.

— Se ele ficar longe da corte, pelo menos não cochichará pelos cantos ou recusará uma dança.

— Contanto que não conspire contra nós. Depois que George estiver longe, em casa, cercado por seus ajudantes, Eduardo não ficará sabendo nada sobre quem o irmão está recrutando para sua causa, até que o duque tenha homens suficientes em um campo de batalha, e Eduardo tenha de enfrentar outra rebelião.

— Ah, Eduardo vai saber sim — replico sagazmente. — Ele terá homens vigiando George. Até mesmo eu pago alguém em sua casa. Eduardo terá dezenas de espiões. Saberei o que está fazendo antes que o faça.

— Quem é o seu homem? — pergunta Anthony.

Sorrio.

— Não é preciso ser um homem para vigiar, entender e relatar. Tenho uma mulher na casa dele, e ela me conta tudo.

Minha espiã, Ankarette, envia-me relatórios semanais, e conta que George está realmente recebendo cartas da França, nossa inimiga. Pouco antes do Natal, ela escreve sobre a saúde debilitada da duquesa Isabel. Ela dá à luz mais um filho, o quarto, mas não se recupera e, semanas depois de seu confinamento, desiste de lutar pela vida, afasta-se do mundo e morre.

Rezo por sua alma com um sentimento genuíno. Ela foi uma garota extremamente desafortunada. Seu pai, Warwick, a adorava e pensou que a faria duquesa, depois achou que tornaria seu marido um rei. Mas em vez de um belo rei York, seu marido foi um filho mal-humorado que mudou de lado não somente uma, mas duas vezes. Depois que ela perdeu seu primeiro bebê no mar revolto por causa do vento das bruxas, perto de Calais, teve mais dois, Margaret e Edward. Agora eles terão de viver sem ela. Margaret é uma menina inteligente, brilhante, mas Edward tem raciocínio lento, talvez seja até mesmo simplório. Que Deus os ajude com George como pai. Envio uma carta com meus pêsames e a corte veste luto por ela — a filha de um grande conde e esposa de um duque real.

Janeiro de 1477

Pranteamos a morte de Isabel, mas George mal a sepultou, mal apagou as velas, está de volta à corte, cheio de planos para uma nova esposa. Dessa vez está almejando alto. Carlos da Borgonha, marido da nossa Margarida de York, morreu em combate, e sua filha Mary é duquesa e herdeira de um dos ducados mais ricos da cristandade.

Margarida, uma yorkista ferrenha e fatalmente cega aos defeitos de sua família, propõe que seu irmão George, tão afortunadamente livre, case-se com sua enteada, consultando as necessidades de seu irmão York mais do que sua pupila da Borgonha. Ou assim creio. A ambição de George, é claro, inflamou-se imediatamente. Ele comunica a Eduardo que aceitará ou a duquesa da Borgonha ou a princesa da Escócia.

— Impossível — diz Eduardo. — Ele já é desleal o bastante recebendo uma renda de duque paga por mim. Se for rico como um príncipe, com uma fortuna independente, nenhum de nós ficará a salvo. Pense só no problema que nos causaria na Escócia! Meu Deus, pense só nele intimidando nossa irmã Margarida na Borgonha! Ela acabou de enviuvar, a enteada acaba de ficar órfã. Enviar George seria o mesmo que enviar um lobo para as duas.

Primavera de 1477

George fica ruminando a recusa de seu irmão e, então, recebemos notícias ultrajantes, tão extraordinárias que, no começo, achamos que deviam ser boatos exagerados. Não podem ser verdade. George, de súbito, declara que Isabel morreu não da febre do parto, mas que foi envenenada, e manda o criminoso para a cadeia.

— Nunca! — exclamo para Eduardo. — Ele ficou maluco? Quem faria mal a Isabel? Quem ele prendeu? Por quê?

— Foi pior do que prisão. — A expressão de meu marido é de completo espanto com a carta em sua mão. — Ele deve ter enlouquecido. Ele arrastou essa criada a um tribunal, ordenou que fosse declarada culpada de assassinato e mandou que a decapitassem. Ela já está morta. Morta por ordem de George, como se não houvesse leis neste país. Como se ele tivesse mais poder do que a lei, mais do que o rei. Está governando o meu reino como se eu tivesse permitido a tirania.

— Quem é ela? Quem era ela? — pergunto. — A pobre criada, quem era?

— Ankarette Twynho — responde, lendo o nome na carta de acusação. — O júri diz que ele os ameaçou e os obrigou a dar o veredicto de culpada, embora não houvesse nenhuma prova contra ela, só a palavra dele. Dizem que não se atreveram a recusar e que ele os forçou a condenar uma inocente à morte. Ele acusou-a de envenenamento e bruxaria, e de servir a uma grande bruxa. — Ergue os olhos da carta e vê meu rosto lívido. — Uma grande bruxa? Sabe alguma coisa sobre isso, Elizabeth?

— Ela era minha espiã na casa dele — confesso rapidamente. — Isso é tudo. Eu não tinha necessidade de envenenar a pobre Isabel. O que eu ganharia com isso? E bruxaria é um absurdo. Por que eu lançaria um feitiço contra ela? Eu não gostava dela, nem da irmã, mas não lhes desejaria mal.

Ele anui com um movimento da cabeça.

— Eu sei. É claro que você não envenenou Isabel. Mas George sabia que a mulher que ele acusou trabalhava para você?

— Talvez. Talvez. Por que mais a acusaria? O que mais ela teria feito para insultá-lo? A intenção dele não é me alertar? Nos ameaçar?

Eduardo joga a carta sobre a mesa.

— Só Deus sabe! O que ele espera ganhar assassinando uma criada a não ser provocar mais problemas e comentários? Vou ter de agir, Elizabeth. Não posso deixar isso passar.

— O que vai fazer?

— Ele tem um pequeno grupo de conselheiros: homens perigosos, descontentes. Um deles é um quiromante praticante, se não for coisa pior. Vou prendê-lo. Eu os levarei ao tribunal. Farei com esses homens o que ele fez com a sua criada. Pode servir de aviso para ele. Ele não pode nos desafiar ou a nossos criados e continuar impune. Só espero que tenha juízo para perceber isso.

Balanço a cabeça, concordando.

— Eles não podem nos fazer mal? — pergunto. — Esses homens?

— Só se você acreditar, como George parece pensar, que podem lançar um sortilégio contra nós.

Sorrio na esperança de ocultar meu medo. É claro que acredito que podem lançar um sortilégio contra nós. É claro que receio que já tenham feito isso.

~

Tenho razão em estar preocupada. Eduardo prende o notório feiticeiro Thomas Burdett e dois outros homens, e eles são interrogados. Uma série de histórias de magia negra, ameaças e encantamentos começa a se revelar.

Meu irmão Anthony encontra-me inclinando minha barriga pesada sobre a murada no rio e olhando fixamente a água no Palácio de Whitehall, em uma tarde ensolarada de maio. Atrás de mim, nos jardins, as crianças estão brincando de um jogo com bastão e bola. Pelos gritos revoltados de trapaça, adivinho que meu filho Eduardo está perdendo e tirando vantagem de seu status de príncipe de Gales para mudar o placar.

— O que está fazendo aqui? — pergunta Anthony.

— Estava desejando que este rio fosse um fosso que mantivesse a mim e a meus entes queridos a salvo de inimigos.

— Melusina aparece quando a chama das águas do Tâmisa? — pergunta, com um sorriso cético.

— Se aparecesse, eu a mandaria enforcar George, duque de Clarence, junto com seu feiticeiro. E a teria mandado fazer isso com os dois ao mesmo tempo, sem mais palavras.

— Não acredita que esse homem possa lhe atingir desejando-lhe mal, acredita? Ele não é nenhum bruxo. Não existe tal coisa. É um conto de fadas para assustar crianças, Elizabeth. — Olha de relance para meus filhos, que recorrem a minha filha Elizabeth para decidir sobre uma bola que caiu.

— George acredita nele. Pagou-o muito bem para prenunciar a morte do rei e mais ainda para realizá-la fazendo vista grossa. George contratou esse feiticeiro para nos destruir. Seus feitiços já estão no ar, na terra, até mesmo na água.

— Ah, bobagem. Ele é tão bruxo quanto você é bruxa.

— Não afirmo ser uma bruxa — digo em voz baixa. — Mas tenho a herança de Melusina. Sou sua herdeira. Sabe o que quero dizer: tenho seu dom, assim como mamãe tinha. Assim como minha filha Elizabeth tem. O mundo canta para mim, e ouço sua música. As coisas acontecem comigo, meus desejos se realizam. Recebo mensagens através de sonhos. Vejo sinais e presságios. E às vezes sei o que vai acontecer no futuro. Tenho a Visão.

— Todas essas coisas podem ser revelações de Deus — observa ele com convicção. — Esse é o poder da oração. Todo o resto é a ilusão de que o desejo corresponde à realidade. E bobagem feminina.

Sorrio.

— Acho que vêm de Deus. Nunca duvidei disso. Mas Deus fala comigo através do rio.

— Você é uma herege, uma pagã — diz Anthony, com um desdém afetuoso. — Melusina é um conto de fadas, mas Deus e Seu Filho são a sua fé declarada. Pelo amor de Deus, você fundou casas, capelas e escolas religiosas, no nome Dele. Seu amor por rios e riachos é uma superstição, aprendida com nossa mãe, como a dos antigos pagãos. Não pode confundi-la, transformá-la em uma religião só sua e depois se amedrontar com demônios inventados por você mesma.

— É claro, irmão — digo com os olhos baixos. — Você é um nobre de erudição. Tenho certeza de que sabe mais do que eu.

— Pare! — Ele levanta a mão, rindo. — Pare. Não pense que vou querer discutir com você. Tem a sua própria teologia, eu sei. Uma parte de conto de fadas, uma parte de Bíblia e tudo absurdo. Por favor, por nós todos, que seja uma religião secreta. Guarde-a para si mesma. E não se assuste com inimigos imaginários.

— Mas sonho com a verdade.

— Se é o que diz.

— Anthony, a minha vida toda é uma prova da magia, uma prova de que tenho presságios.

— Cite uma única coisa.

— Não me casei com o rei da Inglaterra?

— Não a vi na estrada como a safada que é?

Exclamo para abafar sua gargalhada:

— Não foi assim! Não foi assim! E além do mais, minha aliança me veio do rio!

Ele pega minhas mãos e as beija.

— Isso é tudo bobagem — diz carinhosamente. — Não existe nenhuma Melusina, a não ser uma velha e quase esquecida história que mamãe costumava nos contar antes de dormirmos. Não há nenhum encantamento, exceto mamãe encorajando-a em uma brincadeira. Você não tem poderes. Não há nada além do que podemos fazer como pecadores sob a vontade de Deus. E Thomas Burdett não tem poder algum, somente malevolência e lábia.

Sorrio para ele e não discuto. Mas no fundo sei que há mais.

~

— Como termina a história de Melusina? — meu filhinho Eduardo me pergunta nesta noite, quando o estou ouvindo dizer suas orações antes de dormir. Ele divide um quarto com seu irmão de 3 anos, Ricardo, e os dois meninos me olham, querendo uma história que retarde um pouco o sono.

— Por que pergunta? — Sento-me em uma cadeira do lado do fogo e puxo um banquinho onde descansar os pés. Sinto o bebê se mexer em meu ventre. Estou com seis meses de gravidez, e ainda resta o que parece ser uma vida inteira até o parto.

— Ouvi milorde tio Anthony falar dela com você hoje — diz Eduardo. — O que aconteceu quando ela saiu da água e se casou com o cavaleiro?

— A história termina de maneira triste — replico. Faço um sinal para que vão para a cama e me obedecem, mas dois pares de olhos brilhantes e fixos me observam sobre as cobertas. — As histórias diferem. Algumas pessoas dizem que um viajante curioso foi à casa deles e a espionou, e a viu se transformar em peixe na banheira. Outros dizem que seu marido quebrou sua palavra de que ela teria liberdade de nadar sozinha, a espiou e a viu se transformar em peixe de novo.

— E por que ele se importou? — pergunta Eduardo sensatamente. — Quando a conheceu ela não era metade peixe?

— Ah, ele achou que poderia mudá-la, fazê-la ser a mulher que ele queria. Às vezes um homem gosta de uma mulher, mas acha que pode mudá-la. Talvez ele fosse desse tipo.

— Há alguma luta nessa história? — pergunta Ricardo, sonolento, quando sua cabeça cai no travesseiro.

— Não, nenhuma — respondo. Beijo Eduardo na testa, vou para a outra cama e beijo Ricardo. Os dois ainda cheiram a bebês, a sabonete e a pele quente. O cabelo dos dois é macio e cheira a ar fresco.

— E o que acontece quando ele descobre que ela ainda é metade peixe? — murmura Eduardo quando estou me dirigindo à porta.

— Ela pega seus filhos e o deixa — respondo. — E eles nunca mais se veem.

Apago com um sopro algumas velas, deixando outras acesas. A luz do fogo na pequena grelha torna o quarto aquecido e acolhedor.

— Isso é realmente triste — diz Eduardo, com pesar. — Coitado dele, não pôde mais ver a esposa nem os filhos.

— É triste, mas é só uma história. Talvez haja outro final que as pessoas esqueceram de contar. Talvez ela o tenha perdoado e voltado para junto dele. Talvez ele tenha se transformado em um peixe por amor, e nadado até ela.

— Sim. — Um menino feliz, ele é facilmente consolado. — Boa-noite, mamãe.

— Boa-noite e Deus os abençoe.

∼

Quando ele a viu, a água batendo em suas escamas, a cabeça baixa na banheira que ele tinha construído especialmente para ela, achando que gostaria de se lavar — não de se transformar em peixe —, sentiu aquela revolta instantânea que alguns homens sentem quando, talvez pela primeira vez, percebem que uma mulher é realmente "outra". Ela não é um menino, embora seja frágil como um, nem uma tola, embora ele a tenha visto tremer de emoção como um tolo. Ela não é uma vilã em sua capacidade de reprimir o rancor, nem uma santa em seus arroubos de generosidade. Ela não tem nenhuma dessas qualidades masculinas. Ela é uma mulher. Completamente diferente de um homem. O que ele viu foi uma metade peixe, mas o que o assustou foi a metade mulher.

∼

A maldade de George com relação ao irmão torna-se terrivelmente evidente nos dias do julgamento de Burdett e seus conspiradores. Quando procuram provas, a trama se desenreda e revela uma série de promessas sombrias e ameaças, receitas para capas envenenadas, um sachê de vidro moído e imprecações diretas. Encontram nos papéis de Burdett não somente um calendário utilizado para prever a morte de Eduardo, como muitos feitiços criados com a intenção de matá-lo. Quando Eduardo os mostra para mim, não consigo parar de tremer. Tremo como se estivesse com febre. Independentemente de poderem causar ou não a morte, sei que esses desenhos antigos em papel escuro têm um poder malévolo.

— Eles me dão calafrios — digo. — Parecem tão frios e úmidos. Dão a sensação de serem maléficos.

— Certamente são provas maléficas — confirma Eduardo com gravidade. — Nunca imaginaria que George pudesse ir tão longe contra mim. Eu teria lhe dado o mundo para que vivesse em paz conosco, ou no mínimo para silenciá-lo. Mas ele contratou homens tão incompetentes que agora todo mundo sabe que o meu próprio irmão estava conspirando contra mim. Burdett será julgado culpado e enforcado por seu crime. Mas fatalmente isso vai revelar que George o contratou. Ele também é culpado de traição. Mas não posso levar meu próprio irmão a julgamento!

— Por que não? — pergunto sem rodeios. Estou sentada em um banco baixo acolchoado ao lado do fogo, em meu quarto, usando apenas meu manto forrado de pele. Cada um de nós está pronto para dormir em seus próprios aposentos, mas Eduardo não consegue mais guardar essa inquietação só para si. Os sortilégios repugnantes de Burdett talvez não tenham feito mal à sua saúde, mas obscureceram seu espírito. — Por que não pode levar George a julgamento e condená-lo à morte por traição? Ele a merece.

— Porque o amo — responde ele simplesmente. — Tanto quanto você ama seu irmão Anthony. Não posso mandá-lo para o cadafalso. Ele é meu irmão mais novo. Lutou do meu lado no campo de batalha. É meu parente próximo. É o favorito de minha mãe. Ele é o nosso George.

— Ele também esteve do outro lado na batalha — lembro. — Já traiu você e sua família mais de uma vez. Ele o teria matado se, junto com Warwick, o tivesse pego, se você não tivesse conseguido escapar. Ele me chamou de bruxa, mandou prender minha mãe, assistiu a meu pai e meu irmão John serem mortos. Ele não deixa que nenhuma justiça nem sentimento familiar bloqueiem seu caminho. Por que você deveria deixar?

Eduardo, sentado na cadeira do outro lado da lareira, inclina-se para a frente. Seu rosto na luz bruxuleante parece velho. Pela primeira vez, percebo nele o peso dos anos e de sua condição de rei.

— Eu sei, eu sei. Deveria ser mais inflexível com ele, mas não consigo. Ele é o queridinho da mamãe. É o nosso menino de ouro. Não consigo acreditar que seja tão...

— Cruel — dou-lhe a palavra. — Seu irmãozinho tornou-se cruel. Cresceu e se tornou um cachorro grande, não é mais um cãozinho adorável. E tem uma natureza má, que foi ainda mais estragada desde que nasceu. Terá de tomar uma atitude séria com relação a ele, Eduardo, guarde bem minhas palavras. Quando o trata com generosidade ele retribui com conspirações.

— Talvez — diz, com um suspiro. — Talvez ele aprenda.

— Ele não vai aprender. Só ficará a salvo de George quando ele estiver morto. Vai ter de fazer isso, Eduardo. Só precisa escolher quando e onde.

Ele levanta-se, espreguiça-se e vai até a cama.

— Quero vê-la se deitar antes de ir para os meus aposentos. Ficarei feliz quando o bebê nascer e pudermos dormir juntos de novo.

— Um minuto — replico. Inclino-me à frente e examino as brasas. Sou herdeira de uma deusa da água, nunca li bem as chamas, mas nas cinzas em brasa distingo o rosto petulante de George e alguma coisa atrás dele, um edifício alto, negro como um poste de sinalização: a Torre. Sempre foi um local sombrio para mim, o lugar da morte. Dou de ombros. Talvez não signifique nada.

Levanto-me, vou para a cama e me aconchego nas cobertas. Eduardo se despede beijando minhas mãos.

— Nossa, como está gelada — diz, surpreso. — Achei que o fogo a estava aquecendo bem.

— Odeio aquele lugar — falo, sem propósito.

— Que lugar?

— A Torre de Londres. Eu a detesto.

No cadafalso de Tyburn, diante da zombaria da multidão, o amigo íntimo de George, o traidor Burdett, alega veementemente ser inocente e é enforcado. Mas o duque de Clarence, sem aprender nada com a morte de seu amigo, parte furioso de Londres, invade a reunião do conselho do rei no Castelo de Windsor e repete o discurso, gritando-o na cara de Eduardo.

— Não! — digo a Anthony. Estou absolutamente escandalizada.

— Ele fez isso! Fez! — Anthony, em meus aposentos no castelo, engasga de tanto rir ao tentar me descrever a cena. Minhas damas permaneceram sentadas em minha câmara de audiências, e nós dois estamos em meus aposentos privados. — Ali estava Eduardo, em pé, 2 metros de altura tomados pela raiva. Ali estava o Conselho Privado parecendo horrorizado. Precisava ter visto a cara deles: a boca de Thomas Stanley aberta como a de um peixe! O nosso irmão Lionel agarrando, chocado, o crucifixo em seu peito. E lá estava George gritando seu script como um ator. Evidentemente suas palavras não fizeram o menor sentido para metade deles, que não se deram conta de que George estava pronunciando, de cor, o discurso do cadafalso, como um artista ambulante. Portanto, quando ele disse "Sou um homem velho, um homem sábio...", eles ficaram completamente confusos.

Caio na risada.

— Anthony! Não acredito!

— Juro, nenhum de nós sabia o que estava acontecendo, exceto Eduardo e George. Então George chamou-o de tirano!

Minha risada cessa abruptamente.

— Em seu próprio conselho?

— De tirano e assassino.

— Chamou-o de assassino?

— Sim. Na cara dele. Do que ele estava falando? Da morte de Warwick?

— Não — respondo brevemente. — De algo pior.

— Eduardo de Lancaster? Do jovem príncipe?

— Isso foi em combate.

— Não do velho rei, não é?

— Nunca falamos sobre isso — digo. — Nunca.

— Bem, George vai falar disso agora. Ele parece um homem disposto a dizer qualquer coisa. Sabia que anda afirmando por aí que Eduardo nem mesmo é filho da Casa de York? Que ele é um bastardo, filho do arqueiro Blaybourne? E que portanto ele, George, é o herdeiro legítimo?

Respondo que sim com um movimento de cabeça.

— Eduardo vai ter de silenciá-lo. Isso não pode continuar.

— Eduardo vai ter de silenciá-lo já — alerta Anthony. — Ou George destruirá vocês e toda a Casa de York. É como eu digo: o brasão da casa não deveria ser a rosa branca, mas o antigo símbolo da eternidade.

— Eternidade? — repito, querendo que ele diga algo tranquilizador nessa época tão tenebrosa.

— Sim, a serpente que devora a si mesma. Os filhos de York destruirão uns aos outros, um irmão destruindo o outro, tios devorando sobrinhos, pais decapitando filhos. É uma casa que precisa de sangue, e derramará o próprio se não tiver outro inimigo.

Ponho as mãos na minha barriga como se para impedir a criança de ouvir predições tão sinistras.

— Não, Anthony. Não diga esse tipo de coisa.

— É verdade — replica ele melancolicamente. — A Casa de York cairá independentemente do que você ou eu fizermos, pois vão devorar a si mesmos.

∾

Entro no meu quarto escuro para os seis meses de meu confinamento, deixando a questão ainda sem solução. Eduardo não consegue chegar a uma conclusão do que pode ser feito. Um irmão real desleal não é novidade na Inglaterra, não é novidade para essa família, mas é um tormento para meu marido.

— Deixe para resolver isso quando eu sair do confinamento — digo-lhe à porta do meu quarto. — Talvez ele crie juízo e peça perdão. Quando eu sair, poderemos decidir.

— Seja corajosa. — Olha de relance para o quarto escuro atrás de mim, aquecido por uma pequena lareira, e as paredes vazias, pois retiram todas as imagens que podem afetar a forma do bebê que vai nascer. Ele inclina-se para a frente. — Virei visitá-la — murmura.

Sorrio. Eduardo sempre viola a proibição da presença de homens na câmara de confinamento.

— Traga-me vinho e frutas cristalizadas — digo, pedindo os alimentos proibidos.

— Só se me beijar adoravelmente.

— Eduardo, pelo amor de Deus!

— Assim que você sair, então.

Ele recua e me deseja boa sorte formalmente, diante da corte. Faz uma mesura para mim, faço uma reverência para ele, recuo e fecham a porta na cara dos cortesãos sorridentes. Fico sozinha com as amas no pequeno cômodo, sem nada para fazer a não ser esperar o novo bebê chegar.

Tenho um parto difícil e demorado, e, no fim, nasce um tesouro, um menino. É um menininho York querido, com o cabelo louro ralo e olhos azuis como um ovo de sabiá. É pequeno e leve, e quando o colocam em meus braços, sinto uma pontada instantânea de medo porque ele parece muito frágil.

— Ele vai crescer — diz a parteira de maneira confortadora. — Bebês pequenos crescem rápido.

Sorrio e toco na sua mãozinha, vejo-o virar a cabeça e franzir a boca.

Amamento-o eu mesma durante os dez primeiros dias, e então chega uma ama de leite robusta que o tira, delicadamente, de mim. Quando a vejo sentada na cadeira baixa, a maneira segura como o leva a seu seio, tenho certeza de que cuidará bem dele. Ele é batizado com o nome de George, como prometemos a seu tio desleal. Assisto à missa pós-parto e saio do apartamento obscurecido para a luz do sol no meio de agosto, mas descubro que, em minha ausência, a nova prostituta, Elizabeth Shore, é praticamente rainha da minha corte. O rei parou de se embriagar e de correr atrás de mulheres nas casas de banho de Londres. Comprou uma casa para ela perto do Palácio de Whitehall. Janta com ela, assim como compartilha de sua cama. Ele gosta da sua companhia, e a corte sabe disso.

— Ela parte hoje à noite — digo inflexivelmente a Eduardo quando, magnífico em seu manto escarlate bordado a ouro, ele vem aos meus aposentos.

— Quem? — pergunta em tom brando, bebendo um copo de vinho do lado da lareira. Parece um marido absolutamente inocente. Faz um gesto com as mãos e as criadas saem rapidamente, sabendo muito bem que vai haver problemas.

— A tal Shore — respondo simplesmente. — Não achou que alguém me saudaria com o comentário assim que eu saísse do confinamento? O que é de admirar é o fato de terem segurado a língua por tanto tempo. Mal atravessei a porta da capela e já se atropelaram na minha frente, na pressa de me contar. Margaret Beaufort foi particularmente solidária.

Ele ri de maneira dissimulada.

— Perdoe-me. Não sabia que meus atos despertavam tanto interesse.

Não respondo nada a essa inverdade. Simplesmente espero.

— Ah, querida, foi muito tempo. Eu sabia que você estava confinada, depois em trabalho de parto, e meu coração estava com você, mas ainda assim, um homem precisa da cama aquecida.

— Saí do confinamento agora — digo com veemência. — E vai ter uma cama gélida, um travesseiro de gelo, uma coberta de neve, se ela não tiver desaparecido amanhã de manhã.

Ele estende a mão para mim e vou para o seu lado. No mesmo instante, o toque familiar e o perfume de sua pele quando me curvo para beijar seu pescoço me dominam completamente.

— Diga que não está zangada comigo, meu amor — murmura, sua voz sedutora me acalmando.

— Sabe que estou.

— Então diga que vai me perdoar.

— Sabe que sempre o perdoo.

— Agora diga que vamos para a cama e voltaremos a ser felizes juntos. Você foi maravilhosa nos dando mais um menino. Você fica ainda mais bonita quando está roliça e acaba de voltar para mim. Eu a desejo tanto. Diga que podemos ser felizes.

— Não. Você é quem vai dizer alguma coisa.

Sua mão sobe deslizando por meu braço e rodeia meu cotovelo sob a manga da minha camisola. Como sempre, seu toque é tão íntimo quanto fazer amor.

— O que quiser. O que quer que eu diga?

— Diga que ela irá embora amanhã.

— Sim, ela vai embora. — Ele suspira. — Mas sabe, se a conhecer, vai gostar dela. É uma jovem alegre, instruída e feliz. É uma boa companhia. E uma das garotas mais doces que já conheci.

— Ela irá embora amanhã — repito, ignorando os encantos de Elizabeth Shore, como se não ligasse nem um pouco para o fato de ser instruída ou não. Como se ele se importasse. Como se tivesse a capacidade de dizer a verdade sobre uma mulher. Corre atrás delas como um cão lascivo atrás de uma cadela no cio. Tenho certeza de que não sabe nada sobre sua instrução ou seu temperamento.

— A primeira coisa que vou fazer, minha querida. A primeira.

Verão de 1477

Em junho, Eduardo manda prender George por traição e o apresenta ao conselho. Só eu sei como custa a meu marido acusar o irmão de tramar sua morte. Ele oculta sua dor e vergonha de todo mundo. Na reunião do Conselho Privado, nenhuma prova é apresentada, não há necessidade. O próprio rei declara que o duque de Clarence cometera traição, e ninguém pode argumentar com o rei quando essa é a acusação. Ali não há homem algum cuja manga do gibão não tenha sido puxada por George em algum corredor escuro com o objetivo de ouvi-lo sussurrar suas suspeitas insanas. Não há homem algum que não tenha ouvido a promessa de promoção se participasse da facção contra Eduardo. Nenhum homem deixou de perceber que George recusava qualquer alimento preparado em qualquer cozinha por ordem minha, ou jogava sal sobre os ombros antes de se sentar às nossas mesas para jantar, ou cerrava o punho, um sinal de defesa contra bruxaria, quando eu passava perto dele. Não há sequer um homem que não saiba que George só faltou redigir sua própria acusação de traição e assinar sua própria confissão. Mas nenhum deles, até mesmo agora, sabe o que Eduardo quer fazer em relação a isso. Julgam-no culpado de traição, mas não estabelecem uma sentença. Nenhum deles sabe até onde esse rei irá contra o irmão que ainda ama.

Inverno de 1477

Celebramos o Natal em Westminster, mas é um Natal estranho, com George, duque de Clarence, ausente do salão, e sua mãe com uma expressão irada. George está na Torre, acusado de traição, bem-servido, bem-alimentado, bebendo bem — não tenho dúvidas —, mas aquele que recebeu seu nome está na nossa ala infantil, e o seu lugar legítimo é conosco. Todos os meus filhos estão comigo, e nada mais me daria tanta alegria: Eduardo veio de Ludlow, Richard Grey com ele, Thomas retornou de uma visita à corte da Borgonha, as outras crianças estão bem e fortes, o pequeno George no quarto de bebê.

Em janeiro, celebramos o maior noivado que a Inglaterra já viu, quando meu pequeno Ricardo se compromete com a herdeira Anne Mowbray. O príncipe de 4 anos e a menininha são erguidos sobre a mesa no banquete em suas belas roupinhas e se dão as mãos como um par de bonequinhos. Viverão separados até terem idade para se casarem, mas é um grande ato ter assegurado tal fortuna para o meu menino. Ele será o príncipe mais rico que a Inglaterra já viu.

Mas depois do Dia de Reis, Eduardo me procura e diz que o seu Conselho Privado o está pressionando para tomar uma decisão definitiva sobre o destino de seu irmão George.

— O que acha? — pergunto. Tenho um pressentimento. Penso em meus três filhos York: Eduardo, Ricardo e George. E se eles se virarem uns contra os outros como seu pai e seus tios fizeram?

— Acho que tenho de seguir em frente — responde ele com tristeza. — A punição para traição é a morte. Não tenho escolha.

Primavera de 1478

— Nem sonhe em executá-lo. — A mãe de Eduardo entra nos aposentos privados do rei, passando por mim sem parar em sua pressa de falar com o filho.

Levanto-me e faço-lhe uma mesura, a mais discreta possível.

— Milady mãe — digo.

— Mãe, não sei o que fazer. — Eduardo ajoelha-se para receber a bênção e ela põe a mão sobre sua cabeça distraidamente, de forma mecânica. Não há nenhuma ternura nela em relação a Eduardo. Ela está pensando somente em George. Ela faz uma reverência quase imperceptível a mim e vira-se para o filho.

— Ele é seu irmão. Não se esqueça.

Eduardo dá de ombros, sua expressão é de total infelicidade.

— Na verdade, ele mesmo diz que não — saliento. — George alega que é apenas meio-irmão de Eduardo, pois diz que o rei é um bastardo, filho de um arqueiro com a senhora. Ele a difama tanto quanto a nós. É generoso em suas calúnias. Não hesita em nos difamar. Chama-me de bruxa, mas a chama de prostituta.

— Não acredito que ele diga esse tipo de coisa — declara ela francamente.

— Mamãe, ele diz — replica Eduardo. — E insulta a mim e a Elizabeth.

Ela parece não achar isso tão ruim.

— Ele enfraquece a Casa de York com suas calúnias — digo. — E empregou um feiticeiro para fazer mal ao rei.

— Ele é seu irmão, vai ter de perdoá-lo — declara ela a Eduardo.

— Ele é um traidor. Vai ter de morrer — retruco simplesmente. — Que outra decisão pode-se tomar? É perdoável tramar a morte do rei? Então, por que a Casa de Lancaster, derrotada, não o faria? Por que não os espiões da França? Por que um membro qualquer da ralé não atacaria com uma faca o melhor de seus filhos?

— George foi desiludido — diz ela ansiosamente a Eduardo, me ignorando. — Se tivesse deixado que se casasse com a garota da Borgonha, como ele queria, ou que tivesse a princesa escocesa, nada disso teria acontecido.

— Eu não podia confiar nele — replica Eduardo. — Mamãe, não há nenhuma dúvida na minha cabeça de que se ele tivesse seu próprio reino, invadiria o meu. Se tivesse uma fortuna, ele a usaria para formar um exército e tomar o meu trono.

— Ele nasceu para a grandeza — diz ela.

— Ele é seu terceiro filho — diz Eduardo, finalmente instigado a lhe dizer a verdade. — Ele só poderá governar a Inglaterra quando eu, meu filho e herdeiro, meu segundo filho, Ricardo, e depois meu filho bebê, George, morrermos. É o que preferiria, minha mãe? Deseja a minha morte e a de meus três preciosos filhos? Favorece George a esse ponto? A senhora deseja o meu mal assim como o bruxo que ele contratou? Daria ordens para moer vidro em minha carne e colocar pó de digitális em meu vinho?

— Não — responde ela. — Não, é claro que não. Você é filho e herdeiro de seu pai, e conquistou seu trono. Seu filho deve sucedê-lo. Mas George é meu filho. Eu me compadeço dele.

Eduardo trinca os dentes reprimindo uma resposta precipitada, vira-se para o fogo e fica em silêncio, os ombros caídos. Nós duas esperamos em silêncio até o rei finalmente falar:

— Tudo o que posso fazer pela senhora e por ele é permitir que escolha como morrer. Ele tem de morrer, mas se quiser um espadachim francês, mandarei buscar um. Não vai precisar ter um carrasco que o degole. Poderá ser veneno, se ele quiser. Poderá tomá-lo privadamente. Pode ser um punhal sobre sua mesa, e ele poderá apunhalar a si mesmo. E será privadamente, não haverá multidão assistindo, nem testemunhas. Pode ser no quarto dele na Torre, se assim desejar. Pode se deitar e cortar os pulsos. Não haverá ninguém presente, a não ser o padre, se ele quiser.

Ela arfa. Não esperava por isso. Permaneço imóvel, observando os dois. Não achei que Eduardo fosse tão longe.

Ele olha para a expressão chocada da mãe.

— Mãe, lamento a sua perda.

Ela está lívida.

— Você vai perdoá-lo.

— A senhora mesma pode ver que não posso.

— Eu ordeno. Sou sua mãe. Você vai me obedecer.

— Eu sou o rei. Ele não pode se opor a mim. Ele tem de morrer.

Ela volta-se para mim.

— Isso foi obra sua!

Abro as mãos.

— George matou a si mesmo, milady mãe. Não pode me culpar, nem a Eduardo. Ele não deixou outra escolha ao rei. É um traidor, e um perigo para nós e nossos filhos. Sabe o que deve acontecer a quem tem pretensões ao trono. Essa é a maneira da Casa de York.

Ela fica em silêncio. Vai até a janela e apoia a cabeça na vidraça espessa. Olho para as suas costas, seus ombros rígidos, e me pergunto como deve ser saber que seu filho vai morrer. No passado, jurei que ela sofreria a dor de uma mãe que perdeu um filho. Vejo como é agora.

— Não vou suportar — retruca ela, sua voz tensa de sofrimento. — É meu filho, meu filho querido. Como pode tirá-lo de mim? Preferia ter morrido antes de ver esse dia. É o meu George, meu filho mais precioso. Não consigo acreditar que vai mandá-lo para a morte!

— Lamento — retruca Eduardo, implacavelmente. — Mas não vejo outra saída.

— Ele pode escolher como vai ser? — pergunta. — Não vai expô-lo no patíbulo?

— Ele pode escolher, mas vai ter de morrer — responde Eduardo. — Ele criou essa situação, essa escolha entre ele ou eu. É claro que terá de morrer.

Ela vira-se sem dizer mais nada e sai da sala. Por um momento, somente por um momento, sinto pena dela.

~

George, o tolo, escolhe a morte dos tolos.

— Quer ser afogado em um barril de vinho. — Anthony, meu irmão, saiu da reunião do Conselho Privado e veio ao meu encontro. Estou em uma cadeira de balanço no quarto das crianças, com meu bebê George nos braços, desejando que tudo já tivesse terminado e que o seu homônimo estivesse morto, desaparecido para sempre.

— Está querendo ser engraçado?

— Não, acho que ele é quem está querendo ser engraçado.

— O que ele quer dizer?

— Suponho que seja o que disse. Quer ser afogado em um barril de vinho.

— Ele realmente disse isso? Ele falou sério?

— Acabo de sair da reunião do Conselho Privado. Quer ser afogado no vinho, se tiver de morrer.

— A morte de um beberrão — digo, odiando a ideia.

— Acho que é uma piada contra o irmão.

Apoio o bebê no ombro e acaricio suas costas, como se pudesse protegê-lo da crueldade do mundo.

— Posso imaginar maneiras piores de se morrer — observa Anthony.

— Posso pensar em melhores. Eu preferiria ser enforcada a enfiar minha cabeça no vinho

Ele demonstra indiferença.

— Talvez ele ache que pode escarnecer de Eduardo e da sentença de morte. Talvez pense que obrigará Eduardo a perdoá-lo, em vez de executá-lo com a pena para beberrões. Talvez ele pense que a Igreja protestará e atrasará a execução, e que ele escapará.

— Não desta vez. Sua sorte de bêbado esgotou-se. E terá o fim de um beberrão. Onde farão isso?

— Em seus aposentos, na Torre de Londres.

Sinto um calafrio.

— Que Deus o perdoe — digo em tom baixo. — É uma maneira horrível de se morrer.

~

O carrasco realiza o ato, deixando o machado de lado, mas usando o capuz negro que oculta seu rosto. É um homem alto, com mãos grandes e fortes, e leva seu aprendiz junto. Os dois levam um barril de vinho para o quarto do duque de Clarence, e George, o tolo, faz uma piada e ri com a boca aberta, como se já estivesse com falta de ar, enquanto seu rosto fica lívido de medo.

Levantam a tampa e buscam uma caixa de madeira, onde George sobe, de modo que possa se debruçar no alto da tina e ver seu rosto assustado refletido na superfície do vinho. O cheiro da bebida impregna o quarto. Ele murmura "Amém" às preces do padre, como se não soubesse o que está ouvindo.

Baixa a cabeça para a superfície do vinho cor de rubi como se estivesse pondo a cabeça no tronco e dá grandes goles, como se pudesse afastar o perigo bebendo. Depois, faz um sinal de assentimento com a mão. Os dois homens pegam sua cabeça e, segurando-o pelo cabelo e pela gola, a mergulham, levantando-o do chão, de modo que bate as pernas como se nadasse. O vinho se derrama no chão enquanto ele se contorce, tentando escapar. O líquido cai em cascata ao redor de seus pés, enquanto o ar lhe falta em grandes ânsias de vômito. O padre recua da poça vermelha e prossegue a leitura dos últimos ritos, sua voz firme e reverente, enquanto os dois executores seguram a cabeça do mais estúpido dos filhos de York. Eles a afundam ainda mais no barril, até os pés penderem flácidos e não haver mais bolhas de ar e o quarto cheirar a uma velha taverna.

À meia-noite, levanto-me de minha cama no Palácio de Westminster e vou para o meu toucador. No alto de um grande armário, onde minhas peles são guardadas, há uma caixinha com meus objetos particulares. Abro-a. Dentro há um antigo medalhão de prata, tão deslustrado pelo tempo que se tornou negro como ébano. Abro-o e lá está o velho pedaço de papel rasgado da carta de meu pai. Nele, escrito com sangue, o meu sangue, está o nome de George, duque de Clarence. Amasso o papel, jogo-o nas brasas do fogo e observo-o se retorcer no calor das cinzas e se transformar, de súbito, em chama.

— Vá — digo, quando o nome de George sobe com a fumaça e minha maldição sobre ele é concluída. — Mas que seja o último York a morrer na Torre de Londres. Que se acabe aqui, como prometi à minha mãe. Que termine aqui.

Gostaria de ter me lembrado, como ela me ensinou, de que é mais fácil desencadear o mal do que contê-lo. Qualquer tolo pode desencadear o vento, mas quem pode saber onde ele irá soprar e quando vai cessar?

Verão de 1478

Chamo aos meus apartamentos privados meu filho Eduardo, meu filho Richard Grey e meu irmão Anthony, para me despedir deles. Não suporto vê-los partir em público. Não quero ser vista chorando na partida deles. Curvo-me para abraçar Eduardo, como se nunca fosse me separar dele, e ele olha para mim com seus olhos castanhos afetuosos, segura meu rosto em suas mãozinhas e diz:

— Não chore, mamãe. Não há razão para chorar. Voltarei no próximo Natal. E você pode me visitar em Ludlow, como sabe.

— Sei.

— E se levar George, vou ensiná-lo a montar — promete. — E pode colocar Ricardo sob minha tutela.

— Eu sei. — Tento falar claramente, mas as lágrimas estão em minha voz. Richard me abraça. Ele agora está do meu tamanho, é um rapaz.

— Vou cuidar dele — diz. — Tem de ir nos visitar. Leve todos os meus irmãos e irmãs. Venha passar o verão conosco.

— Irei, irei — replico, e volto-me para o meu irmão Anthony.

— Nós nos cuidaremos, confie em nós — diz ele antes mesmo de eu começar a listar meus temores. — E o trarei são e salvo para casa no ano que vem. Não o abandonarei, nem mesmo por Jerusalém. Não o deixarei até ele me mandar embora. Está bem?

Balanço a cabeça assentindo, enxugando minhas lágrimas. Alguma sensação me perturba ao pensar em Eduardo permitindo que Anthony se afaste dele. É como se uma sombra caísse sobre nós.

— Não sei por que sempre temo muito por ele quando tenho de me despedir de vocês três. Não suporto deixá-lo ir.

— Eu o defenderei com minha própria vida — promete Anthony. — Ele me é tão querido quanto minha própria existência. Nenhum mal lhe acontecerá enquanto ele estiver sob minha proteção. Tem a minha palavra.

Ele faz uma reverência e se vira para a porta. Eduardo, do seu lado, imita exatamente o gesto elegante. Richard, meu filho, leva o punho ao peito, uma saudação que significa "Amo você".

— Fique tranquila — diz Anthony. — Manterei seu filho a salvo.

E então, desaparecem.

Primavera de 1479

Meu filho George, sempre um bebê magro, começa a definhar antes de seu segundo aniversário. Os médicos não sabem o diagnóstico, as damas da ala infantil só aconselham que lhe deem mingau de aveia e leite, que seja alimentado de hora em hora. Tentamos, mas ele não se fortalece.

Elizabeth está com 13 anos, brinca com ele todos os dias, pega a sua mãozinha, ajuda-o a andar com suas perninhas finas e inventa uma história para cada colherada de alimento. Mas até mesmo ela percebe que ele não está se desenvolvendo. Ele não cresce, e seus bracinhos e pernas parecem varetas.

— Podemos mandar vir um médico da Espanha? — pergunto a Eduardo. — Anthony sempre diz que os mouros são homens sábios.

O rosto dele está consumido pela preocupação e tristeza por seu filho precioso.

— Pode chamar quem quiser, de onde for. Mas Elizabeth, meu amor, tenha coragem. Ele é um menininho frágil, e foi um bebê pequenino. Fez um bom trabalho mantendo-o conosco até agora.

— Não diga isso — retruco de imediato, sacudindo a cabeça. — Ele vai melhorar. A primavera está chegando, depois o verão. Ele vai estar melhor no verão, com certeza.

Passo horas no quarto das crianças com meu filhinho no colo, pondo mingau em sua boquinha, levando meu ouvido ao seu peito, para ouvir a batida fraca de seu coração.

Dizem-me que fomos abençoados por termos dois filhos homens fortes: a sucessão do trono de York está assegurada. Não digo nada em resposta a esses tolos. Não o estou alimentando em nome de York, eu o estou alimentando por amor. Não quero que cresça para ser um príncipe. Quero que cresça para ser um menino forte.

Esse é o meu bebê. Não vou suportar perdê-lo como perdi sua irmã. Não posso imaginar que ele morrerá em meus braços como ela morreu nos braços de minha mãe, partindo junto com a avó. Vou ao quarto dele frequentemente durante o dia e até mesmo à noite, para observá-lo dormir, e tenho certeza de que não está se fortalecendo.

Adormeceu no meu colo, um dia, em março, e o estou embalando na cadeira de balanço e cantarolando, sem ter consciência de que canto uma canção de ninar borgonhesa da minha infância.

A canção termina e faz-se silêncio. Paro de balançar a cadeira e tudo está silencioso. Aproximo o ouvido do peito dele para ouvir a batida de seu coração, mas não consigo escutá-la. Ponho a bochecha em seu nariz, em sua boca, para sentir o calor de seu hálito. Não há respiração. Ele ainda está quente e macio em meus braços, como um passarinho. Mas meu George se foi. Perdi meu filho.

Ouço o som da canção de ninar de novo, baixinho, como o vento, e sei que Melusina o está embalando agora. Meu menino George se foi. Perdi meu filho.

Dizem-me que ainda tenho meu filho Eduardo, que tenho sorte por esse meu belo menino de 8 anos ser tão forte e se desenvolver tão bem. Dizem para eu ficar feliz por Ricardo, seu irmão de 5 anos. Sorrio, pois fico feliz com meus dois meninos. Mas isso não faz diferença quando se trata da perda de George, meu pequeno George, com seus olhos azuis e seu cabelinho louro.

~

Cinco meses depois, entro no confinamento para esperar o nascimento de outro filho. Não espero que seja menino, não acredito que um filho possa substituir o outro. Mas a pequena Catherine chega na hora exata para nos consolar. Há mais uma princesa York no berço, e a ala infantil está agitada como sempre. Um ano depois, tenho outro bebê, minha menininha Bridget.

— Acho que será o nosso último bebê — digo pesarosamente a Eduardo quando saio do confinamento.

Tive medo que achasse que eu estava ficando velha. Mas ele sorri para mim como se ainda fôssemos jovens amantes, e beija a minha mão.

— Nenhum homem pediria mais — replica, ternamente. — E nenhuma rainha teve tantos partos. Você me deu uma família grande, meu amor. E fico feliz por esta criança ser a última.

— Não quer outro menino?

— Quero possuí-la por prazer, e abraçá-la por desejo. Quero que saiba que é o seu beijo que eu quero, não mais um herdeiro para o trono. Quando eu vier para a sua cama, saberá que a amo pelo que você é, não como uma égua de York para reprodução.

Jogo a cabeça para trás e olho para ele.

— Pensa em se deitar comigo por amor e não para ter filhos? Não é pecado?

Seu braço envolve a minha cintura e a outra mão cobre meu seio.

— Vou me certificar de que seja extremamente pecaminoso — promete.

Abril de 1483

O tempo está frio para a época, e os rios estão cheios. Estamos em Westminster para a celebração da Páscoa. Olho pela janela o rio caudaloso que corre rápido e penso em meu filho Eduardo, que está além das grandes águas do rio Severn, muito longe de mim. É como se a Inglaterra fosse um país de canais, lagos, córregos, rios que se entrecruzam. Melusina deve estar em toda parte; este é um país repleto de seu elemento.

Meu marido Eduardo, um homem da terra, cisma de ir pescar e passa o dia fora. Retorna ensopado e feliz. Ele insiste em que jantemos o salmão que pescou no rio; carrega o peixe na altura do ombro, ostentosamente: um pescado real.

Nessa noite, fica febril e o repreendo por ter se molhado no frio, como se ainda fosse um menino, e posto sua saúde em risco. No dia seguinte, está pior e se levanta por pouco tempo, para logo voltar para a cama: sente-se excessivamente cansado. No dia seguinte a esse, o médico diz que deve ser sangrado, mas Eduardo jura que não podem tocar nele. Digo aos médicos que será como o rei insiste, mas vou ao quarto dele quando está dormindo, examino seu rosto enrubescido para me tranquilizar de que não é nada mais do que uma doença passageira. Não é a peste ou uma febre grave. Ele é um homem forte, sadio. Pode contrair um resfriado e se recuperar em uma semana.

Ele não melhora. E agora começa a se queixar de dores intensas na barriga e de acessos terríveis de calor. Em uma semana, a corte fica assustada, e sinto um terror silencioso tomar conta de mim. Os médicos são inúteis: nem mesmo sabem o que há de errado nele, não sabem o que causou essa febre, nem o que pode curá-lo. Ele não consegue reter nada no estômago. Vomita tudo o que come, e luta com a dor na barriga, como se combatesse em uma nova guerra. Mantenho a vigília em seu quarto, minha filha Elizabeth do meu lado, cuidando dele junto com duas benzedeiras em quem confio. Hastings, amigo de infância e parceiro do rei em todos os momentos, inclusive na estúpida pescaria, mantém vigília na sala externa. A prostituta Shore vive de joelhos diante do altar na Abadia de Westminster, segundo me disseram, temendo pelo homem amado.

— Deixe-me vê-lo — implora William Hastings.

Olho-o com a expressão fria.

— Não. Ele está doente. Não precisa da companhia de prostitutas, jogo e bebida. Não precisa de você. A saúde dele está arruinada por sua causa, e por causa daqueles iguais a você. Vou cuidar dele para que fique bom e, se for como eu desejo, não o verá de novo quando ele se curar.

— Deixe-me vê-lo — insiste. Nem mesmo se defende de minha raiva.

— Só quero vê-lo. Não suporto não vê-lo.

— Espere aqui fora, como um cachorro — digo cruelmente. — Ou volte para o lado da prostituta Shore e lhe diga que pode passar a servir você agora, pois o rei rompeu com vocês dois.

— Ficarei esperando. Ele vai perguntar por mim. Vai querer me ver. Ele sabe que estou aqui, esperando para vê-lo. Ele sabe que estou aqui.

Passo por ele direto para o quarto do rei e fecho a porta, de modo que Hastings não consiga ver nem de relance o homem a quem ama lutando para respirar na grande cama de quatro colunas.

Eduardo ergue os olhos quando entro.

— Elizabeth.

Vou para perto dele e seguro sua mão.

— Sim, meu amor.

— Lembra-se de quando voltei para você e lhe contei que tinha sentido medo?

— Eu me lembro.

— Estou com medo de novo.

— Você vai ficar bom — murmuro prementemente. — Vai ficar bom, meu marido.

Ele balança a cabeça e fecha os olhos por um momento.

— Hastings está lá fora?

— Não.

Ele sorri.

— Quero vê-lo.

— Agora não. — Acaricio sua cabeça. Está queimando de tanta febre. Pego uma toalha, molho-a com água-de-colônia e umedeço, delicadamente, seu rosto. — Não está forte o bastante para ver ninguém.

— Elizabeth, vá chamá-lo, e chame todos os membros do meu Conselho Privado que estiverem no palácio. Mande chamar meu irmão Ricardo.

Por um momento, penso ter contraído a sua doença, pois minha barriga se comprime com uma dor forte. Então me dou conta de que é medo.

— Você não precisa vê-los, Eduardo. Tudo de que precisa é repousar e se fortalecer.

— Vá buscá-los — diz.

Viro-me, dou uma ordem ríspida à ama, que corre para a porta e a transmite ao guarda. No mesmo instante, circula por toda a corte a mensagem de que o rei convocou seus conselheiros, e todos sabem que ele deve estar morrendo. Vou até a janela e fico de costas para a vista do rio. Não quero olhar para a água, não quero ver o brilho do rabo de uma sereia, não quero ouvir Melusina cantar para avisar uma morte. Os lordes entram no quarto, Stanley, Norfolk, Hastings, o cardeal Thomas Bourchier, meus irmãos, meus primos, meus cunhados e meia dúzia de outros: todos os grandes homens do rei, homens que estão com meu marido desde seus primeiros desafios ou, como Stanley, que estão sempre perfeitamente aliados ao lado vencedor. Olho para eles, impassível, e me fazem uma reverência, com a expressão sombria.

As mulheres erguem um pouco o corpo de Eduardo, de modo que ele possa ver o Conselho. Os olhos de Hastings estão cheios de lágrimas, sua face retorcida de dor. Eduardo lhe estende a mão, e Hastings a segura como se pudesse mantê-lo vivo.

— Receio não ter muito tempo — diz Eduardo. Sua voz é um sussurro rouco.

— Não — murmura Hastings. — Não diga isso. Não.

Eduardo vira a cabeça e fala para todos eles:

— Deixo um filho pequeno. Esperava poder vê-lo se tornar homem. Esperava deixá-lo já homem, para ser rei. Em vez disso, confio-lhes os cuidados de meu menino.

Levo a mão à boca para conter meu pranto.

— Não — eu digo.

— Hastings — chama Eduardo.

— Milorde.

— E vocês todos, e Elizabeth, minha rainha.

Vou para a sua cabeceira, ele pega minha mão e a une à de Hastings, como se nos casasse.

— Vocês dois terão de agir juntos. Terão de esquecer as hostilidades, rivalidades e ódios. Vocês dois têm contas a ajustar, cometeram erros um com o outro que não foram esquecidos. Mas terão de esquecer. Terão de se unir para manter meu filho a salvo e o verem no trono. Peço-lhes isso, exijo isso de vocês em meu leito de morte. Vão fazer o que peço?

Penso em todos os anos em que odiei Hastings, o amigo e companheiro mais querido de Eduardo, parceiro das farras com bebida e mulheres, amigo que não saía do seu lado nas batalhas. Lembro-me de como ele, já no primeiro momento, me desprezou, olhando com arrogância do alto de seu cavalo quando me posicionei na beira da estrada, lembro de como se opôs à ascensão da minha família, e repetidas vezes insistiu para que o rei desse ouvidos a outros conselheiros e empregasse outros amigos. Vejo-o olhar para mim e, apesar de as lágrimas correrem soltas por seu rosto, seu olhar é duro. Ele acha que me coloquei na estrada para lançar um feitiço sobre um jovem, para a sua ruína. Ele nunca vai entender o que aconteceu naquele dia entre um rapaz e uma moça. Houve magia: e seu nome é amor.

— Vou agir com Hastings pela segurança de meu filho — replico. — Vou trabalhar com todos vocês e esquecer todos os erros cometidos para colocar meu filho em segurança no trono.

— Eu também — diz Hastings.

E então todos repetem, um depois do outro: "E eu também."

— Meu irmão Ricardo será seu guardião — diz Eduardo. Retraio-me e puxo minha mão, mas Hastings a segura firme.

— Como quiser, sire — afirma ele, olhando duro para mim. Sabe que me ressinto de Ricardo e do poder do norte sob seu comando.

— Anthony, meu irmão — digo com um sussurro, incitando o rei.

— Não — replica Eduardo, de maneira obstinada. — Ricardo, duque de Gloucester, será lorde protetor, tutor e regente do príncipe Eduardo até ele assumir seu trono.

— Não — sussurro. Se pelo menos eu pudesse ficar a sós com o rei, eu lhe diria que, com Anthony como protetor, nós, os Rivers, manteríamos o país seguro. Não quero o meu poder ameaçado por Ricardo. Quero o meu filho cercado pela minha família. Não quero ninguém de parentesco York no novo governo que construirei para ele. Quero que ele seja um menino Rivers no trono da Inglaterra.

— Vocês juram? — diz Eduardo.

— Juro — respondem todos.

Hastings olha para mim.

— Jura? — pergunta. — Assim como prometemos colocar seu filho no trono, a senhora promete aceitar Ricardo, duque de Gloucester, como regente?

É claro que não. Ricardo não é meu amigo, e já é senhor de metade da Inglaterra. Por que confiar que ele vai colocar meu filho no trono quando ele próprio é um príncipe York? Por que ele não aproveitaria a chance de se apoderar do trono? Ele tem um filho com Anne Neville, um menino que poderia ser o príncipe de Gales no lugar do meu príncipe. Por que Ricardo, que lutou em tantas batalhas por Eduardo, não lutaria em mais uma por si mesmo?

O rosto de Eduardo está sombrio por causa do cansaço.

— Jure, Elizabeth — murmura. — Por mim. Por Eduardo.

— Acha que isso deixará nosso filho em segurança?

Ele confirma com um movimento da cabeça.

— É a única maneira. Ele ficará seguro se você e os lordes concordarem, se Ricardo concordar.

Fico sem saída.

— Juro — digo.

Eduardo relaxa seu punho fechado nas nossas mãos e deixa sua cabeça cair nos travesseiros. Hastings chora como um cão uivante e põe o rosto na colcha; a mão de Eduardo consegue alcançar a cabeça de seu velho amigo em uma bênção. Os outros saem, Hastings e eu somos deixados, cada um de um lado da cama, e o rei morrendo entre nós.

～

Não tenho tempo para sofrer, não tenho tempo para avaliar a minha perda. Dentro de mim, meu coração sofre pelo homem que eu amo, o único homem que amei em toda a minha vida, o único que amarei. Eduardo, o jovem que veio a mim quando esperei por ele. O meu amado. Não tenho tempo para pensar sobre isso quando o futuro do meu filho e as perspectivas de minha família dependem de eu ser determinada e manter os olhos secos.

Nessa noite, escrevo a meu irmão Anthony.

O rei morreu. Traga o novo rei Eduardo a Londres o mais rápido possível. Traga tantos homens quantos for capaz de comandar como guarda real — vamos precisar deles. Eduardo insensatamente nomeou Ricardo, duque de Gloucester, regente. Ricardo nos odeia, por causa do amor do rei e do nosso próprio poder. Temos de coroar Eduardo

imediatamente e nos defender contra o duque, que nunca abrirá mão
da regência sem lutar. Recrute homens ao longo do caminho e se aposse
de armas que estão armazenadas em esconderijos. Prepare-se para a
batalha, para defender o nosso herdeiro. Atrasarei a comunicação de
sua morte o máximo que puder, de modo que Ricardo, que continua
no norte, ainda não saiba o que está acontecendo. Portanto apresse-se.

Elizabeth

O que não sei é que Hastings está escrevendo a Ricardo, manchando a página com suas lágrimas, mas sem atrapalhar sua legibilidade, para dizer que a família Rivers está se armando em torno do príncipe e que, se Ricardo quiser assumir seu papel de regente, se quiser assumir a guarda do jovem príncipe Eduardo contra a sua família rapinante, é melhor vir logo, com o maior número de homens que puder reunir no norte; e antes que o príncipe seja sequestrado por seus próprios parentes. Escreve:

O rei deixou tudo sob a sua proteção — bens, herdeiro, reino. Guarde
a pessoa do nosso soberano lorde Eduardo V e chegue em Londres
antes que os Rivers nos escapem.

O que não sei, e em que não gosto de pensar, é que, tendo aprendido a temer as guerras constantes pelo trono da Inglaterra, acabo de provocar uma por minha própria iniciativa, e que dessa vez ponho em risco a herança e, até mesmo, a vida do meu querido filho.

~

Ele o sequestra.

Ricardo desloca-se mais rápido, mais bem armado e mais determinado do que qualquer um de nós teria imaginado. Move-se tão rápido e tão decididamente quanto Eduardo teria feito — e não possui qualquer escrúpulo. Fica de emboscada durante a viagem de meu filho a Londres, dispensa os homens de Gales que eram leais ao príncipe e a mim, prende meu irmão Anthony, meu filho Richard Grey e nosso primo Thomas Vaughan, e toma Eduardo em sua suposta custódia. Meu filho ainda não completou 13 anos, pelo amor de Deus. Ainda é um menino. Sua voz ainda falha, seu queixo é liso como o de uma menina, e o pelinho macio sobre seu lábio superior só é visto quando está de perfil, contra a luz. Quando Ricardo manda embora seus leais criados, o tio que ele idolatra e o meio-irmão que ele ama, Eduardo defende-se com um pequeno tremor na voz. Diz que tem certeza de que seu pai só colocou homens bons ao seu redor e que quer mantê-los em seu serviço.

Ele é apenas um menino, tem de resistir a um homem endurecido por batalhas que está determinado a fazer o que é errado. Quando Ricardo diz que meu próprio irmão Anthony, que tem sido o amigo, guardião e protetor de meu filho durante toda a sua vida, e meu filho Grey mais novo, Richard, têm de se afastar dele, meu menino tenta defendê-los. Diz que tem certeza de que seu tio Anthony é um bom homem e bom tutor. Diz que seu meio-irmão Richard tem sido um companheiro para ele, e que sabe que seu tio Anthony nunca fez nada indigno de um cavaleiro, do nobre cavaleiro que é. Mas o duque Ricardo lhe diz que tudo será resolvido e que, nesse meio-tempo, ele e o duque de Buckingham, meu antigo pupilo, o qual obriguei a casar com minha irmã Katherine, e que agora aparece, surpreendentemente, na companhia de Ricardo, serão os companheiros do príncipe na viagem a Londres.

Ele é apenas um menino, sempre foi cuidadosamente guardado. Não sabe como resistir a seu tio Ricardo, vestido de preto e com a cara fechada, com 2 mil homens em seu séquito prontos para lutar. Portanto, deixa seu tio Anthony ir, deixa seu irmão Richard ir. Como poderia salvá-los? Chora com tristeza. Contam-me isso. Chora como uma criança quando ninguém o observa, mas deixa-os partir.

Maio de 1483

Elizabeth, minha filha de 17 anos, atravessa correndo em meio aos gritos e ao caos no Palácio de Westminster.

— Mãe! Milady mãe! O que está acontecendo?

— Vamos para o santuário — replico bruscamente. — Depressa. Pegue tudo o que quer levar e todas as roupas para as crianças. E que sejam retirados todos os tapetes e tapeçarias dos cômodos reais. Que tudo isso seja levado para a Abadia de Westminster. Vamos para o santuário de novo. Pegue sua caixa de joias e suas peles. Depois verifique os apartamentos reais, certifique-se de que foi removido tudo de valor.

— Por quê? — pergunta ela, a boca lívida e trêmula. — O que aconteceu agora? E Baby?

— Seu irmão, o rei, foi levado por seu tio, o lorde protetor. — Minhas palavras são como facas e vejo-as perfurarem-na. Ela admira seu tio Ricardo, sempre admirou. Esperava que ele fosse cuidar de nós todos, na verdade, nos proteger. — A vontade de seu pai designou meu inimigo responsável por meu filho. Vamos ver que tipo de tutor ele é. Mas é melhor checarmos isso de um local seguro. Vamos para o santuário hoje, neste minuto.

— Mamãe. — Ela não para quieta, com medo. — Não deveríamos esperar, consultar o Conselho Privado? Não deveríamos esperar Baby?

E se o duque Ricardo só o está trazendo em segurança para nós? E se ele estiver fazendo o que deve fazer, sendo lorde protetor? Se estiver apenas protegendo Baby?

— Ele é rei Eduardo para você, não é mais Baby — digo com veemência.

— Nem mesmo para mim. E vou lhe dizer uma coisa, menina: somente os tolos esperam os inimigos se aproximarem para ver se eles se tornarão amigos. Buscaremos a segurança que pudermos. No santuário. E levaremos seu irmão, o príncipe Ricardo, e o manteremos a salvo também. E quando o lorde protetor chegar a Londres com seu exército particular, poderá me persuadir de que é seguro sair.

Falo de maneira corajosa com minha filha igualmente corajosa, agora uma moça com sua própria vida arruinada por essa queda repentina de princesa da Inglaterra para uma menina em um esconderijo. Na verdade, estamos em péssima situação quando bloqueamos a porta da cripta de St. Margaret, em Westminster, e ficamos sós — meu irmão Lionel, bispo de Salisbury, meu filho Thomas Grey, meu pequeno Ricardo e minhas filhas Elizabeth, Cecily, Anne, Catherine e Bridget. Na última vez em que estivemos aqui, eu estava grávida do meu primeiro filho York, com todos os motivos para esperar que ele um dia reivindicasse o trono da Inglaterra. Minha mãe estava viva, era a minha companheira e melhor amiga. E ninguém conseguia ficar com medo por muito tempo quando ela tramava a nosso favor, fazia seus feitiços e ria de sua própria ambição. Meu marido estava vivo no exílio, planejando o retorno. Nunca duvidei de que ele retornaria. Nunca duvidei de que seria vitorioso. Eu sabia que ele nunca perdia uma batalha. Sabia que viria, que venceria, que nos salvaria. Sabia que eram tempos difíceis, mas que viriam outros melhores.

Agora estamos aqui de novo, mas desta vez é difícil ter esperanças. É o começo do verão, estação que sempre foi a minha favorita, com piqueniques, justas, festas. A penumbra da cripta é opressiva. É como estar enterrada viva. Na verdade, não há muita razão para esperança. Meu pequeno Eduardo está em mãos inimigas, minha mãe se foi faz tempo, e meu marido está morto. Nenhum homem belo e alto baterá na porta e bloqueará a luz ao entrar, chamando por mim. Meu pequeno Eduardo, que era um bebê então, agora é um menino de 12 anos, nas mãos de nosso inimigo. Minha filha Elizabeth, que então brincava tão ternamente com suas irmãs, tem agora 17 anos, vira seu rosto pálido para mim e pergunta o que vamos fazer. Na última vez, esperamos em segurança, sabendo que, se conseguíssemos sobreviver, seríamos resgatados. Dessa vez não existem certezas.

Por quase uma semana, fico com o ouvido atento à pequenina janela na porta da frente. Do alvorecer ao anoitecer, espio pela grade, concentrada em escutar o que as pessoas estão fazendo, o som das ruas. Quando me afasto da porta, vou até a janela que dá para o rio e observo os barcos que passam, tentando ver entre eles a embarcação real, atenta a Melusina.

Todo dia envio mensageiros para buscarem notícias de meu irmão e de meu filho, e para falar com os lordes, que devem estar se preparando para nos defender e cujos partidários provavelmente estão se armando por nós. E no quinto dia, ouço um barulho que vai crescendo, a aclamação dos aprendizes, e outro som abaixo desse, um som mais profundo, exclamações de reprovação. Ouço o chacoalhar de arreios e o som de cascos de muitos cavalos. É o exército de Ricardo, duque de Gloucester, irmão de Eduardo, o homem a quem meu marido confiou a nossa segurança, entrando na cidade e tendo uma recepção dividida. Quando olho o rio pela janela, vejo uma sequência de barcos ao redor do Palácio de Westminster: uma barricada flutuante, nos mantendo cativos. Ninguém pode entrar ou sair.

Ouço o som de um ataque de cavalaria e alguns gritos. Começo a me perguntar: se eu tivesse armado a cidade contra ele, declarado guerra logo no começo, teria conseguido resistir agora? Mas então penso: e meu filho Eduardo na comitiva de seu tio? E meu irmão Anthony e meu filho Richard Grey, feitos reféns por meu bom comportamento? Talvez eu não tenha nada a temer. Simplesmente não sei. Ou meu filho é um jovem rei, preparando-se com grande honra para a sua coroação, ou uma criança sequestrada. Nem mesmo sei qual dos dois.

Vou para a cama com essa pergunta me assombrando, como a batida de um tambor. Deito-me vestida e não durmo. Sei que, nessa noite, não muito distante de mim, meu filho também está insone. Estou inquieta como uma mulher atormentada; quero estar com ele, vê-lo, dizer-lhe que está seguro comigo de novo. Não posso acreditar que, filha de Melusina como sou, não consigo passar pelas grades das janelas e simplesmente nadar até ele. Ele é meu filho, talvez esteja com medo, talvez esteja em perigo. Como posso não estar com ele?

Mas tenho de ficar deitada, imóvel, e esperar que o céu negro como breu se torne cinza nas pequenas vidraças antes de me levantar e descer até a porta da cripta. Abro o visor e olho as ruas silenciosas. Então me dou conta de que ninguém se armou para proteger meu filho Eduardo, ninguém vai salvá-lo, ninguém vai me libertar. Podem ter vaiado quando o lorde protetor entrou na cidade, liderando seu exército com meu filho em seu séquito, podem ter se rebelado e lutado um pouco, mas não estão armados nessa manhã e atacando o castelo do duque. Na noite passada, fui a única em toda Londres a ficar de vigília, preocupada com o pequeno rei durante todas essas longas horas.

A cidade está esperando para ver o que o lorde protetor vai fazer. Tudo depende disso. Ricardo, duque de Gloucester, é o irmão leal e amado do falecido rei, e cumprirá a ordem de seu irmão moribundo de colocar o filho dele no trono? Ele se mostrará mais leal do que nunca, desempenhando seu papel como lorde protetor e protegendo o sobrinho até o dia de sua coroação? Ou Ricardo, duque de Gloucester, é falso como todo yorkista, e assumirá o poder que seu irmão lhe deu, deserdando seu sobrinho, pondo a coroa na própria cabeça e nomeando seu próprio filho príncipe de Gales? Ninguém sabe o que o duque Ricardo vai fazer, e muitos — como sempre — só querem estar do lado vencedor. Todos terão de esperar para ver. Somente eu o derrubaria agora, se pudesse. Só para me sentir segura.

Vou até as janelas baixas e olho o rio. A água corre tão próxima que tenho a impressão de que, se me debruçar, poderei tocá-la. Há um barco com homens armados na comporta da abadia. Estão me vigiando e mantendo meus aliados longe de mim. Os amigos que tentarem me ver serão afastados.

— Ele vai tomar a coroa — digo baixinho ao rio, Melusina, minha mãe. Elas me escutam no fluxo das águas. — Poderia apostar minha fortuna nisso. Ele vai se apossar da coroa. Todos os homens York são cegos de ambição, e Ricardo, duque de Gloucester, não é diferente. Eduardo arriscou sua vida, ano após ano, lutando por seu trono. George preferiu enfiar sua cabeça em uma tina de vinho a prometer que não o reivindicaria. Agora Ricardo entra em Londres chefiando milhares de homens armados. Não está fazendo isso em benefício do sobrinho. Vai reivindicar a coroa para si mesmo. É um príncipe de York. Não consegue ser diferente. Achará centenas de razões para proceder dessa forma, e daqui a muitos anos o povo continuará a discutir suas atitudes. Acho que ele vai se apoderar da coroa porque não consegue se conter, assim como George não conseguia deixar de ser um tolo ou Eduardo de ser um herói. Ricardo tomará a coroa e vai descartar a mim e aos meus.

Faço uma pausa para um instante de honestidade.

— E é a minha natureza lutar sozinha — digo. — Estarei preparada para ele. Estarei preparada para o pior que ele possa fazer. Vou me preparar para perder meu filho Richard Grey e meu querido irmão Anthony, como já perdi meu pai e meu irmão John. Estes são tempos difíceis, às vezes difíceis demais para mim. Mas nesta manhã, estou pronta. Vou lutar por meu filho e pela herança dele.

Assim que tomo essa decisão, surge um visitante no portão do santuário, uma batida apreensiva, e mais outra. Dirijo-me até lá bem devagar, imprimindo a marca do meu medo a cada passo. Abro o visor e me deparo com a prostituta Elizabeth Shore, o capuz ocultando seu cabelo dourado e seus olhos vermelhos de tanto chorar. Pela grade ela vê minha face pálida como a de uma prisioneira, olhando-a com raiva.

— O que quer? — pergunto friamente.

Sobressalta-se ao ouvir a minha voz. Talvez pensasse que eu ainda tinha um cavalariço e uma dúzia de camaristas para abrir a porta.

— Vossa Graça!

— Ela própria. O que quer, Shore?

Ela desaparece completamente ao fazer uma reverência tão profunda que fica abaixo da altura da grade na porta. Por um momento, vejo o aspecto cômico da cena quando se ergue de novo e aparece como uma lua turva no horizonte.

— Vim com presentes, Vossa Graça — diz ela claramente. Então baixa a voz. — E notícias. Por favor, deixe-me entrar, pelo rei.

Minha raiva se exacerba quando ela se atreve a mencioná-lo, e então penso que ela parece ainda se achar a seu serviço e que continuo a ser a esposa dele. Retiro a tranca da porta e a bato de novo rapidamente quando ela entra como uma gata assustada.

— O que foi? — pergunto rudemente. — O que pretende vindo aqui sem ser convidada? — Ela não avança além do frio degrau da porta. Põe uma cesta no chão, que carregou como uma criada da cozinha. Logo percebo o presunto curado e a galinha assada.

— Vim a mando de Sir William Hastings, com seus cumprimentos e a garantia de sua lealdade — diz ela às pressas.

— Ah, mudou de protetor? Agora é a prostituta dele?

Ela me olha direto nos olhos e tenho de prender a respiração diante de sua beleza orgulhosa. Tem os olhos cinza e o cabelo louro. Parece-se comigo há vinte anos. Parece-se com minha filha Elizabeth de York: uma beldade inglesa, uma rosa da Inglaterra. Só isso já seria motivo para eu odiá-la, mas não consigo. Penso que há vinte anos, se Eduardo fosse casado, eu não teria sido melhor do que ela, e teria preferido me tornar a prostituta dele a não vê-lo mais.

Meu filho Thomas Grey se adianta, surgindo da escuridão da cripta atrás de mim, e faz uma reverência a ela, como se Shore fosse uma dama. Ela lhe lança um sorriso discreto, como se fossem bons amigos e não precisassem de palavras.

— Sim, agora sou a prostituta de Sir William — confirma, calmamente. — O falecido rei mandou meu marido para o exterior e anulou o nosso casamento. Minha família não me aceita mais em casa. Estou sem proteção, agora que o rei está morto. Sir William Hastings me ofereceu uma casa e estou feliz por encontrar certa segurança com ele.

Balanço a cabeça, entendendo.

— E então?

— Ele pediu-me para ser sua mensageira. Não pode vir pessoalmente, teme os espiões do duque Ricardo. Mas manda dizer que não perca a esperança e que acredita que tudo vai acabar bem.

— E por que eu devo confiar em você?

Thomas se adianta.

— Escute-a, milady mãe — diz ele cordialmente. — Ela amou genuinamente seu marido e é uma dama honrada. Ela não transmitiria um conselho falso.

— Vá para dentro — falo com Thomas rispidamente. — Eu lido com esta mulher. — Viro-me para ela. — O seu novo protetor tem sido meu inimigo desde a primeira vez que me viu — prossigo de maneira rude. — Não sei por que seríamos amigos agora. Ele trouxe o duque Ricardo e ainda o apoia.

— Ele achou que estava defendendo o jovem rei. Ele não estava pensando em mais nada além da segurança dele. Quer que Vossa Graça saiba disso, e que acha que tudo vai acabar bem.

— Ah, ele acha? — Estou impressionada: apesar da mensageira, Hastings é leal a meu marido na morte assim como em vida. Se ele acha que tudo vai acabar bem, se está convencido da segurança de meu filho, então tudo pode acabar bem. — Por que ele está tão confiante?

Ela aproxima-se um pouco mais, de modo que possa falar com um sussurro.

— O jovem rei foi alojado no Palácio de Bishop. Na ala lateral. Mas o Conselho Privado concorda com que deva ser alojado nos apartamentos reais na Torre, e que tudo seja preparado para a sua coroação. Ele assumirá sua posição imediatamente, como o novo rei da Inglaterra.

— O duque Ricardo vai coroá-lo?

Ela assente com um movimento da cabeça.

— Os apartamentos reais estão sendo preparados para ele. Estão aprontando os trajes cerimoniais da coroação. A abadia está sendo preparada. Estão encomendando as pompas e arrecadando dinheiro para a coroação. Enviaram os convites e convocaram o Parlamento. Está tudo sendo providenciado. — Ela hesita. — Está tudo sendo apressado, é claro. Quem jamais teria pensado...?

Ela se interrompe. Obviamente prometeu a si mesma que não demonstraria seu sofrimento a mim. Como poderia? Como a prostituta do rei se atreveria a chorar pela morte dele diante da rainha? Portanto, ela não diz nada, mas as lágrimas sobem a seus olhos e ela as reprime. Eu fico em silêncio, mas minhas lágrimas também vêm aos meus olhos e os desvio dela. Não sou mulher de se deixar dominar por um momento sentimental. Esta é a prostituta, eu sou a sua rainha. Mas Deus sabe como sentimos falta dele. Partilhamos a dor como antes partilhamos a alegria de tê-lo.

— Você tem certeza? — pergunto em tom bem baixo. — O traje cerimonial está sendo preparado? Está tudo sendo aprontado?

— Estabeleceram a data da sua coroação em 25 de junho, e os lordes do reino foram convocados a comparecer. Não há dúvida. Sir William ordenou que lhe dissesse para ter coragem, e que não tem dúvida de que a senhora verá seu filho no trono da Inglaterra. Mandou-me dizer que virá pessoalmente, de manhã, para escoltá-la até a abadia, e que Vossa Graça verá seu filho ser coroado. Comparecerá à coroação como a primeira dama em seu séquito.

Desconfio dessa esperança, mas vejo que talvez ela tenha razão, que talvez Hastings esteja certo. Estou no santuário como uma lebre assustada que corre quando não há cães de caça, e que se abaixa, as orelhas chatas sobre o dorso, enquanto os ceifadores passam por ela para outro campo.

— E Edward, o jovem conde de Warwick, foi mandado para o norte, para a casa de Anne Neville, a mulher do duque de Gloucester — prossegue ela.

Warwick é o menino que ficou órfão por meio do barril de vinho. Tem apenas 8 anos e é assustado e idiota, um verdadeiro filho de seu tolo pai George de Clarence. Ele tem menos direito ao trono do que meus filhos, mas ainda assim vem antes do duque Ricardo na linha de sucessão, e por isso, Ricardo o está mantendo em segurança.

— Tem certeza? Ele mandou Warwick para a sua esposa?

— Milorde diz que Ricardo teme Vossa Graça e seu poder, mas que não faria a guerra contra seus sobrinhos. Todos os meninos estão a salvo com ele.

— Hastings tem notícias de meu irmão e de meu filho Richard Grey? — sussurro.

Ela assente com a cabeça.

— O Conselho Privado recusou-se a acusar seu irmão de traição. Dizem que foi um bom e leal servidor. O duque Ricardo quer acusá-lo de ter sequestrado o jovem rei, mas o Conselho Privado discordou: não aceitarão a acusação. Prevaleceram sobre o duque Ricardo, que acatou essa opinião. Milorde acha que seu irmão e seu filho serão soltos depois da coroação, Vossa Graça.

— O duque Ricardo vai fazer um acordo conosco?

— Milorde diz que o duque se opõe à sua família, Vossa Graça, e à sua influência. Mas é leal ao jovem rei, pelo rei Eduardo. Disse que Vossa Graça pode ter certeza de que seu filho será coroado.

— Diga-lhe que ficarei feliz nesse dia, mas até lá, permanecerei aqui. Tenho outro filho e cinco filhas, e prefiro mantê-los seguros comigo. E que não confio no duque Ricardo.

— Ele disse que Vossa Graça também não foi tão digna de confiança. — Ela faz uma reverência profunda e mantém a cabeça baixa enquanto me insulta. — Ele me mandou dizer que Vossa Graça não pode derrotar o duque Ricardo. Terá de se unir a ele. Mandou-me dizer que foi o seu marido em pessoa que o nomeou lorde protetor, e que o Conselho Privado prefere a influência dele à sua. Perdoe-me, Vossa Graça, ele me mandou dizer também que há muitos que não gostam da sua família e que querem ver o jovem rei livre da influência de seus muitos tios e os Rivers fora de suas muitas posições. Também foi citado que a senhora removeu o Tesouro real para o santuário, que se apoderou do selo real e que seu irmão, o lorde almirante Edward Woodville, levou a frota inteira para o mar.

Tenho de me conter. Isso é insultar a mim e a todos da minha família, especialmente meu irmão Anthony, que foi aprisionado com meu filho e que exerce, mais do que qualquer outro, influência sobre ele. Eduardo o ama como a um pai.

— Pode dizer a Sir William que o duque Ricardo deve libertar meu irmão imediatamente, sem nenhuma acusação — falo abruptamente. — Diga-lhe que o Conselho Privado deve ser lembrado dos direitos da família Rivers e da viúva do rei. Continuo a ser rainha. O país já viu uma rainha lutar por seus direitos antes. Vocês todos deveriam ter se precavido. O duque raptou meu filho e entrou em Londres armado. Eu o farei responder por isso, quando puder.

Ela parece assustada. Claramente não quer ser a intermediária entre um cortesão carreirista e uma rainha vingativa. Mas é sua função agora e terá de fazer o melhor que puder.

— Eu lhe direi, Vossa Graça. — Faz outra reverência profunda e quando chega à porta diz: — Permite que eu expresse minha solidariedade pela morte de seu marido? Ele foi um grande homem. Foi uma honra ter permissão para amá-lo.

— Ele não a amava — digo com um rancor súbito e vejo seu rosto pálido ficar lívido.

— Não, ele nunca amou ninguém como a amava — replica tão docemente que não consigo ficar indiferente à sua ternura. Ela sorri, e seus olhos se umedecem de novo. — Nunca houve a menor dúvida em minha cabeça de que havia uma rainha no trono e a mesma rainha em seu coração. Ele fez questão que eu soubesse disso. Todos sabiam disso. Só existiu a senhora para ele.

Ela desliza a tranca e abre o portão.

— Você também era querida para ele — digo contra a vontade, sentindo-me obrigada a ser justa com ela. — Eu tinha ciúmes de você porque sabia que era muito querida para ele. Ele dizia que você era sua prostituta mais alegre.

O rosto dela ilumina-se como se uma chama quente refulgisse dentro de uma lamparina.

— Fico feliz por ele ter pensado isso de mim, e por ter sido bondosa o bastante para me contar. Nunca fui de fazer política ou buscar posição. Simplesmente gostava de estar com ele e de poder fazê-lo feliz.

— Sim, muito bem, muito bem — digo, minha generosidade rapidamente se esgotando. — Então, boa sorte.

— E que Deus a proteja, Vossa Graça. Talvez me mandem de novo com mensagens. Vai me receber?

— Assim como qualquer outra pessoa. Deus sabe que, se Hastings vai usar as prostitutas de Eduardo como mensageiras, receberei centenas — replico com irritação, e vejo seu sorriso esmaecido quando passa pela porta semiaberta. Fecho-a assim que ela dá as costas.

Junho de 1483

As certezas de Hastings não me detêm. Estou em guerra contra Ricardo, vou destruí-lo e libertar meu filho, meu irmão e o jovem rei. Não vou esperar obedientemente, como Hastings propôs, Ricardo coroar Eduardo. Não confio nele e não confio no Conselho Privado ou nos cidadãos de Londres, que estão esperando, como traidores, para se unir ao lado vencedor. Nós atacaremos e o pegaremos de surpresa.

— Mande a mensagem a seu tio Edward — digo a Thomas, meu filho Grey mais velho. — Diga-lhe para preparar a frota para a batalha. Sairemos do santuário e sublevaremos o povo. O duque dorme no Castelo de Baynard, com a mãe. Edward deve bombardear o castelo enquanto entramos na Torre e pegamos Eduardo, o nosso príncipe.

— E se Ricardo não tiver outra intenção a não ser a de coroá-lo? — pergunta. Começa a escrever a mensagem em código. Nosso mensageiro está aguardando escondido, pronto para partir em direção à frota que está de prontidão nas águas profundas de Downs.

— Então Ricardo será morto e coroaremos Eduardo — digo. — Talvez matemos um amigo leal e príncipe de York, mas o prantearemos depois. Nossa hora é agora. Não podemos esperar que fortaleça o seu comando de Londres. Metade do país ainda nem mesmo soube que o rei Eduardo está morto. Vamos acabar com o duque Ricardo antes que seu governo dure mais tempo.

— Eu gostaria de recrutar alguns dos lordes.

— Faça o que puder — replico com indiferença. — Lady Margaret Stanley me deu sua palavra de que seu marido está conosco, embora pareça ser amigo de Ricardo. Pode lhe perguntar. Mas aqueles que não se opuseram a Ricardo e à entrada dele em Londres podem morrer com ele, não me interessam. Para mim, são traidores, traíram a mim e a memória de meu marido. Os que sobreviverem a essa batalha serão julgados por traição e decapitados.

Thomas olha para mim.

— Então, está declarando guerra de novo. Nós, os Rivers, e aqueles a quem demos posições, nossos primos e parentes por afinidade contra os lordes da Inglaterra comandados pelo duque Ricardo, seu cunhado. York contra York. Vai ser uma luta amarga e difícil de ser encerrada uma vez iniciada. Difícil de vencer também.

— Tem de começar — replico, soturna. — E tenho de vencer.

~

A prostituta Elizabeth Shore não é a única que me procura para me segredar notícias. Minha irmã Katherine, esposa do soberbo duque de Buckingham, quando criança sob minha tutela, aparece em uma visita trazendo bom vinho e algumas framboesas de Kent.

— Vossa Graça, minha irmã — diz ela, fazendo uma reverência profunda.

— Irmã duquesa — replico, impassível. Nós a casamos com o duque de Buckingham quando ele era um órfão irritado de apenas 9 anos. Nós lhe demos milhares de acres de terra e o título mais importante da Inglaterra, abaixo apenas do príncipe. Nós mostramos a ele que, apesar de ser orgulhoso como um pavão quando se trata de seu nome, muito mais importante do que o nosso, ainda assim tínhamos o poder de escolher a sua esposa, e me divertiu dar seu nome antigo à minha irmã. Katherine teve sorte de ser feita duquesa por meu favor, enquanto eu era rainha. E agora a roda da fortuna gira e gira, e ela se vê casada não com um menino ressentido, mas com um homem de quase 30 anos que é, hoje, o melhor amigo do lorde protetor da Inglaterra, e eu sou uma rainha viúva, escondida, com meu inimigo no poder.

Ela me dá o braço, como costumava fazer quando éramos meninas em Grafton, e vamos até a janela olhar a água remansosa.

— Estão dizendo que você se casou por um ato de bruxaria — diz, seus lábios mal se movendo. — E estão procurando alguém para jurar que Eduardo foi casado com outra mulher antes de você.

Encaro seu olhar de cenho franzido.

— É uma difamação antiga. Não me perturba.

— Por favor, escute. Talvez eu não possa voltar. A importância e o poder de meu marido têm crescido. Acho que ele vai me mandar para o campo, e não poderei desobedecer. Preste atenção. Eles têm Robert Stillington, o bispo de Bath e Wells...

— Mas ele é homem nosso — interrompo-a, esquecendo-me de que não existe mais "nós".

— Ele *era* seu homem. Não é mais. Foi chanceler de Eduardo, mas agora é grande amigo do duque. Ele assegura, como disse a George, duque de Clarence, que Eduardo era casado com Lady Eleanor Butler antes de se casar com você, e que ela tinha um filho legítimo dele.

Desvio meu olhar. Esse é o preço que pago por ter um marido incontinente.

— Na verdade, acho que ele lhe prometeu casamento — sussurro. — Talvez até mesmo tenha realizado uma cerimônia com ela. Anthony sempre achou que sim.

— Isso não é tudo.

— O que mais?

— Estão dizendo que o rei Eduardo não é filho de seu pai. Seria um bastardo imposto fraudulentamente.

— A difamação de novo?

— De novo.

— E quem está servindo essas carnes antigas?

— O duque Ricardo e meu marido estão comentando em todo lugar. E o pior é que acho que a mãe do rei, Cecily, está disposta a confessar publicamente que o seu marido era um bastardo. Acho que ela fará isso para pôr o próprio filho no trono e descartar o seu. O duque Ricardo e meu marido afirmam em toda parte que o falecido rei era um bastardo e que seu filho, Elizabeth, também é. Isso torna o duque Ricardo o próximo rei legítimo.

É claro. É claro. E depois, seremos banidos para o exílio e o duque Ricardo se tornará rei Ricardo, e seu filho pálido tomará o lugar do meu belo filho.

— E o pior de tudo — sussurra ela —, o duque suspeita de que você esteja recrutando seu próprio exército. Advertiu o Conselho de que você planeja destruí-lo e todos os antigos lordes da Inglaterra. Portanto, mandou chamar em York homens que lhe são leais. Ele está trazendo um exército do norte para nos subjugar.

Sinto meu punho se apertar.

— Estou reunindo meu pessoal — confirmo. — Tenho planos. Quando os homens do norte vão chegar?

— Ele acaba de mandar chamá-los. Precisarão de alguns dias. Talvez uma semana, talvez mais. Está pronta para se rebelar agora?

— Não — murmuro. — Ainda não.

— Não sei o que pode fazer daqui. Não seria melhor sair e se apresentar ao Conselho Privado pessoalmente? Algum dos lordes ou algum membro do Conselho Privado a procurou? Tem um plano?

— Certamente temos planos. Vou libertar Eduardo e tirar meu filho Ricardo do país clandestinamente, sem demora. Estou subornando os guardas na Torre para libertarem meu filho. Ele está cercado de homens bons. Posso confiar neles para fazerem vista grossa. Meu filho, Thomas Grey, vai a Sheriff Hutton para salvar seu irmão Richard e seu tio Anthony. Depois eles se armarão, retornarão e libertarão todos nós. Vão sublevar nosso povo. Vamos vencer.

— Vai tirar os garotos do país primeiro?

— Eduardo planejou nossa fuga há anos, antes mesmo de eles terem nascido. Jurei que manteria meus filhos a salvo, independentemente do que acontecesse. Não se esqueça de que chegamos ao trono sem ter trégua dessas batalhas, e ele nunca achou que estivéssemos seguros. Estávamos sempre preparados para o perigo. Mesmo que Ricardo não lhes fizesse mal, não posso admitir que os confine e diga ao mundo que são bastardos. Nosso irmão, Sir Edward, trará a sua frota e atacará o duque, e um dos navios levará os meninos a Margarida, em Flandres, e, lá eles ficarão a salvo.

Ela segura meu cotovelo e seu rosto está lívido.

— Querida... oh, Elizabeth! Meu Deus! Você não sabe?

— O quê? O que é agora?

— Nosso irmão Edward desapareceu. Sua frota se amotinou contra ele, a favor do lorde protetor.

Por um instante, fico entorpecida com o choque.

— Edward? — Viro-me para ela e seguro suas mãos. — Ele está morto? Mataram o nosso irmão?

— Não sei ao certo. Acho que ninguém sabe. Com certeza não foi proclamado morto. Não foi executado.

— Quem pôs os homens contra ele?

— Thomas Howard. — Ela nomeia o nobre em ascensão que se uniu à causa de Ricardo esperando lucro e posição. Ele se infiltrou na frota. De qualquer maneira, os homens de Edward já estavam em dúvida se deveriam atacar ou não. Voltaram-se contra o comando Rivers. Nossa família é odiada por muitas pessoas.

— Desaparecido — repito. Ainda não consigo perceber a enormidade da nossa derrota. — Perdemos Edward, perdemos a frota e o tesouro que ela transportava — murmuro. — Eu estava contando com ele para nos salvar. Ele subiria o rio e nos levaria em segurança. E o tesouro nos compraria um exército em Flandres e pagaria nossos partidários aqui. A frota bombardearia Londres e a ocuparia pelo rio.

Ela hesita e, então, como se o meu desespero a fizesse tomar uma decisão, tira de dentro de sua capa o pedaço de um lenço. Passa-o para mim.

— O que é isso?

— Um pedaço que cortei do guardanapo do duque Ricardo, quando ele jantou com meu marido. Ele o segurava com a mão direita, com que limpou a boca. — Baixa a voz e os olhos. Ela sempre teve medo dos poderes de nossa mãe. Nunca quis aprender nenhuma de nossas habilidades. — Achei que poderia usá-lo. Achei que talvez pudesse usá-lo. — Hesita. — Tem de deter o duque de Gloucester. O poder dele cresce a cada dia. Achei que podia fazer com que adoecesse.

— Cortou isso do guardanapo do duque? — pergunto, incrédula. Katherine sempre odiou qualquer tipo de conjuração. Nunca nem mesmo permitiu que ciganas lessem sua sorte na feira.

— Por Anthony — sussurra ela com veemência. — Temo tanto por nosso irmão. Manterá os meninos a salvo, eu sei. Vai conseguir tirá-los daqui. Mas o duque tem Anthony em seu poder, e tanto ele quanto meu marido o odeiam. Eles o invejam por sua erudição e valentia, por ele ser tão querido. Têm medo dele, e eu o amo tanto. Tem de deter o duque, Elizabeth. Tem de salvar Anthony.

Eu escondo o guardanapo sob a manga do meu vestido furtivamente, de modo que nem mesmo meus filhos possam vê-lo.

— Deixe isso comigo — digo. — Nem mesmo pense nisso. Seu rosto é franco demais, Katherine. Todo mundo vai saber o que estou fazendo se você não tirar completamente essa ideia da cabeça.

Ela dá um risinho nervoso.

— Eu nunca conseguiria mentir.

— Esqueça tudo sobre isso.

Voltamos para a porta da frente.

— Vá com Deus — digo-lhe. — E reze por mim e por nossos filhos.

O sorriso desaparece de seu rosto.

— São tempos sombrios para nós, os Rivers. Rezarei para que mantenha seus filhos a salvo, minha irmã, e a si mesma.

— Ele vai se arrepender de ter começado isso — prevejo. Por um momento, faço uma pausa, pois, de repente, como uma visão, vejo Ricardo parecendo perdido como um menino, cambaleando no meio de um campo de batalha, sua grande espada bamba em sua mão enfraquecida. Procura amigos em volta, e não vê nenhum. Procura com os olhos seu cavalo, mas o animal desapareceu. Tenta reunir forças, mas não tem nenhuma. O choque em sua expressão é de dar pena.

O momento passa e Katherine toca em minha mão.

— O que foi? O que viu?

— Vi que ele vai se lamentar por ter começado isso — replico em tom baixo. — Será o fim dele e de sua casa.

— E nós? — pergunta ela, perscrutando meu rosto, como se pudesse ver o que vi. — Anthony? Nós todos?

— Será nosso fim também, receio.

~

Nessa noite, à meia-noite, quando está escuro como breu, me levanto da cama e pego o pedaço de pano que Katherine me deu. Vejo a mancha de comida onde o duque limpou a boca. Cheiro-a. Carne, acho, embora seja moderado ao se alimentar e não beba. Retorço o pano formando um cordão e o amarro em volta do meu braço direito, tão apertado que dói. Vou para a cama e, de manhã, a pele branca de meu braço está arroxeada e meus dedos formigam como se espetados por alfinetes e agulhas. Sinto a dor no braço e, ao desatar o tecido, gemo. Sinto fraqueza no braço ao jogar o cordão no fogo.

— Enfraqueça — digo à chama. — Perca a sua força. Que seu braço direito lhe falte, que o braço com que empunha a espada fique cada vez mais fraco, que seu punho afrouxe. Que respire e sinta que o ar lhe falta. Que respire de novo e se sinta asfixiado, nauseado e exausto. E que assim se queime. — O cordão cintila no fogo da lareira e o observo queimar até desaparecer.

~

Meu irmão Lionel chega de manhã cedo.

— Recebi uma carta do Conselho. Pedem que saiamos do santuário e que enviemos seu filho, o príncipe Ricardo, para ficar com o irmão nos aposentos reais na Torre.

Viro-me para a janela e olho para o rio, como se pudesse me aconselhar com ele.

— Não sei — digo. — Não. Não quero os dois príncipes nas mãos do tio.

— Não há dúvida de que a coroação vai acontecer. Todos os lordes estão em Londres, o traje cerimonial está sendo feito, a abadia está pronta. Devíamos sair agora e assumir o nosso lugar legítimo. Escondidos aqui, parecemos culpados de alguma coisa.

Mordo o lábio.

— O duque Ricardo é um dos filhos de York — comento. — Viu os três sóis ardendo no céu, quando foi junto com os irmãos ao encontro da vitória. Não pode acreditar que ele desprezará a chance de governar a Inglaterra. Não pode achar que ele passará todo o poder do reino a um menino.

— Acho que ele governará a Inglaterra através de seu filho, se você não estiver lá para impedir — retrucou Lionel bruscamente. — Ricardo o colocará no trono e o terá como seu fantoche. Será mais um Warwick, outro Fazedor de Reis. Ele não quer o trono para si mesmo: quer ser regente e lorde protetor. Ele nomeará a si mesmo regente e governará através de Eduardo.

— Eduardo será rei a partir do momento em que for coroado. Então, veremos quem ele ouvirá!

— Ricardo pode se recusar a entregar o poder até Eduardo completar 21 anos. Pode comandar o reino como regente pelos próximos oito anos. Teremos de estar lá, representados no Conselho Privado, protegendo os nossos interesses.

— Se eu puder ter certeza de que meu filho está em segurança.

— Se Ricardo fosse matá-lo, o teria feito em Stony Stratford, quando prenderam Anthony e não havia ninguém para protegê-lo, nenhuma testemunha, exceto Buckingham — diz Lionel, simplesmente. — Mas não o matou. Em vez disso, ajoelhou-se, jurou-lhe lealdade e o trouxe com honra para Londres. Fomos nós que demos origem à desconfiança. Lamento, irmã: foi você. Nunca discuti com você em toda a minha vida, sabe disso. Mas agora está enganada.

— Ah, é fácil para você dizer isso — replico com irritação. — Tenho sete filhos para proteger e um reino para governar.

— Então o governe. Assuma seus aposentos na Torre e compareça à coroação do seu filho. Sente-se em seu trono e mande no duque, que não passa de seu cunhado e guardião de seu filho.

∾

Tenho refletido sobre isso. Talvez Lionel tenha razão e eu devesse estar planejando a coroação, conquistando homens para o lado do novo rei, prometendo-lhes favores e honras em sua corte. Se saio agora com meus belos filhos e refaço minha corte, posso governar a Inglaterra através de meu filho. Posso reivindicar o nosso lugar, não me esconder com medo. Penso: posso fazer isso. Não preciso ir à guerra para conquistar meu trono. Posso fazer isso como uma rainha reinante, como uma rainha querida. O povo me apoiará com facilidade: posso conquistá-lo. Talvez eu devesse sair do santuário para o sol do verão e assumir o meu lugar.

Há uma leve batida na porta e uma voz de homem diz:

— Confessor para a rainha viúva.

Destranco a grade. Há um padre da ordem dominicana, o capuz puxado para a frente, ocultando o rosto.

— Recebi ordens de ouvir sua confissão — diz ele.

— Entre, padre. — Abro a porta. Ele entra em silêncio, suas sandálias silenciosas no piso de pedra. Faz uma reverência e espera que a porta seja fechada atrás dele.

— Vim a mando do bispo Morton — diz ele em tom baixo. — Se lhe perguntarem algo, vim para lhe oferecer uma chance de se confessar. A senhora comentou comigo sobre o pecado da tristeza e da aflição excessiva, e eu a aconselhei contra o desespero. Está bem?

— Sim, padre.

Passa-me um pedaço de papel.

— Vou esperar dez minutos e, então, sairei. Não tenho permissão para levar uma resposta.

Ele vai até o banco do lado da porta e se senta, esperando o tempo passar. Levo o bilhete à janela, por causa da luz, e enquanto o rio murmura lá embaixo, leio-o. Está lacrado com o brasão dos Beaufort. É de Margaret Stanley, minha antiga dama de honra. Apesar de ter nascido e sido criada como lancastriana e ser mãe do herdeiro de Lancaster, ela e seu marido Thomas Stanley foram leais a nós durante os últimos 11 anos. Talvez ela permaneça leal. Talvez até mesmo fique do meu lado contra o duque Ricardo. Seus interesses podem ser satisfeitos por mim. Ela contava com Eduardo para perdoar o sangue lancastriano de seu filho e permitir que ele retornasse de seu exílio na Bretanha. Ela fala comigo de seu amor por seu filho e de como daria tudo para tê-lo de volta. Prometi que assim seria. Ela não tem motivo para amar o duque Ricardo. Pode muito bem achar que suas chances de ver o filho retornar ao país serão melhores se ela permanecer minha amiga e apoiar minha volta ao poder.

Mas não escreveu nada semelhante a uma conspiração nem palavras de apoio. Escreveu apenas algumas linhas:

Anne Neville não está indo a Londres para a coroação. Não providenciou cavalos ou uma guarda para a viagem. Não experimentou roupas especiais para a coroação. Achei que gostaria de saber.

M.S.

Fico com a carta em minha mão. Anne está doente, e seu filho é frágil. Talvez prefira ficar em casa. Mas Margaret, Lady Stanley, não teria todo esse trabalho nem correria tal perigo para me dizer isso. Ela quer que eu saiba que Anne Neville não tem pressa de ir a Londres para a coroação porque não há necessidade de ela se apressar. Se não está vindo, é por ordem do marido. Ricardo sabe que não haverá nada a que comparecer. Se o duque não ordenou que sua mulher viesse para Londres a tempo da coroação, o evento mais importante do novo reinado, é porque deve saber que ela não vai acontecer.

Contemplo o rio por um longo tempo e penso no que isso significa para mim e meus dois preciosos filhos reais. Então, me ajoelho diante do frade.

— Abençoe-me, padre — digo, e sinto sua mão delicada sobre minha cabeça.

∾

A criada que sai para comprar pão e carne todos os dias retorna, a face lívida, e fala com minha filha Elizabeth que me procura.

— Milady mãe, milady mãe, posso falar com a senhora?

Estou olhando pela janela, meditando sobre a água, como se esperasse que Melusina surgisse do fluxo moroso do rio no verão e me aconselhasse.

— É claro, querida. O que foi?

Algo em sua urgência tensa me alerta.

— Não sei o que está acontecendo, mãe, mas Jemma voltou do mercado e disse que circula uma história de uma briga no Conselho Privado, de uma prisão. Uma briga na sala do Conselho! E Sir William... — Ela fica sem fôlego.

— Sir William Hastings? — Digo o nome do amigo mais querido de Eduardo, do homem que jurou defender meu filho, do meu recente aliado.

— Sim, ele. Mãe, estão dizendo no mercado que ele foi decapitado.

Seguro-me no peitoril de pedra enquanto a sala parece girar.

— Não pode ser... ela deve ter ouvido errado.

— Ela disse que o duque Ricardo descobriu uma conspiração contra ele, que prendeu dois homens importantes e decapitou Sir William.

— Ela deve estar enganada. Ele é um dos homens mais importantes da Inglaterra. Não poderia ser decapitado sem julgamento.

— É o que ela disse — murmura. — Disse que o levaram para fora e cortaram sua cabeça sobre um pedaço de tronco na Torre, sem aviso, sem julgamento, sem acusação.

Meus joelhos cedem e, quando vou cair, Elizabeth me segura. A sala fica escura, mas logo a vejo de novo, o toucado sobre a cabeça um pouco torto, o cabelo louro se soltando. Minha bela filha me olha e murmura:

— Milady mãe, mamãe, fale comigo. A senhora está bem?

— Estou bem — replico. Minha garganta está seca, e percebo que estou deitada no chão apoiando-me em seu braço. — Estou bem, querida. Mas achei ter ouvido você dizer... pensei que disse... Pensei ter ouvido você dizer que Sir William Hastings foi decapitado.

— Foi o que Jemma disse, mãe. Mas acho que a senhora nem mesmo gostava dele.

Sento-me no chão, minha cabeça doendo.

— Filha, não se trata de gostar ou não. Esse lorde era o principal defensor de seu irmão, o único que me procurou. Ele não gostava de mim, mas ele daria a própria vida para pôr seu irmão no trono e cumprir o que prometera a seu pai. Se está morto, perdemos o nosso maior aliado.

Ela sacode a cabeça, perplexa.

— Será que ele fez algo muito errado? Alguma coisa que tenha ofendido o lorde protetor?

Há uma leve batida na porta e nos paralisamos. Uma voz diz em francês:

— *C'est moi.*

— É uma mulher, abra a porta — digo. Por um momento, tive certeza de que era o carrasco de Ricardo vindo nos buscar, com o sangue de Hastings ainda na lâmina de seu machado. Elizabeth corre para abrir o grande portão de madeira e a prostituta Elizabeth Shore entra, o capuz cobrindo seu cabelo louro, uma capa envolvendo seu belo vestido de brocado. Ela faz uma reverência profunda quando ainda estou no chão.

— Então, já soube — diz ela de imediato.

— Hastings está morto?

Seus olhos estão cheios de lágrimas, mas ela é sucinta.

— Sim, está. Por isso eu vim. Ele foi acusado de traição contra o duque Ricardo.

Minha filha cai de joelhos do meu lado e pega minhas mãos geladas.

— O duque Ricardo acusou Sir William de conspirar contra sua vida. Disse que William tinha conseguido uma bruxa que agira contra ele. Afirmou que estava sentindo falta de ar, adoecendo e perdendo a força. Sentia o braço com que empunha a espada enfraquecer, e o expôs a Sir William na câmara do conselho, do pulso ao ombro, dizendo que certamente estava definhando. Tinha certeza de que estava sob encantamento feito por seus inimigos.

Meus olhos fixam-se em seu rosto pálido. Nem mesmo olho de relance para a lareira, onde o pedaço de pano torcido do guardanapo do duque foi queimado depois de eu amarrá-lo em volta do meu braço e amaldiçoá-lo, desejando que lhe faltasse ar e força, que o braço que empunha sua espada enfraquecesse como o de um corcunda.

— Quem ele nomeou como a bruxa?

— A senhora — replica ela. Sinto Elizabeth se retrair. Em seguida, ela acrescenta: — E eu.

— Nós duas agindo de comum acordo?

— Sim. Por isso vim avisá-la. Se ele conseguir provar que a senhora é uma bruxa, pode entrar à força no santuário e levá-la com seus filhos daqui?

Confirmo com um movimento da cabeça. Ele pode.

De qualquer maneira, lembro-me da batalha de Tewkesbury, quando meu próprio marido arrombou um santuário, sem nenhum motivo ou explicação, arrastou homens feridos para fora da abadia e os massacrou no cemitério, depois voltou a entrar e matou mais alguns nos degraus do altar. Tiveram de esfregar o piso da capela-mor para limpá-lo do sangue, tiveram de consagrar de novo todo o lugar, de tão manchado pela morte.

— Pode — respondo. — Já fizeram pior antes.

— Tenho de ir — diz ela, assustada. — Talvez estejam me vigiando. William gostaria que eu fizesse o possível para manter seus filhos a salvo, mas não posso fazer mais. Tenho de lhe dizer que lorde Stanley fez de tudo para salvar William. Avisou-o de que o duque agiria contra ele. Teve um sonho em que era ferido por um javali com presas ensanguentadas. Alertou-o, mas William não achou que fosse tão rápido... — As lágrimas correm por sua face e sua voz está embargada. — É tão injusto — sussurra. — E contra um homem tão bom. Mandar soldados arrastarem-no do Conselho! Cortar sua cabeça sem nem mesmo um padre! Sem tempo para rezar!

— Hastings foi um bom homem — admito.

— Com ele morto, a senhora perdeu um protetor. Estão correndo grande perigo. E eu também.

Ela puxa o capuz, cobrindo de novo seu cabelo louro, e vai para a porta.

— Desejo-lhe boa sorte. E aos meninos de Eduardo. Se puder servi-la, servirei. Mas por enquanto, não devo ser vista vindo aqui. Não me atreveria a voltar.

— Espere — peço. — Disse que lorde Stanley continua leal ao jovem rei Eduardo?

— Stanley, o bispo Morton e o arcebispo Rotherham foram todos presos por ordem do duque, suspeitos de trabalharem para a senhora e os seus. Ricardo acha que estavam tramando contra ele. Os únicos homens deixados em liberdade são aqueles que fazem o que o duque manda.

— Ele ficou louco? — pergunto, incrédula. — Ricardo enlouqueceu?

— Acho que decidiu reivindicar o trono — responde simplesmente. — Lembra-se de como o rei costumava dizer que Ricardo sempre fazia o que prometia? Que se Ricardo jurasse que faria algo, isso seria feito, independentemente do que custasse?

Não gosto de ouvir essa mulher citando meu marido, mas concordo.

— Acho que Ricardo tomou uma decisão, acho que prometeu isso a si mesmo. Decidiu que a melhor coisa para ele, e para a Inglaterra, é um novo rei forte e não um menino de 12 anos. E agora que está decidido, fará o que for preciso para assumir o trono. Independentemente do preço.

Ela abre um pouco a porta e perscruta a rua. Pega a cesta para parecer que nos entregava mercadorias. Olha da porta para mim.

— O rei sempre dizia que nada deteria Ricardo depois que ele tivesse elaborado um plano. Se nada o deter agora, vocês não estarão seguros. Espero que consiga se pôr a salvo, Vossa Graça, a senhora e seus filhos... os filhos de Eduardo. — Faz uma reverência profunda e diz em um sussurro: — Que Deus a abençoe, por ele. — A porta se fecha e ela desaparece.

～

Não hesito. É como se o baque surdo do machado no pescoço de Hastings, na Torre, fosse uma trombeta assinalando a largada de uma corrida. Mas é uma corrida para salvar meu filho da ameaça de seu tio, que agora está prestes a assassiná-lo. Não há mais dúvida na minha cabeça de que Ricardo matará meus dois filhos para não ter obstáculos no seu caminho para o trono. Também não coloco minha mão no fogo pela vida do filho de George, onde quer que esteja abrigado. Vi Ricardo entrar no quarto do adormecido rei Henrique para matar um homem indefeso porque a pretensão dele ao trono era tão válida quanto a de Eduardo. Não há a menor dúvida em minha mente de que Ricardo obedecerá à mesma lógica que os três irmãos estabeleceram naquela noite. Um rei consagrado e ordenado estava entre a linhagem deles e o trono — e o mataram. Agora, meu filho está entre Ricardo e o trono. Ele o matará, se puder, e talvez eu não possa impedir. Mas juro que ele não pegará o meu caçula.

Eu o preparei para esse momento, mas quando lhe digo que tem de partir já, nessa noite mesmo, ele se espanta com a urgência. A cor desaparece de seu rosto, mas sua valentia infantil faz com que mantenha a cabeça erguida e morda o lábio para não chorar. Ele só tem 9 anos, mas foi criado para ser um príncipe da Casa de York, para demonstrar coragem. Beijo-o no alto da cabeça e peço-lhe para ser um bom menino e se lembrar de tudo o que fora instruído a fazer. Quando começa a escurecer, atravesso a cripta com ele e desço mais ainda até a catacumba embaixo do edifício, onde temos de passar pelos túmulos de pedra e pelas salas abobadadas das câmaras mortuárias, com uma lanterna à nossa frente e outra em sua mãozinha. A luz não oscila. Meu filho Ricardo não treme nem mesmo quando passa pelas sepulturas sombrias. Anda rapidamente do meu lado, a cabeça erguida.

O caminho leva a um portão de ferro oculto, e além dele há um píer de pedra que se estende no rio, com um barco a remo balançando silenciosamente. É um bote, alugado para o tráfego no rio, um entre centenas. Eu queria poder embarcá-lo em um navio de guerra comandado por meu irmão Edward, com soldados que tivessem jurado protegê-lo, mas só Deus sabe onde ele está nesta noite. Sua frota se rebelou contra nós e navegará pelo duque. Não tenho navios de guerra sob meu comando. Teremos de usar isso. Meu menino terá de partir com a proteção de apenas dois criados leais e a bênção de sua mãe. Um dos amigos de meu falecido marido, Sir Eduardo Brampton, o está esperando em Greenwich. Ele amava o rei ou assim espero. Não tenho como saber. Não posso ter certeza de nada.

Os dois homens estão esperando silenciosamente no barco, firmando-o contra a correnteza com um cabo atado na argola presa nos degraus de pedra. Entrego o meu menino a eles, que o erguem e o sentam na popa. Não há tempo para despedidas e, de qualquer maneira, não há nada que eu possa dizer, a não ser rezar por sua segurança. A prece entala em minha garganta como se eu tivesse engolido uma adaga. O bote parte; aceno para ele e vejo seu rostinho pálido sob o grande capuz olhar para trás, para mim.

Tranco o portão de ferro, subo de volta a escada de pedra. Caminho silenciosa pelas catacumbas igualmente silenciosas e olho pela minha janela. Seu barco está se distanciando no tráfego fluvial, os dois homens nos remos, meu menino na popa. Não há razão para serem parados. Há dezenas iguais a eles, centenas de barcos entrecruzando-se no rio, cada qual ocupado com seu próprio negócio. Parecem dois trabalhadores com um garoto para recados e outros pequenos serviços. Abro minha janela, mas não o chamo. Não o chamarei de volta. Quero apenas que possa me ver, se erguer o olhar. Quero que saiba que não o deixei ir levianamente, que procurarei por ele até o último momento. Quero que me veja no lusco-fusco e que saiba que o procurarei pelo resto da minha vida, até a hora da minha morte, até depois da morte, e o rio murmurará seu nome.

Ele não ergue os olhos. Faz o que foi ensinado. É um bom menino, valente. Lembra-se de manter a cabeça baixa e o capuz puxado sobre sua testa para esconder o cabelo louro. Tem de se lembrar de responder quando for chamado de Peter, e não esperar ser servido por pessoas ajoelhadas. Tem de esquecer os cortejos e as viagens reais, os leões da Torre e o bufão jogando as pernas para o ar para fazê-lo rir. Tem de esquecer a multidão aclamando seu nome e suas belas irmãs que brincavam com ele e lhe ensinavam francês e latim, e até mesmo um pouco de alemão. Tem de esquecer o irmão que ele adora e que nasceu para ser rei. Tem de ser como um pássaro, uma andorinha, que no inverno voa sob as águas dos rios e se congela, imobilizando-se e silenciando-se, e só voa de novo quando chega a primavera para liberar as águas e fazer com que voltem a fluir. Ele tem de ser como uma andorinha querida no rio, sob a proteção de sua ancestral Melusina. Tem de confiar que o rio o esconderá e o manterá a salvo, pois eu não posso mais protegê-lo.

De minha janela, observo o barco e, de início, consigo vê-lo na popa, balançando enquanto o bote se desloca em movimentos regulares, ao ritmo dos remos. Então a correnteza os alcança e avançam mais rápido entre outros barcos, balsas, barcos de pesca, navios mercantes, ferryboats, botes, até mesmo duas jangadas enormes, e não consigo mais ver meu menino. Ele desaparece no rio, e tenho de confiá-lo a Melusina e à água. Sou deixada isolada sem meu filho mais novo, encalhada na margem do rio.

~

Meu filho Thomas Grey parte na mesma noite. Sai furtivamente vestido como cavalariço para as ruas menos reputadas de Londres. Precisamos de alguém lá fora para se informar e reunir nossas forças. Há centenas de homens leais a nós, e milhares que lutariam contra o duque. Mas têm de ser recrutados e organizados, e Thomas precisa fazer isso. Não resta mais ninguém que tenha essa capacidade. Ele tem 27 anos. Sei que o estou fazendo correr riscos, talvez de morte.

— Boa sorte — digo-lhe. Ele ajoelha e ponho minha mão sobre sua cabeça, abençoando-o. — Aonde você vai?

— Ao lugar mais seguro de Londres — replica ele, com um sorriso malicioso. — Um lugar que amava seu marido e que nunca perdoará o duque Ricardo por tê-lo traído. O único negócio honesto em Londres.

— O que quer dizer?

— O bordel — responde ele, com um sorriso amplo.

Então vira-se e desaparece no escuro.

~

Na manhã seguinte, bem cedo, minha filha Elizabeth traz o pequeno pajem à minha presença. Ele nos servia em Windsor e aceitou nos servir de novo. Ela o conduz pela mão, pois é uma menina generosa, mas ele cheira a cocheiras, onde dorme.

— Você vai responder pelo nome de Ricardo, duque de York — digo-lhe. — As pessoas vão chamá-lo de milorde e sire. Não irá corrigi-las. Não dirá uma palavra. Simplesmente assentirá.

— Sim, senhora — murmura ele.

— E vai me chamar de milady mãe — prossigo.

— Sim, senhora.

— Sim, milady mãe.

— Sim, milady mãe — repete ele.

— E vai tomar um banho e vestir roupas limpas.

Seu rostinho assustado se inflama.

— Não! Banho não! — protesta.

Elizabeth parece espantada.

— Qualquer um vai logo ver — diz ela.

— Diremos que está doente — retruco. — Diremos que está resfriado ou com dor de garganta. Vamos amarrar seu maxilar com uma flanela e colocar um lenço ao redor de sua boca. Nós o mandaremos ficar calado. É só por alguns dias. Só para ganharmos tempo.

Ela aceita balançando a cabeça.

— Vou lhe dar um banho.

— Chame Jemma para ajudá-la — digo. — E um dos homens provavelmente vai ter de segurá-lo na água.

Ela consegue dar um sorriso, mas seus olhos estão sombrios.

— Mãe, acha realmente que meu tio, o duque, faria mal a seu próprio sobrinho?

— Não sei — replico. — E por isso mandei meu querido filho real para longe de mim, e meu filho Thomas Grey teve de sair na escuridão. Não sei mais do que o duque é capaz.

∾

A criada Jemma pede para sair no domingo à tarde para ver a prostituta Shore fazer sua penitência.

— Fazer o quê? — pergunto.

Ela faz uma reverência profunda, a cabeça bem baixa, mas sua ansiedade para partir é tamanha que está disposta a correr o risco de me ofender.

— Desculpe, senhora, Vossa Graça, mas ela vai ter de caminhar na cidade usando apenas combinação, carregando um círio aceso, e todo mundo vai vê-la. Fará penitência porque pecou, sendo prostituta. Achei que se eu viesse cedo todos os dias na semana que vem, talvez Vossa Graça deixasse eu...

— Elizabeth Shore?

Seu rosto se ergue.

— A notória prostituta — repete. — O lorde protetor ordenou que ela fizesse uma penitência pública por seus pecados da carne.

— Pode ir — digo abruptamente. Mais um olhando na multidão não vai fazer diferença. Penso nessa jovem que Eduardo amou, que Hastings amou, andando descalça, vestida só com sua combinação, carregando um círio, protegendo sua chama, enquanto o povo a insulta e cospe nela. Eduardo não gostaria disso, e por ele, não por ela, eu impediria, se pudesse. Mas não há nada que eu possa fazer para protegê-la. Ricardo, o duque, tornou-se cruel, e até mesmo uma bela mulher tem de sofrer por ser amada.

— Foi punida só por ser bela. — Meu irmão Lionel ficou ouvindo à janela o murmúrio apreciativo da multidão enquanto ela percorria os limites da cidade. — E porque agora Ricardo suspeita de que ela está escondendo seu filho Thomas. Fez uma busca na casa dela, mas não o encontrou. Ela o manteve seguro, escondido dos homens de Gloucester, e então o ajudou a fugir.

— Que Deus a abençoe por isso.

Lionel sorri.

— Aparentemente, essa punição deu errado para o duque Ricardo. Ninguém está falando mal dela, quando passa — prossegue ele. — Um dos barqueiros gritou para mim, quando eu estava na janela. Disse que as mulheres estão com pena dela, pena, e que os homens apenas a admiram. Não é todo dia que veem uma mulher tão bela de combinação. Dizem que ela parece um anjo nu, belo e caído.

Sorrio.

— De qualquer maneira, que Deus a abençoe, anjo ou prostituta.

Meu irmão, o bispo, também sorri.

— Acho que seus pecados foram de amor, não de malícia — diz ele. — E nestes tempos difíceis, talvez seja isso o que importe.

17 de junho de 1483

Enviam meu parente, o cardeal Thomas Bourchier, e meia dúzia de outros lordes do Conselho Privado para ponderarem comigo. Recebo-os como uma rainha, usando os diamantes reais pilhados do Tesouro, sentada em uma suntuosa cadeira como em um trono. Espero parecer majestosa e digna. Na verdade, me sinto mortífera. Esses são os lordes de meu Conselho Privado. Suas posições foram-lhes concedidas por meu marido. Ele os fez o que são hoje, e agora têm a audácia de me procurarem para dizer o que o duque Ricardo exige de mim. Elizabeth fica em pé atrás de minha cadeira, e minhas outras quatro filhas estão enfileiradas ao seu lado. Nenhum dos meus filhos homens ou irmãos está presente. Não comentam que meu filho Thomas Grey evadiu-se do santuário e está livre em Londres, e obviamente não chamo a atenção para a sua ausência.

Dizem que proclamaram o duque Ricardo regente e representante do príncipe, e me garantem que estão se preparando para a coroação de meu filho, o príncipe Eduardo. Querem que o meu filho mais novo, Ricardo, se una a seu irmão nos aposentos reais na Torre.

— O duque será regente apenas por alguns dias, só até a coroação — explica Thomas Bourchier, sua expressão tão sincera que tenho de confiar nele. É um homem que passou a vida tentando promover a paz no país.

Coroou Eduardo rei e eu rainha porque acreditava que traríamos a paz. Sei que está falando com sinceridade. — Assim que o jovem rei for coroado, todo o poder passará para ele, e a senhora será rainha viúva e mãe do rei — prossegue. — Volte para o seu palácio, Vossa Graça, e compareça à coroação de seu filho. O povo se admira de não vê-la e os embaixadores estrangeiros estranham sua ausência. Vamos fazer o que todos nós juramos ao rei em seu leito de morte: pôr seu filho no trono e nos unirmos, esquecendo a hostilidade. Que a família real fique alojada nos apartamentos reais na Torre, e que apareça em todo seu poder e beleza para a coroação de seu filho.

Por um momento, sou persuadida. Mais do que isso, sinto-me tentada. Talvez tudo possa acabar bem. Então penso em meu irmão Anthony e em meu filho Richard Grey aprisionados juntos no Castelo de Pontefract, e hesito. Faço uma pausa e reflito. Tenho de mantê-los a salvo. Enquanto eu estiver no santuário, a minha segurança e a segurança do meu filho Ricardo equilibra o aprisionamento dos dois como os pesos nos pratos de uma balança. Eles são reféns por meu bom comportamento, e o duque Ricardo não se atreve a tocar neles por medo de me enfurecer. Se Ricardo quer se livrar de todos os Rivers, precisa nos ter em seu poder. Mantendo-me fora do seu alcance, protejo aqueles de nós que ele tem, assim como os que estão livres. Tenho de manter meu irmão Anthony a salvo de seus inimigos. Essa é a minha cruzada, como aquela a que não permiti que ele fosse. Tenho de mantê-lo a salvo para continuar a ser a luz no mundo.

— Não posso entregar o príncipe Ricardo a vocês — digo, minha voz cheia de um arrependimento falso. — Ele tem estado muito doente, eu não suportaria deixar que outra pessoa cuidasse dele. Ele ainda não está bem, perdeu a voz, e se tiver uma recaída, poderá ser pior. Se querem que ele e seu irmão fiquem juntos, mandem Eduardo para cá, para que fique conosco, para que eu possa cuidar dos dois e mantê-los longe de qualquer perigo. Anseio ver meu filho mais velho, meu filho e do rei Eduardo, e saber que está seguro. Peço que o mandem para mim, para que fique em segurança. Ele pode ser coroado aqui, assim como na Torre.

— Ora, senhora — diz Thomas Howard, demonstrando indignação, como o intimidador agressivo que sempre foi. — Pode mencionar alguma razão por que ele correria perigo?

Olho para ele por um momento. Realmente acha que eu cairia em sua armadilha e confessaria a minha inimizade com o duque Ricardo?

— Todo o resto da minha família ou fugiu, ou está preso — replico simplesmente. — Por que eu acharia que eu e meus filhos estamos em segurança?

— Ora, ora — interrompe o cardeal, balançando a cabeça para Howard, para que se cale. — Todos os que estão presos serão julgados perante um tribunal de seus pares, como deve ser, e a veracidade de qualquer acusação será provada ou negada. Os lordes declararam que nenhuma acusação de traição pode ser levantada contra o seu irmão Anthony, conde de Rivers. Não deveria duvidar de que viemos de boa-fé. Não pode pensar que eu, eu próprio, a procuraria de má-fé.

— Ah, milorde cardeal — replico. — Não duvido do senhor.

— Então confie em mim quando lhe dou minha palavra, minha palavra pessoal, de que seu filho estará seguro comigo — diz ele. — Eu o levarei para junto de seu irmão, e nenhum mal acontecerá a nenhum dos dois. Não confia no duque Ricardo, e ele suspeita da senhora. Isso é uma tristeza para mim, mas os dois têm seus motivos. Eu juro que nem o duque nem qualquer outro fará mal a seus meninos, que eles estarão seguros juntos e que Eduardo será coroado rei.

Dou um suspiro e sou desarmada por sua lógica.

— E se eu recusar?

Ele se aproxima de mim e fala baixo:

— Receio que ele arrombe o santuário e a leve e toda a sua família para fora. E todos os lordes acham que ele tem o direito de fazer isso. Ninguém defende o seu direito de estar aqui, Vossa Graça. Parece escondida em uma concha, não em um castelo. Permita que o príncipe Ricardo saia, e a deixarão aqui, se é o que deseja. Se o mantiver aqui, serão todos tirados à força, como sanguessugas de um pote de vidro. Ou podem quebrar o pote.

Elizabeth, que ficou olhando pela janela, inclina-se e fala com um murmúrio:

— Milady mãe, há centenas de barcos do duque Ricardo no rio. Estamos cercados.

Por um momento, não vejo a expressão preocupada do cardeal. Não vejo a expressão inflexível de Thomas Howard. Não vejo a meia dúzia de homens que vieram com ele. Vejo meu marido entrando no santuário em Tewkesbury, empunhando a espada, e percebo que a partir de agora o santuário deixou de ser seguro. Eduardo destruiu a segurança de seu filho naquele dia, e nunca soube disso. Mas eu sei. E graças a Deus me preparei para esse momento.

Levo o lenço aos olhos.

— Perdoe a fraqueza de uma mulher — digo. — Não suporto a ideia de me separar dele. Posso ser poupada disso?

O cardeal dá um tapinha na minha mão.

— Ele tem de vir conosco. Lamento.

Viro-me para Elizabeth e digo com um sussurro:

— Vá buscá-lo, busque meu menino.

Ela sai em silêncio, a cabeça baixa.

— Ele não tem passado bem — digo ao cardeal. — Tem de mantê-lo bem agasalhado.

— Confie em mim — replica ele. — Ele não sofrerá nenhum mal sob os meus cuidados.

Elizabeth volta com o menino substituto. Está usando roupas do meu Ricardo, uma echarpe amarrada ao redor do pescoço, tapando a parte inferior de seu rosto. Quando o abraço, sinto até o cheiro do meu menino. Beijo seu cabelo louro. Seu corpinho parece frágil em meus braços e ainda assim se porta corajosamente, como um príncipe deveria fazer. Elizabeth instruiu-o bem.

— Vá com Deus, meu filho — digo. — Eu o verei de novo daqui a alguns dias, na coroação de seu irmão.

— Sim, milady mãe — diz ele como um pequeno papagaio. Sua voz é pouco mais que um sussurro, mas audível para todos.

Levo-o pela mão ao cardeal. Ele viu Ricardo na corte, à distância, e esse menino está oculto pelo capuz bordado com joias e o lenço ao redor da garganta e do queixo.

— Aqui está meu filho — digo, minha voz tremendo de emoção. — Eu o ponho em suas mãos. Entrego-o e a seu irmão para ficarem sob sua guarda. — Viro-me para o menino e digo: — Adeus, meu filho querido, que o Todo-Poderoso seja seu protetor.

Ele vira o rostinho para mim, envolvido pela echarpe, e, por um momento, sinto uma emoção verdadeira quando o beijo na face quente. Estou mandando esse menino para o perigo, em vez do meu próprio filho, mas ainda assim ele é uma criança, e o perigo permanece. Há lágrimas nos meus olhos quando ponho sua mãozinha na palma da mão grande do cardeal Bourchier, e digo por sobre a sua cabecinha:

— Proteja este menino, meu menino, por favor, milorde. Mantenha-o a salvo.

Esperamos enquanto levam a criança. Ao saírem, o cheiro das roupas dos homens perdura na sala. É o cheiro lá de fora, de suor de cavalo, de carnes cozidas, de uma brisa fresca soprando sobre a relva cortada.

Elizabeth vira-se para mim, seu rosto está pálido.

— Mandou o pajem porque acha que a Torre não é segura para o meu irmão — observa ela.

— Sim — replico.

— Então acha que Eduardo não está em segurança na Torre.

— Não sei. Sim. Este é o meu medo.

Ela dá um passo brusco em direção à janela e, por um instante, me lembra minha mãe, sua avó. Ela tem a mesma determinação — posso vê-la refletindo sobre qual o melhor modo de ação. Pela primeira vez penso que Elizabeth se tornará uma mulher que sabe se impor. Não é mais uma menina.

— Acho que deveria pedir para ver meu tio e tentar um acordo — diz ela. — Poderia concordar em lhe ceder o trono, e ele nomear Eduardo seu herdeiro.

Nego com um movimento da cabeça.

— Podia fazer isso — insiste ela. — Ele é tio de Eduardo, um homem de honra. Deve estar querendo achar uma solução para isso tanto quanto nós.

— Não abro mão do trono de Eduardo — respondo inflexivelmente. — Se o duque Ricardo o quiser, vai ter de tomá-lo, e se desonrar.

— E se ele fizer isso? — pergunta. — O que vai acontecer com Eduardo então? O que vai acontecer com minhas irmãs? O que vai acontecer comigo?

— Não sei — replico cautelosamente. — Talvez tenhamos de lutar, talvez tenhamos de argumentar. Mas não vamos ceder. Não vamos nos render.

— E essa criança — diz ela, indicando a porta por onde o menino pajem saiu, o queixo amarrado com um lenço, para que não falasse. — Nós o tiramos de seu pai, lhe demos banho, vestimos e pedimos que se calasse enquanto o mandamos para a morte? É assim que lutamos nessa guerra, usando uma criança como nosso escudo? Mandando um menino para a morte?

Domingo, 25 de junho de 1483: Dia da Coroação

— O quê? — disparo indignada sob o céu silencioso do amanhecer, como uma gata enfurecida cujos filhotes foram levados para ser afogados. — Nenhuma embarcação real? Nenhum tiro de canhão da Torre? Nenhum vinho jorrando na fonte da cidade? Nenhum rufar de tambores, nenhum garoto aprendiz bramindo a canção de sua guilda? Nenhuma música? Nenhum grito? Nenhuma aclamação no caminho da procissão? — Abro a janela que dá para o rio e vejo o tráfego usual de balsas, botes, barcos a remo, e digo a minha mãe e a Melusina: — Claramente não vão coroá-lo hoje. Em vez disso, ele vai morrer? — Penso em meu filho como se estivesse pintando o seu retrato. Penso na linha reta de seu narizinho ainda redondo na ponta, como o de um bebê, em suas bochechas redondas e na franca inocência de seus olhos. Penso na curva de sua cabeça, que cabia na minha mão quando eu o tocava, e na linha reta de sua nuca quando estudava debruçado sobre os livros. Era um menino corajoso, um menino que foi treinado por seu tio Anthony a montar com um salto e a conduzir o cavalo na justa. Anthony prometeu que ele seria destemido, que aprenderia a enfrentar o medo. E era um menino que adorava o campo. Gostava do Castelo de Ludlow, pois podia cavalgar nas colinas e ver os falcões-peregrinos planando acima dos rochedos, podia nadar na água fria do rio. Anthony dizia que ele tinha uma percepção do ambiente rara nos jovens. Era um menino com um futuro promissor. Nasceu em tempo de guerra para ser uma criança de paz. Teria sido, não tenho a menor dúvida, um grande rei Plantageneta; eu e seu pai teríamos ficado orgulhosos dele.

Falo de meu filho como se estivesse morto, pois tenho poucas dúvidas de que, se não for coroado hoje, será morto em segredo, como William Hastings foi arrastado para fora e decapitado no gramado da Torre sobre um pedaço de tronco, com o carrasco ainda limpando as mãos de seu café da manhã. Meu Deus, quando penso na nuca de meu menino e no machado do carrasco, sinto-me mal, e penso que vou morrer.

Não fico à janela vendo o rio correr indiferente, como se o meu menino não estivesse correndo perigo de vida. Visto-me, prendo o cabelo, e então fico rondando o santuário como uma das leoas na Torre. Busco conforto tramando: não estamos desamparados, não perdi a esperança. Meu filho Thomas Grey está ocupado, eu sei, encontrando-se secretamente com aqueles que podem ser convencidos a se sublevar por nós, e deve haver muitos na região rural, e em Londres também, que estão começando a ter dúvidas quanto ao que exatamente o duque Ricardo entende por regência. Margaret Stanley está claramente agindo a nosso favor: seu marido, lorde Thomas Stanley, alertou Hastings. Minha cunhada, a duquesa Margarida de York, deve estar agindo por nós na Borgonha. Até mesmo os franceses se interessarão pelo perigo que corro, nem que seja só para criar problemas para Ricardo. Há uma casa segura em Flandres, onde uma família bem paga está recebendo um menino e o ensinando a passar despercebido entre as pessoas de Tournai. Pode ser que o duque agora esteja com poder, mas são muitos os que o odiarão, como nos odeiam, a nós, os Rivers, e muitos pensarão afetuosamente em mim, agora que corro perigo. Mais que tudo, haverá os homens que querem ver o filho de Eduardo no trono, e não o seu irmão.

Ouço passos apressados e me viro para encarar um novo perigo quando minha filha Cecily atravessa a cripta correndo e abre a porta da minha câmara. Está lívida de medo.

— Há uma coisa na porta — diz ela. — Uma coisa horrível na porta.

— O que está na porta? — pergunto. No mesmo instante, é claro, penso que é o carrasco.

— Alto como um homem, mas parecendo a morte.

Jogo um lenço na cabeça, vou até a porta e abro a grade. A morte em pessoa parece estar me aguardando. Está de gabardina preta com um chapéu alto e um tubo branco comprido no lugar do nariz, escondendo o seu rosto. É um médico, e a grande máscara em formato de cone é forrada com ervas para protegê-lo dos ares da peste. Ele vira seus olhos semicerrados e brilhantes para mim, e sinto um arrepio.

— Não há ninguém com peste aqui — digo.

— Sou o Dr. Lewis de Carleon, médico de Lady Margaret Beaufort — replica ele, sua voz ecoando estranha por causa do cone. — Ela disse que a senhora está sofrendo de doenças de mulher e que precisa de um médico.

Abro a porta.

— Entre, não estou passando bem — digo. Mas assim que a porta se fecha, eu o desafio: — Estou muito bem. Por que está aqui?

— Lady Beaufort... Lady Stanley, quero dizer... também está bem, que Deus seja louvado. Mas ela queria falar com a senhora, e sou seu parente por afinidade, e leal à senhora, Vossa Graça.

Balanço a cabeça, assentindo.

— Tire a máscara.

Ele tira o cone do rosto e põe o capuz para trás. É um homem moreno e baixo, com um rosto sorridente que inspira confiança. Faz uma reverência profunda.

— Ela deseja saber se já elaborou um plano para resgatar os dois príncipes da Torre. Quer que saiba que ela e seu marido, lorde Stanley, estão ao seu dispor, e que o duque de Buckingham está com muitas dúvidas em relação a até onde a ambição do duque Ricardo o levará. Ela acha que o jovem duque está disposto a mudar de lado.

— Buckingham fez tudo para colocar o duque Ricardo onde ele está agora — digo. — Por que mudaria de ideia no dia de sua vitória?

324

— Lady Margaret acredita que Buckingham pode ser persuadido — replica ele, inclinando-se à frente para que só eu o escute. — Ela acha que ele está começando a ter dúvidas em relação a seu líder, que ele está interessado em outras recompensas, maiores do que as que o duque Ricardo pode lhe oferecer, e é um homem jovem, ainda não completou 30 anos, pode ser facilmente influenciado. Ele tem receio de que o duque planeje se apossar do trono. Ele receia pela segurança de seus filhos. A senhora é sua cunhada, seus filhos são sobrinhos dele. Ele está preocupado com o futuro dos príncipes, seus parentes. Lady Margaret me pediu para lhe dizer que acredita que os criados na Torre possam ser subornados, e quer saber como pode servi-la nos planos que porventura tiver para restaurar a liberdade dos príncipes Eduardo e Ricardo.

— Não é Ricardo... — começo a dizer, quando Elizabeth, parecendo um fantasma, sobe a escada do rio, a bainha de seu vestido ensopada. — Minha filha. O que, diabos, está fazendo?

— Fui me sentar à margem do rio — começa ela. Seu rosto está estranho e pálido. — Ele estava tão belo e silencioso nesta manhã, mas então foi se agitando. Eu me perguntei a causa dessa agitação. Foi quase como se o próprio rio me respondesse. — Vira-se e olha para o médico. — Quem é este?

— Um mensageiro de Lady Margaret Stanley — digo. Estou olhando para o seu vestido molhado, que se arrasta como uma cauda. — Como conseguiu ficar tão molhada?

— As balsas que passavam — responde ela. Seu rosto está pálido e hostil. — Todas as embarcações desciam o rio para o Castelo de Baynard, onde o duque Ricardo está reunindo uma grande corte. Ao passarem, levantavam tanta água que ela cobria os degraus do molhe. O que está acontecendo hoje lá? Metade de Londres está no rio indo para a casa do duque, mas supostamente seria o dia da coroação do meu irmão.

O Dr. Lewis parece constrangido.

— Eu estava para contar à sua mãe real — diz ele com hesitação.

— O próprio rio é uma testemunha — diz minha filha rudemente. — Transbordou sobre meus pés como se me dissesse algo. Qualquer um adivinharia.

325

— Adivinharia o quê? — pergunto aos dois.

— O Parlamento se reuniu e declarou que o duque Ricardo é o rei legítimo — diz ele em tom baixo, embora suas palavras ecoem na sala de pedra abobadada como se estivesse gritando uma proclamação. — Declararam que o seu casamento com o rei foi realizado sem o conhecimento dos lordes por direito, e conseguido por meio de bruxaria de sua mãe e da senhora. E que o rei já era casado com outra lady.

— Portanto, a senhora tem sido uma prostituta há anos e nós somos bastardos — conclui Elizabeth friamente. — Fomos derrotados e humilhados. Está tudo acabado. Podemos agora pegar Eduardo e Ricardo e partir?

— O que está dizendo? — pergunto. Estou tão perplexa com essa minha filha, em seu vestido que parece uma cauda molhada, como uma sereia vinda do rio, quanto com as notícias de que Ricardo reivindicou o trono e fomos humilhados. — O que está dizendo? No que estava pensando sentada à margem do rio? Elizabeth, você está muito estranha hoje. Por que está assim?

— Porque acho que fomos amaldiçoados — retruca ela rispidamente. — Acho que fomos amaldiçoados. O rio me sussurrou uma maldição, e culpo a senhora e meu pai por nos trazerem ao mundo e nos colocarem aqui, nas garras da ambição, sem terem assegurado seu poder com força suficiente para torná-lo legítimo para nós.

Seguro suas mãos com força, seguro-a como se fosse impedi-la de nadar para longe.

— Você não foi amaldiçoada, filha. Você é a melhor e mais extraordinária de todos os meus filhos, a mais bela, a mais querida. Sabe disso. Que maldição poderia recair sobre você?

O olhar que ela me lança é obscurecido pelo horror, como se ela tivesse visto a morte.

— A senhora nunca vai se render, nunca vai deixar de interferir em nossa vida. A sua ambição será a morte dos meus irmãos, e quando estiverem mortos, a senhora me colocará no trono. Prefere ter o trono a ter seus filhos, e quando os dois estiverem mortos, me colocará no trono do meu irmão morto. Você ama a coroa mais do que a seus filhos.

Sacudo a cabeça para negar o poder de suas palavras. Essa é a minha menina, minha criança simples, dócil, minha querida, a minha Elizabeth. É sangue do meu sangue. Nunca teve um pensamento que não fosse o que eu coloquei em sua mente.

— Não pode saber esse tipo de coisa. Não é verdade. Não pode saber. O rio não pode lhe dizer uma coisa dessas, você não pode ouvi-lo, e isso não é verdade.

— Vou assumir o trono do meu próprio irmão — diz ela, como se não me escutasse. — E a senhora vai ficar feliz, pois a sua ambição é a sua maldição, é isso o que o rio diz.

Relanceio os olhos para o médico e me pergunto se ela está com febre.

— Elizabeth, o rio não pode falar com você.

— É claro que falou comigo, e é claro que o ouvi! — exclama ela com impaciência.

— Não existe maldição alguma...

Ela vira-se, atravessa a sala, seu vestido deixando uma marca molhada como a de uma cauda, e abre a janela. O Dr. Lewis e eu a acompanhamos, receosos, por um momento, de que tivesse enlouquecido e pretendesse saltar para fora. Mas me detenho de imediato ao ouvir o som doce e plangente vindo do rio, um som de saudade, uma canção de luto, uma nota musical tão angustiada que ponho as mãos nos ouvidos para não escutá-la mais, e olho para o médico em busca de uma explicação. Ele sacode a cabeça perplexo, pois só escuta o ruído animado dos barcos que passam descendo na direção da coroação do rei, o clangor das trombetas e o rufar dos tambores. Mas vê as lágrimas nos olhos de Elizabeth e eu me retrair diante das janelas abertas, tampando meus ouvidos dos sons assombrosos.

— Não é para você — digo. Estou sufocada por causa da minha aflição. — Ah, Elizabeth, meu amor, não é para você. Esta é a canção de Melusina: a canção que ouvimos quando há uma morte em nossa casa. Não a está avisando. É por meu filho Richard Grey, posso escutá-la. É por meu filho e por meu irmão Anthony, a quem jurei que manteria em segurança.

O médico está pálido de medo.

— Não ouço nada — diz ele. — Somente o barulho de pessoas aclamando o novo rei.

Elizabeth está do meu lado, seus olhos cinza-escuro como uma tempestade sobre uma onda do mar.

— O seu irmão? O que quer dizer?

— Meu irmão e meu filho vão ser mortos pelas mãos de Ricardo, duque de Gloucester, assim como meu irmão John e meu pai foram mortos pelas mãos de George, duque de Clarence — predigo. — Os filhos de York são animais assassinos, e Ricardo não é melhor do que George. Eles me custaram os melhores homens na família e me fazem sofrer. Posso escutar o rio. Posso escutar isso. É isso o que o rio está cantando. Está cantando um lamento por meu filho e por meu irmão.

Ela vem para perto de mim. É a minha menina terna de novo, sua fúria selvagem se desfez. Põe a mão em meu ombro.

— Mãe...

— Acha que ele vai parar por aqui? — desabafo, fora de mim. — Ele está com o meu menino, meu filho real. Atreveu-se a afastar Anthony de mim, teve coragem de me tirar Richard Grey, acha que não me tiraria Eduardo também? Roubou-me um irmão e um filho hoje. Nunca o perdoarei. Nunca me esquecerei disso. Para mim, ele é um homem morto. Eu o verei definhar, verei o braço que empunha a espada falhar, eu o verei olhar em volta em busca de seus amigos como uma criança perdida em um campo de batalha, eu o verei cair.

— Mãe, acalme-se — murmura ela. — Acalme-se e escute o rio.

É a única palavra que me acalma. Atravesso a sala e abro todas as janelas, e o ar do verão quente sopra no escuro frio da cripta. A água balbucia baixo, batendo nas margens. Há um mau cheiro de maré baixa e lama, mas o rio continua a fluir, como se para me lembrar que a vida continua, como se para me dizer que Anthony se foi, que meu filho Richard Grey se foi, e que meu menino, o pequeno príncipe Ricardo, foi levado em um barco, rio abaixo, para estranhos. Mas ainda podemos seguir a correnteza mais uma vez.

Uma música ressoa de uma das embarcações que passam, nobres divertem-se com a ascensão do duque Ricardo. Não entendo como não escutam a música do rio, como não percebem que uma luz se apagou no mundo com a morte de meu irmão Anthony e de meu filho... meu filho.

— Ele não gostaria que a senhora sofresse — diz Elizabeth em voz baixa. — Tio Anthony a amava tanto. Ele não gostaria que se afligisse.

Ponho minha mão sobre a dela.

— Ele ia querer que eu vivesse e que eu lutasse para que vocês, meus filhos, sobrevivessem a esse perigo. Ficaremos abrigados no santuário por enquanto, mas juro que sairemos daqui para o nosso lugar legítimo. Pode chamar isso de maldição da ambição, se quiser, mas sem isso eu não lutaria. Eu vou lutar. Você vai me ver lutar. Vai me ver lutar, e vai me ver vencer. Se precisarmos partir para Flandres, partiremos. Se tivermos de morder como cães acuados, morderemos. Se tivermos de nos esconder como camponeses em Tournai e tivermos de comer enguias do rio Scheldt para viver, faremos isso. Mas Ricardo não nos destruirá. Nenhum homem deste mundo pode nos destruir. Nós nos levantaremos. Somos filhos da deusa Melusina: a nossa maré pode estar baixa, mas certamente voltaremos a fluir. E Ricardo aprenderá. Ele nos pegou agora na vazante, secos, mas juro por Deus que ele nos verá na maré cheia.

Falo com muita valentia, mas assim que me calo me vem o sofrimento por meu filho Grey e por meu irmão, o meu irmão mais querido, Anthony. Penso em Richard como um menino de novo, montado no cavalo alto do rei, segurando minha mão à margem da estrada enquanto esperávamos o rei passar. Ele era o meu menino, meu menino lindo, e seu pai morreu combatendo um irmão York, e agora ele está morto pelas mãos do outro. Lembro-me de minha mãe pranteando seu filho e dizendo que quando conseguimos fazer um filho ultrapassar a infância, nos achamos a salvo. Mas uma mulher nunca está a salvo. Não neste mundo. Não neste mundo onde irmão luta contra irmão e ninguém põe a espada de lado ou confia na lei. Penso nele como um bebê no berço, aprendendo a andar segurando-se em meus dedos, indo e vindo no corredor em Grafton, até minhas costas doerem por estarem arqueadas, e então penso nele como o jovem que era, a caminho de se tornar um bom homem.

E Anthony, meu irmão, era o meu amigo e conselheiro mais querido e leal, desde que éramos crianças. Eduardo tinha razão ao chamá-lo de o maior poeta e o melhor cavaleiro na corte. Anthony, que queria partir em peregrinação a Jerusalém e que teria ido se eu não o tivesse impedido. Ricardo jantou com eles dois em Stony Stratford, quando se encontraram na estrada para Londres, e conversaram amavelmente sobre a Inglaterra que todos construiríamos juntos, os Rivers e os Plantageneta, do herdeiro em comum, meu filho, que ele colocaria no trono. Anthony não era um tolo, mas confiou em Ricardo — por que não confiaria? Eram parentes. Tinham lutado lado a lado, foram irmãos de armas. Tinham ido para o exílio juntos e retornado à Inglaterra triunfantes. Os dois eram tios e guardiões de meu precioso filho.

De manhã, quando Anthony desceu para o desjejum na hospedaria, encontrou as portas bloqueadas, e seus homens tinham sido ordenados a partir. Deparou-se com Ricardo e Henry Stafford, o duque de Buckingham, armados para guerrear, os homens deles de rosto impassível em formação no pátio. E o levaram com o meu filho Richard Grey e Sir Thomas Vaughan, acusados de traição, embora os três fossem servidores leais de meu menino, o novo rei.

Na prisão, Anthony, enquanto aguarda a morte pela manhã, aproxima-se da janela por um momento, esperando não ouvir a potente e doce música de Melusina. Sorriu ao ouvir o som de um sino tocando. Balança a cabeça para silenciar o barulho, mas ele permanece, uma voz sinistra que o faz rir de forma dissimulada e irreverente. Nunca acreditou na lenda da garota que é metade peixe metade mulher, ancestral de sua casa, mas agora percebe que sente-se confortado ao ouvi-la cantar por sua morte. Fica à janela e apoia a testa na pedra fria. Ouvir sua voz, em alto e bom som, pelas ameias do Castelo de Pontefract prova, finalmente, que os dons de sua mãe, de sua irmã e de sua sobrinha são reais, como elas sempre afirmaram ser. Ele não acreditara nelas completamente, e gostaria de poder dizer à sua irmã que agora ele sabe. Podem precisar desses dons, eles podem ser o bastante para salvá-las. Talvez para salvar a família toda, que se chama Rivers, isto é, rios, para homenagear a deusa que a fundou. Talvez, até mesmo salvar seus dois filhos Plantageneta. Se Melusina pode cantar por ele, um incrédulo, talvez possa guiar aqueles que escutam seus avisos. Ele sorri porque a canção em alto e bom som dá-lhe a esperança de que Melusina zela por sua irmã e os filhos dela, especialmente o menino que estava sob seus cuidados, o menino que ele ama: Eduardo, o novo rei da Inglaterra. E ele sorri porque a voz dela é a voz de sua mãe.

Não passa a noite rezando nem chorando, mas escrevendo. Em suas últimas horas, não é um aventureiro nem um cavaleiro, nem mesmo um irmão ou um tio, mas um poeta. Trazem-me seus escritos e vejo que, no fim, no exato momento em que enfrentava a morte, e a morte de todas as suas esperanças, ele percebeu que tudo não passava de vaidade. Ambição, poder, até mesmo o trono em si que havia custado tanto à nossa família: no fim, ele soube que nada disso tinha importância. E não morreu ressentido com seu conhecimento, mas sorrindo da insensatez do homem, de sua própria insensatez.

Ele escreveu:

Cismando um pouco
E lamentando outro tanto
Ao relembrar
A inconstância;
Este mundo girando de um modo,
E eu em sentido contrário;
O que posso supor?

Com desprazer,
Para a minha aflição,
E sem garantia
De remédio;
Veja, neste transe,
Agora essencialmente,
Esta é a minha dança,
Pronto para morrer

Parece-me realmente,
Que tenho o dever,
De estar muito satisfeito;
Vendo claramente
A sorte se tornar tortuosa
Totalmente contrária
À minha intenção.

Esta foi a última coisa que ele fez ao amanhecer, e então foram buscá-lo e o decapitaram por ordem de Ricardo, duque de Gloucester, o novo lorde protetor da Inglaterra, que agora é o responsável por minha segurança, pela segurança dos meus filhos, e principalmente pela segurança e pelo futuro de meu filho príncipe, Eduardo, o legítimo rei da Inglaterra.

Leio o poema de Anthony mais tarde, e penso que gosto particularmente dos versos: "A sorte se tornar tortuosa/Totalmente contrária/À minha intenção". A sorte virou-se contra todos nós, os Rivers, nesta estação: ele tem razão.

E terei de encontrar uma maneira de viver sem ele.

~

Algo mudou entre mim e minha filha Elizabeth. Minha menina, minha filhinha, meu primeiro bebê, de repente cresceu, tornou-se independente. A criança que acreditava que eu sabia tudo, que eu controlava tudo, é agora uma moça que perdeu o pai e que tem objeções em relação à mãe. Ela acha que estou errada nos mantendo no santuário. Ela me culpa pela morte de seu tio Anthony. Ela me acusa — embora nunca tenha dito uma palavra — de não ter salvado seu irmão Eduardo, de ter mandado seu irmãozinho Ricardo, desprotegido, para o silêncio sombrio do rio à noite.

Ela tem dúvidas sobre a segurança do esconderijo que providenciei para Ricardo e de que o nosso plano de substituí-lo dê certo. Ela sabe que se mandei um falso príncipe para fazer companhia a Eduardo é porque não confio em minha capacidade de mantê-lo a salvo. Ela não tem esperanças na sublevação que meu filho Thomas Grey está organizando. Ela teme que nunca sejamos resgatados.

Desde a manhã em que ouvimos o rio cantar e depois, à tarde, quando trouxeram a notícia da morte de Anthony e de Richard Grey, ela perdeu a fé em meu julgamento. Ela não repetiu sua crença de que somos amaldiçoados, mas há algo na obscuridade de seus olhos e na palidez de seu rosto que me diz que ela está atormentada. Deus sabe que não a amaldiçoei, e eu sei que ninguém faria isso a uma menina tão boa, mas é verdade: é como se alguém a tivesse escolhido para ter um destino difícil.

O Dr. Lewis nos visita de novo e peço-lhe que a examine e me diga se ela está bem. Praticamente parou de comer e está pálida.

— Ela precisa ser livre — diz ele simplesmente. — Falo como médico o que, como aliado, espero que aconteça logo. Todos os seus filhos, a senhora mesma, Vossa Graça, não podem ficar aqui. Precisam sair para o ar puro, desfrutar o verão. Ela é uma garota delicada, precisa de exercício e de sol. Precisa de companhia. É jovem, devia estar dançando e flertando. Ela precisa planejar seu futuro, aspirar a se casar, não ficar confinada aqui receando a morte.

— Recebi um convite do rei. — Consigo dizer o título, como se Ricardo o merecesse, como se a coroa em sua cabeça e o óleo em seu peito pudessem torná-lo algo além do traidor e desertor que ele é. — O rei mostra-se ansioso para que eu leve as meninas para a minha casa no campo neste verão. Ele diz que os príncipes serão entregues a mim lá.

— E a senhora irá? — Está concentrado em minha resposta. Inclina-se à frente para ouvi-la.

— Meus filhos têm de ser entregues a mim primeiro. Não tenho garantia de minha segurança ou das minhas filhas a menos que meus filhos sejam devolvidos, como ele prometeu.

— Cuidado, Vossa Graça, cuidado. Lady Margaret teme que ele a engane — diz ele em um sussurro. — Ela disse que o duque de Buckingham acha que ele ordenará que seus filhos... — Hesita, como se não suportasse proferir as palavras. — A morte deles. Ela disse que o duque de Buckingham está tão horrorizado que resgatará seus meninos e os devolverá à senhora, se garantir a segurança e a prosperidade dele quando estiver de volta ao poder e se lhe prometer sua amizade, sua amizade eterna, quando reassumir sua posição. Lady Margaret disse que vai convencê-lo a fazer uma aliança com a senhora e os seus. As três famílias: Stafford, Rivers e a Casa de Lancaster contra o falso rei.

Balanço a cabeça, entendendo; estava esperando por isso.

— O que ele quer? — pergunto sem fazer rodeios.

— Que a filha dele, quando tiver uma, case-se com seu filho, o jovem rei Eduardo — responde. — Ele próprio deseja ser nomeado regente e lorde protetor até quando o jovem rei for maior de idade. Ele deseja ter o reino do norte, como o duque Ricardo tinha. Se a senhora torná-lo um duque tão eminente quanto seu marido tornou Ricardo, ele trairá o amigo e salvará seus filhos.

— E o que ela quer? — pergunto como se eu não adivinhasse, como se eu não soubesse que ela passou os últimos 12 anos, desde que o filho foi exilado, tentando trazê-lo de volta para a Inglaterra em segurança. Ele é o único filho que ela concebeu, o único herdeiro da fortuna de sua família, do título de seu marido morto. Tudo o que ela conseguir em vida não significará nada se seu filho não puder retornar à Inglaterra para ser seu herdeiro.

— Ela quer um acordo em que o filho assuma seu título e herde suas terras, que seu cunhado Jasper seja restaurado às terras em Gales. Quer os dois livres para retornar à Inglaterra, e deseja casar Henrique Tudor com sua filha Elizabeth, e que ele seja nomeado herdeiro depois de seus filhos — diz sem fazer pausa.

Não titubeio nem por um instante. Só estava esperando pelos termos, e esses são exatamente os que eu imaginava. Não por tê-los previsto, mas pela mesma lógica do que eu pediria se estivesse na posição vantajosa de Lady Margaret: casada com o terceiro homem mais importante da Inglaterra, em aliança com o segundo, planejando trair o primeiro.

— Concordo — replico. — Diga ao duque de Buckingham e a Lady Margaret que concordo. E que o meu preço é esse: preciso que meus filhos me sejam devolvidos já.

~

Na manhã seguinte, meu irmão Lionel vem me ver e chega sorrindo.

— Tem alguém querendo vê-la na comporta — diz ele. — Um pescador. Receba-o silenciosamente, minha irmã. Lembre-se de que a discrição é o maior dom de uma mulher.

Concordo com a cabeça e corro para a porta.

Lionel põe a mão em meu braço, mais irmão do que bispo.

— Não dê gritinhos como uma menina — diz ele abruptamente, e me solta.

Passo pela porta e desço os degraus de pedra que levam ao corredor de pedra. Está escuro, iluminado apenas pela luz natural que se infiltra pelo portão de ferro que dá para o rio. Um bote balança, com uma pequena rede de pesca na popa. Um homem em um manto imundo e um chapéu puxado de maneira a encobrir o rosto está esperando, mas nada disfarça a sua altura. Prevenida por Lionel, não grito, e dissuadida pelo mau cheiro de peixe velho, não corro para os seus braços. Simplesmente digo baixinho:

— Irmão, meu irmão, estou muito feliz em vê-lo.

Um lampejo de seus olhos escuros por debaixo da aba pesada do chapéu me mostra o rosto sorridente do meu irmão Richard Woodville, abominavelmente coberto por uma barba e um bigode.

— Você está bem? — pergunto, chocada com sua aparência.

— Nunca estive melhor — replica ele airosamente.

— E sabe sobre o nosso irmão Anthony? — pergunto. — E meu filho Richard Grey?

Ele assente, sua expressão de repente sombria.

— Soube hoje de manhã. Este é, em parte, o motivo por que vim. Sinto muito, Elizabeth, sinto muito a sua perda.

— Agora você é conde de Rivers — digo. — O terceiro conde de Rivers. É o chefe da família. Parece que os chefes da nossa família se sucedem muito rapidamente. Por favor, conserve o título por um pouco mais de tempo.

— Farei o que puder — promete. — Herdei o título de dois homens bons. Espero conservá-lo por mais tempo, mas tenho dúvidas sobre se farei melhor. De qualquer maneira, estamos na iminência de uma insurreição. Preste atenção. Ricardo sente-se seguro com a coroa sobre a cabeça e vai viajar para se apresentar ao reino.

Tenho de me conter para não cuspir na água.

— Quanta insolência — digo.

— Assim que ele estiver fora de Londres, e sua guarda com ele, vamos atacar a Torre e resgatar Eduardo. O duque de Buckingham está conosco, e confio nele. Ele tem de viajar com o rei, que obrigará Stanley a ir junto também. Ricardo continua a desconfiar dele. Mas Lady Margaret vai ficar em Londres e mandar os homens de Stanley e seus parentes por afinidade se unirem a nós. Ela já tem homens posicionados na Torre.

— Temos homens o bastante?

— Cerca de cem. O novo rei nomeou Sir Robert Brackenbury condestável da Torre. Brackenbury nunca faria mal a um menino sob seus cuidados. É um bom homem. Coloquei novos criados nos cômodos reais, homens que abrirão as portas para mim quando eu mandar.

— E depois?

— Levaremos você e as meninas em segurança para Flandres. Seus filhos Eduardo e Ricardo poderão se unir a você. Já teve notícias dos homens que levaram o príncipe Ricardo? Ele está a salvo escondido?

— Ainda não — replico assustada. — Aguardo uma mensagem diariamente. Eu já deveria ter sido informada sobre se está seguro. Rezo por ele o tempo todo. Eu já deveria ter recebido uma mensagem.

— Isso não quer dizer nada, cartas podem se extraviar. Se algo tivesse dado errado, certamente teriam lhe dado notícias. Apenas reflita: pode pegar Ricardo em seu esconderijo quando estiver a caminho da corte de Margarida. Quando estiver com seus filhos e em segurança de novo, sublevaremos o nosso exército. Buckingham vai se declarar do nosso lado. Lorde Stanley e toda a sua família foram prometidos por sua mulher, Margaret Beaufort. Metade dos outros lordes de Ricardo está disposta a se voltar contra ele, segundo o duque de Buckingham. O filho de Lady Margaret, Henrique Tudor, recrutará armas e homens na Bretanha e invadirá Gales.

— Quando? — pergunto em um murmúrio.

Ele olha de relance para trás. O rio está agitado como sempre, navios indo e vindo, pequenas embarcações mercantes serpenteando entre os barcos maiores.

— O duque Ricardo... — Ele se interrompe e sorri para mim. — Perdoe-me, o "rei Ricardo" parte de Londres no fim de julho. Salvaremos Eduardo imediatamente, e daremos a você e a ele tempo suficiente para se refugiarem em segurança, digamos dois dias. Então, enquanto o jovem rei estiver fora de alcance, nos rebelaremos.

— E Edward, nosso irmão?

— Edward está recrutando homens em Devon e na Cornualha. Seu filho Thomas está agindo em Kent. Buckingham trará homens de Dorset e Hampshire, Stanley trará parentes de Midlands, e Margaret Beaufort e seu filho poderão sublevar Gales em nome dos Tudor. Todos os homens de seu marido estão determinados a salvar os filhos dele.

Roo a unha pensando como meu marido teria pensado: homens, armas, dinheiro e o apoio no sul da Inglaterra.

— Basta derrotarmos Ricardo antes de ele trazer seus homens do norte.

Richard sorri amplamente para mim, o sorriso atrevido dos Rivers.

— É o bastante, e temos tudo para vencer e nada a perder — diz ele.

— Ele tirou a coroa do nosso menino: não temos nada a temer. O pior já aconteceu.

— O pior já aconteceu — repito, e atribuo o arrepio que atravessa minha espinha à perda de Anthony, meu irmão, meu irmão querido, e à morte de meu filho Grey. — O pior já aconteceu. Não pode haver nada pior do que as perdas que já sofremos.

Richard põe sua mão suja sobre a minha.

— Esteja pronta para partir quando eu mandar a mensagem — diz ele.

— Eu a informarei assim que tiver o príncipe Eduardo são e salvo.

— Estarei.

Julho de 1483

Estou aguardando à janela, usando minha capa de viagem, a caixa de joias em minha mão, minhas filhas comigo, prontas para partir. Ficamos em silêncio, esperamos por mais de uma hora. Estamos concentradas em ouvir alguma coisa, qualquer coisa, mas só ouvimos o bater do rio nos muros e uma manifestação repentina de música ou riso vinda das ruas. Elizabeth, do meu lado, está tensa como uma corda de alaúde, lívida de apreensão.

Então, subitamente, um ruído de colisão, e meu irmão Lionel chega correndo ao santuário e tranca a porta atrás dele.

— Fracassamos — diz ele, esbaforido. — Nossos irmãos estão a salvo e seu filho também. Escaparam pelo rio e Richard refugiou-se em Minories, mas não conseguimos tomar a Torre Branca.

— Viu o meu filho? — pergunto.

Ele nega, balançando a cabeça.

— Têm dois meninos lá. Eu ouvi os guardas gritarem ordens. Estávamos tão perto que os ouvi gritar para levarem os meninos mais para dentro, para uma câmara mais segura. Por Deus, minha irmã, me perdoe. Eu estava a uma porta de distância deles, mas não conseguimos derrubá-la.

Sento-me ao sentir meus joelhos fraquejarem e deixo a caixa de joias cair no chão. Elizabeth, minha filha, está lívida. Ela vira-se e se põe a tirar, bem devagar, as capas das meninas, uma por uma, dobrando-as, como se fosse importante não amassá-las.

— Meu filho — digo. — Meu filho.

— Atravessamos a comporta e a primeira passagem, antes mesmo de nos verem. Quando começamos a subir a escada, alguém soou o alarme, e embora subíssemos rapidamente até a porta da Torre Branca, eles a fecharam. Estávamos a apenas alguns segundos da porta. Thomas disparou nas fechaduras, mas eles as trancaram por dentro, e surgiram homens em grande número da sala da guarda. Richard e eu os enfrentamos e lutamos, mantendo-os afastados, enquanto Thomas e os homens de Stanley tentavam derrubá-la, ou mesmo soltá-la das dobradiças, mas, como sabe, é sólida demais.

— Os Stanley estavam lá, como prometeram?

— Sim, e os homens de Buckingham. Nenhum de farda, evidentemente, mas todos usavam uma rosa branca. Foi estranho rever a rosa branca. É estranho lutar para entrar em um lugar que é nosso. Gritei para Eduardo não desanimar, que iríamos buscá-lo, que não o abandonaríamos. Não sei se ele ouviu. Não sei.

— Você está ferido — digo, reparando, de repente, no corte em sua testa.

Ele o esfrega, como se seu sangue fosse sujeira.

— Não é nada. Elizabeth, eu preferia ter morrido a retornar sem ele.

— Não fale de morte — digo em tom baixo. — Se Deus quiser ele está vivo e não ficou assustado com tudo isso. Se Deus quiser eles apenas o levaram para um quarto mais seguro na Torre e não pensam em tirá-lo de lá.

— Essa situação pode perdurar por apenas mais um mês — diz ele. — Richard pediu que a lembrasse disso. Seus amigos estão se armando, o rei Ricardo está indo para o norte somente com sua guarda pessoal. Buckingham e Stanley estão em sua comitiva, vão persuadi-lo a não retornar. Vão encorajá-lo a prosseguir para York. Jasper Tudor vai trazer um exército da Bretanha. Nossa próxima batalha acontecerá em breve. Quando o usurpador Ricardo estiver morto, teremos as chaves da Torre em nossas mãos.

Elizabeth reergue o corpo, as capas de suas irmãs perfeitamente dobradas em seu braço.

— E confia em todos os seus novos amigos, mãe? — pergunta ela friamente. — Todos esses novos aliados que de repente vieram para o seu lado, mas não tiveram sucesso em nenhuma empreitada? Todos eles dispostos a arriscar suas vidas para restaurar Eduardo ao trono, quando todos comeram bem e beberam muito na coroação do duque Ricardo apenas há algumas semanas? Soube que Lady Margaret liderou o séquito da nova rainha Anne, exatamente como liderava o seu. A nova rainha beijou-a nos dois lados da face. Ela foi reverenciada na coroação. E agora convoca seus homens para lutar por nós? É nossa aliada leal? O duque de Buckingham foi o seu protegido, e a odiou por tê-lo obrigado a se casar com minha tia Katherine. Continua a odiá-la. São esses os seus aliados verdadeiros? Ou são servidores leais do novo rei preparando uma armadilha para você? Pois jogam nos dois lados e, neste momento, estão viajando com ele e se banqueteando em Oxford. Não estavam se arriscando na Torre para salvar meu irmão.

Olho friamente para ela.

— Não posso escolher meus aliados — replico. — Para salvar meu filho, eu tramaria com o próprio diabo.

Ela me lança a sombra de um sorriso amargo.

— Talvez já tenha feito isso.

Agosto de 1483

O verão se torna cada vez mais quente, e Lionel sai furtivamente do santuário e de Londres para se unir a seus irmãos e nossos aliados na rebelião para derrubar Ricardo. Sem ele, sinto-me muito só. Elizabeth anda calada e distante, e não tenho ninguém com quem partilhar meus receios. Às margens do rio, um pouco mais adiante, meu filho permanece prisioneiro na Torre, e Jemma nos conta que ninguém o vê mais, ou o pequeno substituto, brincando nos jardins. Eles praticavam arco e flecha no local com os alvos, mas agora ninguém os vê mais por ali. Desde a nossa tentativa de resgatá-los, seus guardiões os mantêm fechados no interior da Torre, e começo a temer o perigo da peste no calor da cidade e naqueles pequenos quartos escuros.

No fim de agosto, há um grito de um barqueiro no rio, e abro bem a janela para olhar. Às vezes, me trazem presentes, quase sempre apenas um cesto com peixes, mas esse homem tem uma bola na mão.

— Consegue pegá-la, Vossa Graça? — pergunta ele, ao meu ver na janela.

— Sim, consigo — replico sorrindo.

— Então pegue — diz ele, e joga a bola branca para mim. Ela atravessa a janela por cima de minha cabeça, estendo as mãos e a alcanço, rindo por um momento da graça de estar brincando de novo. Então vejo que é uma bola envolvida em papel branco e volto à janela. Mas o homem desapareceu.

Retiro o papel e o aliso, levo a mão ao coração e depois à boca, para silenciar meu grito ao reconhecer a letra redonda e infantil de meu menino Ricardo.

Querida milady mãe,

Minhas saudações. Desejo que esteja bem [ele inicia cautelosamente]. *Não me permitem escrever com frequência nem lhe dizer onde estou exatamente, para o caso de a carta ser roubada, mas posso lhe dizer que cheguei sem perigo e que aqui está tudo bem. Estou com pessoas bondosas, e já aprendi a remar. Eles dizem que sou bom e hábil nisso. Logo irei para a escola, pois não podem me ensinar aqui tudo de que preciso, mas voltarei no verão e pescarei enguias, que são muito bonitas quando nos acostumamos com elas, a menos que eu possa voltar para junto de você.*

Envio um beijo em minhas irmãs, meu amor e minha lealdade a meu irmão o rei, e minha honra e meu amor a você.

Assinado,
seu filho Ricardo, duque de York.

Embora agora eu me chame Peter e me lembre de responder sempre a Peter. A mulher aqui, que é bondosa comigo, me chama de seu pequeno Perkin, e não me importo.

Leio as palavras com os olhos rasos d'água. Enxugo-os e as releio. Sorrio ao pensar nele sendo chamado de hábil, e tenho de respirar fundo para não chorar ao pensar nele sendo chamado de Perkin. Quero lamentar o fato de ele ter sido tirado de mim tão menino, mas ele está em segurança, e eu deveria ficar feliz por ele estar a salvo: o único dos meus filhos que está longe do perigo de pertencer a esta família neste país, nestas guerras que recomeçarão. O menino que agora responde pelo nome de Peter irá calmamente para a escola, aprenderá idiomas, música e esperará. Se vencermos, ele voltará para casa como um príncipe de sangue azul. Se perdermos, ele

343

será a arma que eles não sabem que temos, o menino escondido, o príncipe que espera, a nêmesis de suas ambições e a minha vingança. Ele e os seus assombrarão todo rei que nos suceder, como um fantasma.

— Virgem Maria, zele por ele — murmuro, a cabeça apoiada nas mãos, meus olhos cheios de lágrimas fechados com força. — Melusina, proteja o nosso filho.

Setembro de 1483

Todos os dias recebo notícias sobre o armamento e os preparativos de nosso pessoal, não somente nos condados onde meus irmãos estão ativos, mas por todo o país. À medida que a notícia de que Ricardo assumiu a coroa se espalha vagarosamente, aumenta o número de pessoas comuns, de mercadores e seus superiores, os presidentes de guildas e pequenos proprietários, e de homens eminentes do campo, que perguntam: como um irmão mais novo se apossa da herança do filho de seu irmão? Como um homem pode se apresentar a Deus com tranquilidade se um fato desses acontece sem ser contestado? Por que um homem luta por toda a sua vida para tornar sua família importante se seu irmão caçula, o raquítico da ninhada, pode tomar o seu lugar no momento em que ele enfraquece?

E são muitos, em muitos dos lugares que costumávamos visitar, que se lembram de Eduardo como um homem bonito e de mim como sua bela esposa; são muitos aqueles que se lembram da beleza de nossas filhas e da vivacidade de nossos filhos saudáveis. Aqueles que se lembram de nós como a família que promoveu a paz na Inglaterra e gerou herdeiros para o trono. Essas pessoas dizem que é um ultraje não estarmos em nossos palácios com o nosso menino no trono.

Escrevo para o meu filho, o pequeno rei Eduardo, e peço que não desanime, mas minhas cartas começaram a ser devolvidas sem serem abertas. Voltam intocadas, os lacres intactos. Não sou nem mesmo espionada. É como se negassem que ele estivesse nos aposentos reais da Torre. Aflijo-me com a deflagração da guerra que o libertará e desejo podermos levá-la adiante, e não esperar a vagarosa viagem presunçosa de Ricardo para o norte, passando por Oxfordshire, Gloucestershire, Pontefract e York. Em York, ele coroa o próprio filho, o menino magro e doentio, como príncipe de Gales. Ele dá ao filho o título de Eduardo, como se o meu filho estivesse morto. Passo esse dia de joelhos, rezando a Deus que eu possa vingar essa afronta. Não tenho a audácia de pensar na possibilidade de ser algo mais grave do que um insulto. Não consigo pensar na possibilidade de o título estar vago, de meu filho estar morto.

Elizabeth vem na hora do jantar e me ajuda a ficar em pé.

— Sabe o que o seu tio fez hoje? — pergunto.

Ela desvia o olhar.

— Sei — replica com a voz firme. — O pregoeiro estava gritando a notícia por toda a praça. Deu para ouvi-lo da porta.

— Você não abriu a porta? — pergunto, apreensiva.

Ela dá um suspiro.

— Não abri a porta. Nunca abro a porta.

— O duque Ricardo roubou a coroa de seu pai e, agora, deu ao filho o título de seu irmão. Ele morrerá por isso — predigo.

— Já não morreu gente o bastante?

Pego a mão de Elizabeth e viro-a para mim, de modo que minha filha me encara.

— Estamos falando do trono da Inglaterra, que é direito inato de seu irmão.

— Estamos falando da morte de uma família — diz ela simplesmente.

— A senhora também tem filhas, sabia? Já pensou em nosso direito inato? Temos nos confinado aqui feito ratos durante todo o verão, enquanto você passa o dia rezando por vingança. Seu filho mais precioso está preso ou morto. Nem mesmo sabe qual das duas possibilidades. Mandou seu outro filho para longe, e não sabemos onde está, nem mesmo se está vivo. Tem sede do trono, mas nem sabe se ainda tem um filho para pôr nele.

Arquejo e recuo.

— Elizabeth!

— Gostaria que escrevesse a meu tio dizendo que aceita o governo dele — diz ela friamente, e sua mão parece gelo. — Gostaria que lhe dissesse que estamos dispostos a fazer um acordo, na verdade, nos termos que ele estipular. Gostaria que a senhora o convencesse a nos libertar para sermos uma família comum, vivendo em Grafton, longe de Londres, longe de conspirações, traições e ameaças de morte. Se a senhora se render agora, talvez consigamos ter meus irmãos de volta.

— Para mim seria voltar direto para o lugar de onde vim! — exclamo.

— Não era feliz em Grafton com sua mãe e seu pai, e com o marido que lhe deu Richard e Thomas? — pergunta ela rapidamente, tão rapidamente que não tenho tempo para preparar minha resposta com cuidado.

— Sim — respondo sem refletir. — Sim, era.

— Isso é tudo o que quero para mim — diz ela. — Tudo o que quero para as minhas irmãs. E ainda assim a senhora insiste em nos fazer herdeiras de sua infelicidade. Quero ser herdeira do tempo em que a senhora não era rainha. Não quero o trono: quero me casar com um homem que eu ame, que eu ame livremente.

Olho para ela.

— Então renegaria seu pai, me renegaria, renegaria tudo o que a faz uma Plantageneta, uma princesa de York. Pode muito bem ser uma Jemma, a criada, se não deseja ser maior do que é, se não enxerga suas oportunidades e as aproveita.

Ela me olha com firmeza.

— Prefiro ser Jemma, a criada, a ser a senhora — retruca, a voz de uma menina cheia de desprezo. — Jemma pode ir para casa, para a sua própria cama à noite. Ela pode se recusar a trabalhar. Ela pode fugir e servir a outro senhor. Mas a senhora está presa ao trono da Inglaterra e nos tornou escravos também.

Ergo-me.

— Não pode falar comigo dessa maneira — digo friamente.

— Falo de coração — replica ela.

— Pois então mande seu coração ser verdadeiro, mas a sua boca se silenciar. Não quero sofrer com a deslealdade de minha própria filha.

— Não somos um exército em guerra! Não me fale de deslealdade! O que vai fazer? Mandar me decapitar por traição?

— Somos um exército em guerra — digo simplesmente. — E você não vai me trair, nem trair a sua posição.

Falo mais francamente do que imagino, pois somos um exército em marcha e nessa noite fizemos o nosso primeiro movimento. Os homens de Kent se rebelam primeiro, e ao ouvir os gritos de convocação, Sussex se rebela também. Mas o duque de Norfolk, que permanece leal a Ricardo, leva seus homens para o sul, a partir de Londres, e controla o nosso exército, que não consegue alcançar seus camaradas no oeste. Ele bloqueia a única estrada em Guildford. Um homem consegue chegar a Londres, alugar um pequeno barco e vir à comporta do santuário escondido pela névoa e pela chuva.

— Sir John — digo pela grade. Não me atrevo a abrir a comporta por causa do ruído do ferro na pedra molhada. Além disso, não o conheço e não confio em ninguém.

— Vim oferecer minha solidariedade, Vossa Graça — diz ele, de maneira constrangida. — E saber... meus irmãos e eu queremos saber... se é a sua vontade que agora apoiemos Henrique Tudor.

— O quê? — pergunto. — O que quer dizer?

— Rezamos para o príncipe todos os dias e acendemos uma vela para ele, e todos nós em Reigate não temos palavras para descrever o quanto lamentamos ter chegado tarde demais para ele. Nós...

— Espere — interrompo-o. — Espere. O que está dizendo?

Seu grande rosto mostra um assombro repentino.

— Oh, Deus me perdoe, não me diga que não sabia e que eu contei como um grande idiota. — Retorce o chapéu em suas mãos, de modo que a pena imerge na água do rio que marulha nos degraus. — Oh, nobre senhora, sou um idiota. Eu deveria ter me certificado... — Olha apreensivamente para o corredor escuro atrás de mim. — Chame uma dama — diz ele. — Não vá desmaiar agora.

Seguro-me na grade, por causa da vertigem.

— Não vou desmaiar — prometo com a boca seca. — Não desmaio. Está dizendo que o jovem rei Eduardo foi executado?

Ele assente.

— Está morto, é tudo o que sei. Que Deus abençoe seu rostinho singelo e me perdoe por ter sido eu quem lhe deu essa notícia tão sombria. Uma notícia tão ruim e fui eu a transmiti-la! Quando tudo o que queria era saber quais são seus desejos agora.

— Não foi executado?

Ele nega balançando a cabeça.

— Nada público. Pobres meninos. Não sabemos de nada com certeza. Simplesmente nos disseram que os príncipes foram mortos, que Deus os abençoe, e que a rebelião contra o rei Ricardo, que ainda é um usurpador, vai prosseguir, mas que colocaremos Henrique Tudor no trono como o próximo herdeiro, é a melhor solução para o país.

Rio, e minha risada soa estridente e infeliz.

— O filho de Margaret Beaufort? Em vez do meu?

Ele busca ajuda com os olhos, assustado com o tom de loucura em minha risada.

— Nós não sabíamos. Tínhamos jurado libertar os príncipes. Nós nos agrupamos para defender a sua causa, Vossa Graça. Por isso não sabemos o que fazer agora que seus príncipes desapareceram. E os homens de Thomas Howard estão bloqueando a estrada, impedindo o deslocamento dos partidários de seu irmão, e por isso não podemos perguntar a ele o que fazer. Achamos que o melhor seria eu vir a Londres clandestinamente e perguntar à Vossa Graça.

— Quem lhe disse que estão mortos?

Ele reflete por um momento.

— Um homem do duque de Buckingham. Ele nos trouxe um pouco de ouro e armas para aqueles que não tinham nenhuma. Disse que podíamos confiar em seu senhor, que havia se voltado contra o falso rei Ricardo por ele ter matado os meninos. Disse também que o duque fora um servidor leal do rei, achando que ele era o protetor dos meninos, mas quando descobriu que havia matado nossos príncipes, se opôs a ele, horrorizado. Afirmou que o duque sabia tudo o que o falso rei fazia e dizia, mas que não pôde impedir esse assassinato. — Olha cauteloso para mim. — Deus salve Vossa Graça. Não seria melhor ter uma dama ao seu lado?

— O homem do duque disse-lhe tudo isso?

— Um bom homem; e nos contou tudo. E ofereceu bebida para brindarmos ao duque de Buckingham também. Disse que o falso rei Ricardo tinha ordenado a morte dos dois em segredo antes de partir e que, quando contou ao duque o que tinha feito, este jurou que não apoiaria mais o reinado desse assassino, que desafiaria o rei Ricardo e que todos deviam se insurgir contra esse homem que mata meninos. O próprio duque seria um rei melhor do que Ricardo, e manifestou suas pretensões ao trono e tudo o mais.

Eu não saberia se meu filho estivesse morto? Ouvi o rio cantar por meu irmão. Se meu filho e herdeiro, o herdeiro de minha casa, o herdeiro do trono da Inglaterra, estivesse morto, eu certamente não saberia? Seria possível que meu filho fosse assassinado a não mais de 5 quilômetros de mim e eu não soubesse? Portanto não acredito. Só acredito se me mostrarem seu corpo sagrado. Ele não está morto. Não posso acreditar nisso. Não acreditarei até vê-lo em seu ataúde.

— Preste atenção. — Aproximo-me mais das grades e falo com determinação. — Volte a Kent e diga a seus companheiros que têm de se rebelar pelos príncipes, pois meus filhos continuam vivos. O duque está enganado e o rei não os matou. Eu sei que não, sou a mãe deles. Diga-lhes também que, mesmo que Eduardo estivesse morto, seu irmão Ricardo não está com ele, mas em segurança, longe daqui. Está escondido e vai voltar e assumir o trono que é seu. Volte para Kent e, quando for dada a ordem de reunir os soldados e marchar, avancem com orgulho no coração, pois deverão destruir esse falso rei Ricardo e libertar meus filhos e a mim.

— E o duque? — pergunta ele. — E Henrique Tudor?

Fecho a cara e rejeito o que os dois pensam.

— Aliados leais à nossa causa, tenho certeza — replico com uma convicção que não tenho mais. — Seja leal a mim, Sir John, e me lembrarei do senhor e de todo aquele que lutar por mim e meus filhos, quando eu reconquistar minha posição.

Ele faz uma reverência e volta a descer os degraus cautelosamente em direção ao barco que balança, e então desaparece na névoa sombria do rio. Espero que desapareça completamente e que o som dos remos se torne inaudível, e então olho para a água escura.

— O duque — murmuro para as águas. — O duque de Buckingham está dizendo a todo mundo que os meus filhos estão mortos. Por que ele faria isso? Por quê, se jurou salvá-los? Por quê, quando está mandando ouro e armas para a rebelião? Por que lhes diria, justo no momento em que os convoca, que os príncipes estão mortos?

~

Janto com minhas filhas e alguns criados que permaneceram conosco no santuário, mas não consigo escutar a leitura cuidadosa de Anne, de 7 anos, da Bíblia, nem participar das questões levantadas por Elizabeth sobre as palavras lidas. Estou tão desatenta quanto Catherine, que só tem 4 anos. Não consigo pensar em outra coisa que não no motivo pelo qual circulam rumores de que meus filhos estão mortos.

Mando as meninas para a cama cedo, não aguento ouvi-las jogando cartas ou cantando um cânone. Passo a noite toda andando de lá para cá no meu quarto, pisando na única tábua do assoalho que não range, indo e voltando da janela que dá para o rio. Por que Ricardo mataria meus filhos agora que conseguiu tudo o queria sem a morte deles? Persuadiu o conselho a considerá-los bastardos, aprovou uma lei no Parlamento que renega o meu casamento. Nomeou a si mesmo o próximo herdeiro legítimo, e o arcebispo em pessoa colocou a coroa em sua cabeça. Sua mulher Anne, de saúde frágil, foi coroada rainha da Inglaterra, e seu filho investido príncipe de Gales. Tudo isso foi feito enquanto estou confinada no santuário, com meu filho na prisão. Ricardo triunfou, por que iria nos querer mortos? Por que precisaria que morrêssemos? E como esperaria escapar da culpa pelo crime, quando todo mundo sabe que os meninos estão sob sua guarda? Todo mundo sabe que ele levou meu filho Ricardo contra a minha vontade, esse ato não poderia ter sido mais público, e o próprio arcebispo jurou que nenhum mal lhe seria feito.

E não é típico de Ricardo passar para outra pessoa um trabalho que precisa ser feito. Quando ele e seus irmãos decidiram que o coitado do rei Henrique deveria morrer, os três se encontraram à porta dele e entraram juntos, as expressões soturnas, mas a decisão tomada. Assim são os príncipes York: não fazem objeção a atos cruéis, mas não os deixam para os outros, eles os realizam pessoalmente. O risco de pedir a outra pessoa para matar dois príncipes de sangue azul inocentes, subornando guardas, ocultando os corpos, seria insuportável para Ricardo. Eu vi como ele mata: sem aviso, mas abertamente, sem vergonha. O homem que decapitou Sir William Hastings em um pedaço de tronco não titubearia em segurar um travesseiro sobre o rosto de um menino. Se isso tivesse de ser feito, eu poderia jurar que ele mesmo o faria. No mínimo daria a ordem e cuidaria para que fosse cumprida.

Tudo isso me leva a crer que Sir John, de Reigate, está enganado e que meu filho Eduardo ainda está vivo. Mas a todo momento, cada vez que vou até a janela e olho o rio envolto na neblina escura, me pergunto se não serei eu a estar enganada em relação a tudo, até mesmo em minha confiança em Melusina. Talvez Ricardo conseguisse encontrar alguém que matasse os meninos. Talvez Eduardo esteja morto, e talvez eu tenha perdido o dom da Visão e não saiba. Talvez eu não saiba mais nada.

≈

Nas primeiras horas da manhã, não consigo mais ficar sozinha nem por um minuto e mando um mensageiro buscar o Dr. Lewis. Mando que o acordem e o tirem da cama, pois estou mortalmente doente. Quando ele é introduzido pelos guardas, minha mentira está se tornando verdade, e tenho febre apenas porque minha mente está em agonia.

— Vossa Graça? — pergunta ele com cautela.

Pareço emaciada à luz da vela, meu cabelo em uma trança grosseira, minha roupa amarrada ao redor do meu corpo.

— O senhor tem de introduzir seus criados, homens de confiança, na Torre, para protegerem meu filho Eduardo, uma vez que não conseguimos resgatá-lo — digo abruptamente. — Lady Margaret deve usar toda a sua influência, deve usar o nome do marido, para garantir que meus filhos sejam bem-cuidados. Eles correm perigo. Correm um perigo terrível.

— Teve notícias?

— Circula um boato de que meus filhos estão mortos — replico.

Ele não demonstra surpresa.

— Que Deus não permita, Vossa Graça, mas receio que seja mais do que um boato. É como o duque de Buckingham nos avisou. Ele disse que esse falso rei mataria seus sobrinhos para se apossar do trono.

Retraio-me ligeiramente, como se tivesse estendido a mão e visto uma serpente ao sol justamente no local em que eu iria tocar.

— Sim — digo, cautelosa de repente. — Foi o que ouvi falar, e foi um homem do duque de Buckingham que contou.

Ele faz o sinal da cruz.

— Que Deus não permita.

— Mas espero que o ato ainda não tenha sido cometido, e tenho a intenção de impedi-lo.

Ele assente.

— Infelizmente receio que seja tarde demais e que já estejam perdidos para nós. Vossa Graça, sinto de todo o meu coração.

— Obrigada por suas condolências — replico com firmeza. Minhas têmporas latejam, não consigo pensar com clareza. É como se eu estivesse olhando para a serpente e ela para mim.

— Queira Deus que essa insurreição destrua o tio que foi capaz de fazer uma coisa dessas. Deus ficará do nosso lado contra esse Herodes.

— Se é que Ricardo *foi* o culpado.

Ele me olha de súbito, como se isso o chocasse, embora pareça perfeitamente capaz de tolerar a ideia do assassinato de crianças.

— Quem mais faria uma coisa dessas? Quem mais se beneficiaria? Quem matou Sir William Hastings, seu irmão e seu outro filho? Quem é o assassino de sua família e seu pior inimigo, Vossa Graça? Não pode suspeitar de ninguém mais!

Sinto-me estremecer e as lágrimas começarem a se formar. Meus olhos ardem.

— Não sei — replico, hesitante. — Apenas sinto que meu filho não está morto. Eu saberia se ele tivesse sido assassinado. Uma mãe saberia disso. Pergunte a Lady Margaret: ela saberia se seu Henrique estivesse morto. Uma mãe sabe. De qualquer maneira, pelo menos meu Ricardo está a salvo.

Ele morde a isca e percebo a sua reação. Percebo o brilho de um espião em seus olhos enternecidos.

— Oh, está? — pergunta sedutoramente.

Falei demais.

— Os dois estão a salvo, se Deus quiser — corrijo-me. — Mas diga-me... por que tem tanta certeza de que estão mortos?

Ele põe a mão delicadamente sobre a minha.

— Não quero fazê-la sofrer. Mas eles não são vistos desde que o falso rei deixou Londres, e o duque e Lady Margaret acreditam que ele os mandou matar antes de partir. Não havia nada que nenhum de nós pudesse fazer para salvá-los. Quando sitiamos a Torre, eles já estavam mortos.

Retiro a mão do seu punho confortador e a levo à testa, que dói. Queria conseguir pensar claramente. Lembro-me de Lionel me dizendo que ouviu os criados gritarem para as crianças serem levadas mais para dentro. Lembro-me de ele dizer que estava apenas a uma porta de Eduardo. Mas por que o Dr. Lewis mentiria para mim?

— Não seria melhor para a nossa causa se o duque tivesse se calado? — pergunto. — Meus amigos, minha família e meus aliados estão recrutando homens para resgatar os príncipes, mas o duque está lhes dizendo que eles já estão mortos. Por que meus homens lutariam se seu príncipe está morto?

— Tanto faz agora como depois — diz ele com serenidade, com excessiva serenidade.

— Por quê? — pergunto. — Por que deveriam saber agora, antes da batalha?

—- Para que todos saibam que foi o falso rei que deu a ordem — responde ele. — Para que o duque Ricardo receba a culpa. O seu pessoal vai se rebelar por vingança.

Não consigo pensar direito, não consigo atinar com a importância disso. Sinto que há uma mentira em alguma parte, mas não consigo localizá-la. Há alguma coisa errada, eu sei.

— Mas quem teria dúvidas de que foi o rei Ricardo que mandou matá-los? Como disse, é o assassino da minha família. Por que divulgarmos nossos medos agora e confundir o nosso povo?

— Ninguém teria dúvidas — assegura ele. — Ninguém além de Ricardo faria uma coisa dessas. Ninguém mais se beneficiaria com esse crime.

Impaciente, fico de pé em um pulo, bato na mesa e derrubo o castiçal.

— Não entendo!

Ele agarra a vela e a chama lança uma sombra horrível em seu rosto cordial. Por um momento ele volta a ser como o vi pela primeira vez, quando Cecily veio me dizer que a Morte estava na porta. O medo me deixa sem ar. Recuo quando ele coloca, cuidadosamente, a vela de novo sobre a mesa e se levanta, como deve fazer, uma vez que eu, a rainha viúva, estou em pé.

— Pode ir — digo, de maneira deslocada. — Perdoe-me, estou angustiada. Não sei o que pensar. Pode ir.

— Devo lhe dar uma poção para ajudá-la a dormir? Lamento a sua dor.

— Não, já vou dormir. Agradeço a sua companhia. — Respiro fundo, afasto o cabelo do rosto. — Acalmou-me com sua sabedoria. Agora estou em paz.

Ele parece intrigado.

— Mas eu não disse nada.

Mal posso esperar que se vá.

— Partilhou de minhas preocupações, e isso é um gesto amigo.

— A primeira coisa que farei pela manhã será procurar Lady Margaret e lhe contar seus receios. Vou lhe pedir que ponha homens de confiança na Torre para conseguir notícias de seus filhos. Se estiverem vivos, encontraremos homens para guardá-los. Nós os manteremos seguros.

— Pelo menos Ricardo está seguro — observo descuidadamente.

— Mais seguro do que seu irmão?

Sorrio, como uma mulher que esconde um segredo.

— Doutor, se tivesse duas joias preciosas e raras que temesse serem roubadas, colocaria os dois tesouros na mesma caixa?

— Ricardo não está na Torre? — Sua voz é um murmúrio, seus olhos azuis estão arregalados, ele estremece por inteiro.

Levo o dedo as lábios.

— Silêncio.

— Mas dois meninos foram mortos na cama...

Foram? Ah, foram? Como pode ter tanta certeza? Mantenho a expressão impassível como mármore enquanto ele faz uma reverência e se dirige à porta.

— Diga a Lady Margaret que peço que proteja meu filho na Torre como se fosse seu próprio filho — digo.

Ele faz outra reverência e sai.

Quando as crianças acordam, digo-lhes que não estou bem e fico no quarto. Impeço Elizabeth de entrar dizendo que preciso dormir. Não preciso dormir, preciso entender. Coloco as mãos na cabeça e fico de lá para cá no quarto, descalça, para que não ouçam meus passos, concentrada. Estou sozinha em um mundo de grandes conspiradores. O duque de Buckingham e Lady Margaret estão atuando juntos, ou quem sabe agem cada um por si. Fingem me servir, ser meus aliados, ou talvez sejam leais e eu esteja errada em desconfiar deles. Minha cabeça gira, gira, puxo o cabelo em minhas têmporas, como se a dor pudesse me fazer pensar.

Desejei mal a Ricardo, o tirano, mas a sua morte pode esperar. Ele encarcerou meus filhos, mas não é ele que está espalhando o boato de que estão mortos. Ele os está mantendo na prisão contra a vontade deles, contra a minha vontade, mas não está preparando o povo para a morte dos príncipes. Ele se apossou do trono e do título de príncipe de Gales com mentiras e fraudes. Não precisa matá-los para ter o que quer. Ele já triunfou sem assassinar meu filho. Ele conseguiu tudo o que queria sem sangue em suas mãos, não tem necessidade de matar Eduardo. Ricardo está seguro no trono, o conselho o aceitou, os lordes o aceitaram, está em viagem real em um país que o saúda com alegria. Há uma rebelião sendo preparada por mim, mas ele acha que Howard a reprimiu. Até onde sabe, está seguro. Só precisa manter meus filhos na prisão até eu estar disposta a aceitar minha derrota, como Elizabeth insiste em que eu faça.

Mas o duque de Buckingham tem pretensão de herdar o trono que sucederá a linhagem de Ricardo — mas somente se meus filhos estiverem mortos. Sua pretensão será frustrada até eles estarem mortos. Se o frágil filho de Ricardo morrer, o rei sucumbir na batalha e Buckingham liderar uma rebelião vitoriosa, então o duque poderá se apossar da coroa. Ninguém negaria que ele é o próximo herdeiro — especialmente se todos já souberem que meus filhos estão mortos. Buckingham agirá exatamente como meu Eduardo agiu quando reivindicou a coroa. Mas havia um pretendente rival na Torre. Quando o meu Eduardo entrou em Londres liderando um exército vitorioso, foi diretamente, com seus dois irmãos, para a Torre de Londres, onde o rei legítimo era prisioneiro, e o mataram, embora Henrique não tivesse mais forças do que um menino inocente. Quando o duque de Buckingham derrotar Ricardo, entrará em Londres e na Torre dizendo que descobrirá a verdade sobre os meus filhos. Então haverá uma pausa, longa o bastante para o povo se lembrar dos rumores e começar a sentir medo, e Buckingham aparecerá, a expressão trágica, e dirá que encontrou meus meninos mortos, sepultados sob uma pedra do calçamento ou ocultos em um armário, assassinados pelo malvado tio Ricardo. Essa será a concretização do boato que ele mesmo iniciou. Dirá que, uma vez que estão mortos, assumirá o trono e não restará ninguém vivo para contestá-lo.

E Buckingham é o condestável da Inglaterra. Ele tem as chaves da Torre nas mãos neste exato momento.

Mordisco meu dedo e faço uma pausa à janela. Chega de Buckingham. Agora vou considerar minha grande amiga Lady Margaret Stanley e seu filho Henrique Tudor. São os herdeiros da Casa de Lancaster, talvez ela ache que está na hora de a Inglaterra se tornar lancastriana de novo. Tem de se aliar a Buckingham e a meus partidários. O garoto Tudor não pode trazer recrutas estrangeiros suficientes para derrotar Ricardo por conta própria. Ele levou a vida no exílio: essa é a sua chance de retornar à Inglaterra, e como rei. Ela seria uma tola se corresse o risco de se rebelar contra Ricardo por qualquer coisa inferior ao trono. Seu novo marido é um aliado essencial de Ricardo. Eles ocupam uma posição sólida nessa nova corte. Ela tem negociado com Ricardo o perdão de seu filho e seu retorno seguro à Inglaterra. Teve permissão para legar suas terras a seu filho. Ela arriscaria tudo isso pelo prazer de me obsequiar colocando meu filho no trono? Por que faria isso? Por que correria esse risco? Não é muito mais provável que esteja agindo para seu próprio filho reivindicar o trono? Ela e Buckingham estão preparando o país para a notícia da morte de meus filhos sob as ordens de Ricardo.

Henrique Tudor seria insensível a ponto de invadir a Torre sob o pretexto do resgate, estrangular dois meninos e reaparecer com a notícia terrível de que os príncipes, por quem estava valentemente lutando, estão mortos? Seria capaz, com seu grande amigo Buckingham, de dividir o reino: Henrique Tudor ficando com seu feudo de Gales, e Buckingham com o norte? Ou se Buckingham for morto em batalha, Henrique seria o herdeiro incontesto do trono? Sua mãe mandaria seus criados à Torre não para salvar meu menino, mas para asfixiá-lo enquanto dorme? Ela suportaria fazer isso, devota como é? Apoiaria o que quer que fosse para favorecer seu próprio filho, até mesmo a morte do meu? Não sei. Não tenho como saber. Tudo o que sei com certeza é que o duque e Lady Margaret estão propagando a notícia de que os príncipes já estão mortos, mesmo enquanto marcham para lutar por eles, e seu aliado deixa escapar que foram mortos enquanto dormiam. O único homem que não está preparando o mundo para prantear a morte deles, o único homem que não se beneficiará com essas mortes, é aquele que eu considerava meu inimigo mortal: Ricardo de Gloucester.

Passo o dia todo avaliando o perigo que corro, e mesmo na hora do jantar ainda não tenho certeza de nada. A vida de meus filhos depende de quem considero como meu inimigo e de em quem confio como meu amigo, e ainda assim não sei nada ao certo. A minha insinuação — de que pelo menos o meu filho Ricardo estaria a salvo e longe da Torre — fará com que o assassino, quem quer que ele seja, faça uma pausa. Espero ter ganhado algum tempo.

À tarde, escrevo a meus irmãos, que estão recrutando homens nos condados do sul da Inglaterra, para alertá-los dessa trama, que pode estar crescendo no interior da nossa conspiração como uma cobra que se desenvolve dentro do ovo. Digo que Ricardo continua a ser nosso inimigo, mas que a sua hostilidade nada é em comparação ao perigo representado por nossos aliados. Despacho mensageiros, sem saber se chegarão a alcançar meus irmãos, ou a alcançá-los a tempo. Mas digo claramente:

Acredito agora que a segurança de meus filhos, de mim mesma, depende do duque de Buckingham e de seu aliado Henrique Tudor não chegarem a Londres. Ricardo é nosso inimigo e um usurpador, mas acredito que se Buckingham e Tudor entrarem vitoriosos em Londres, serão os nossos assassinos. Vocês têm de deter a marcha de Buckingham. Têm de chegar, não importa como, à Torre antes dele e de Henrique Tudor, e salvar o nosso menino.

Nessa noite, fico à janela que dá para o rio e escuto com atenção. Elizabeth abre a porta do quarto em que as meninas estão dormindo e vem se posicionar atrás de mim, seu rosto jovem grave.

— Qual é o problema agora, mamãe? — pergunta ela. — Por favor, me conte. Passou o dia todo trancada aqui. Recebeu más notícias?

— Sim — replico. — Diga-me, ouviu o rio cantar, como na noite em que meu irmão Anthony e meu filho Richard Grey foram mortos?

Seus olhos desviam-se dos meus.

— Elizabeth?

— Não como naquela noite — avalia.

— Mas ouviu alguma coisa?

— Muito indistintamente — replica ela —, muito baixo, como uma canção de ninar, como um lamento. Você não ouve nada?

Sacudo a cabeça.

— Não, mas estou com muito medo por Eduardo.

Ela põe a mão sobre a minha.

— Há um novo perigo para o meu pobre irmão?

— Acho que sim. Acho que o duque de Buckingham vai nos atacar se vencer a batalha contra o falso rei Ricardo. Escrevi a seus tios, mas não sei se terão como detê-lo. O duque de Buckingham tem um exército poderoso. Está marchando à margem do rio Severn, em Gales, e depois virá para a Inglaterra, e não sei o que fazer. Não sei o que posso fazer aqui para proteger meu filho, para manter todos nós seguros. Temos de impedir que ele entre em Londres. Se eu pudesse fazer com que fosse capturado em Gales, eu faria.

Ela parece pensativa e vai até a janela. O ar úmido do rio sopra nos cômodos abafados.

— Gostaria que chovesse — diz ela, à toa. — Está tão quente. Gostaria muito que chovesse.

Uma brisa fresca sopra no quarto como se respondesse a seu desejo, e então, gotas de chuva batem na vidraça da janela aberta. Elizabeth abre ainda mais a janela, de modo que possa ver o céu e as nuvens escuras movendo-se sobre a várzea.

Vou para o seu lado. Vejo a chuva caindo na água escura do rio; gordas gotas formam os primeiros poucos círculos, que parecem bolhas expelidas por um peixe, e depois se intensificam até praticamente cobrirem a superfície sedosa do rio. Então, desaba uma tormenta com tal violência que só conseguimos distinguir um remoinho de água caindo, como se o próprio céu estivesse se abrindo sobre a Inglaterra. Rimos e fechamos a janela por causa da tempestade, a água escorrendo em nossos rostos e braços até colocarmos a tranca. Vamos para os outros cômodos, fechando as janelas e colocando as barras nas venezianas para impedir a entrada do aguaceiro que despencou lá fora, como se toda a minha aflição e preocupação fosse uma tempestade de lágrimas sobre a Inglaterra.

— Esta chuva vai provocar um dilúvio — prevejo, e minha filha concorda com um movimento da cabeça, em silêncio.

Chove durante a noite toda. Minha filha Elizabeth dorme comigo, como costumava fazer quando era criança, e nos deitamos na cama quente e seca, escutando o som das gotas. Ouvimos o bater constante da água nas janelas e o ruído de esguicho no rio. Então, as calhas começam a se encher e a água corre no telhado, ressoando como fontes que brincam, e adormecemos como duas deusas da água ao som da chuva e do rio agitado.

Ao acordarmos pela manhã, está escuro como se fosse noite, e continua a chover. É maré cheia, e Elizabeth desce até a comporta e diz que a água está subindo os degraus. Todas as embarcações no rio estão ancoradas por causa do mau tempo, e os poucos botes mercantis que navegam são remados por homens arqueados para se protegerem do vento, com sacos na cabeça, ensopados. As meninas passam a manhã nas janelas, observando os barcos encharcados passarem. Passam mais alto do que o habitual, à medida que o rio enche e começa a inundação. Todas as pequenas embarcações se recolhem e atracam, ou são arrastadas quando o rio transborda e a correnteza é forte demais. Acendemos o fogo — está tão escuro quanto em novembro — e jogo cartas com as meninas, deixando que vençam. Como gosto do som da chuva.

Elizabeth e eu dormimos uma nos braços da outra, ouvindo a água correr do telhado da abadia para o pavimento. Nas primeiras horas da manhã, começo a ouvir o gotejar vazando pelo telhado de ardósia, e me levanto para reacender o fogo e colocar uma panela sob a goteira. Minha filha abre a persiana e diz que a chuva continua a cair forte. Parece que vai chover o dia todo.

As meninas brincam de Arca de Noé e Elizabeth lê uma história da Bíblia para elas. Então, preparam uma representação, com seus brinquedos e almofadas grosseiramente forradas servindo de pares de animais. A arca é minha mesa virada de cabeça para baixo, com lençóis amarrados nas pernas. Deixo que jantem dentro da arca e as tranquilizo antes de dormir dizendo que o grande Dilúvio aconteceu há muito tempo e que Deus não mandaria outro, nem mesmo para punir a maldade. Essa chuva só fará com que os homens maus fiquem em casa, onde não podem prejudicar ninguém. A inundação manterá todos os maus longe de Londres, e ficaremos a salvo.

Elizabeth olha para mim com um leve sorriso e, depois que as meninas vão para a cama, pega uma vela e desce às catacumbas para verificar o nível da água do rio.

Está correndo mais alta do que nunca, relata ela. Acha que inundará o corredor até os degraus, elevando-se cerca de um metro. Se a chuva não cessar logo, o nível aumentará ainda mais. Não estamos em risco — são dois lances de escada de pedra até o rio —, mas as pessoas pobres, que vivem na ribeira, terão de juntar suas coisas e abandonar suas casas às águas.

Na manhã seguinte, Jemma chega com a bainha do vestido levantada, enlameada até os joelhos. As ruas estão inundadas nas áreas baixas; há comentários sobre casas varridas para longe e, rio acima, pontes destruídas, aldeias arruinadas. Ninguém nunca viu uma chuva assim em setembro, ininterrupta. Jemma diz que não há alimentos frescos no mercado, pois várias estradas estão inundadas e os agricultores não conseguem trazer seus produtos. O pão está mais caro por causa da falta de farinha, e alguns padeiros não conseguem acender seus fornos, pois toda a lenha está molhada. Jemma diz que vai passar a noite conosco — tem medo de atravessar as ruas inundadas.

De manhã, a chuva continua e as meninas, de novo à janela, relatam visões estranhas. Uma vaca afogada assusta Bridget ao passar flutuando debaixo da janela, uma carroça virada foi carregada pelas águas. O madeiramento de algum edifício passa rolando na enchente, e ouvimos o baque quando algo pesado bate nos degraus da comporta. Nessa manhã, ela é um portão somente para a água; o corredor está inundado e só conseguimos ver o alto da grade de ferro trabalhada e ter um vislumbre da luz natural. O rio deve ter se elevado cerca de três metros, e a maré alta derramará água nas catacumbas e molhará os mortos adormecidos.

Não procuro os mensageiros de meus irmãos. Não espero que alguém consiga vir do sudoeste do país para Londres nesse tempo. Mas não preciso das notícias que trariam para saber o que está acontecendo. Os rios se encheram contra Buckingham, a correnteza flui contra Henrique Tudor, a chuva cai torrencialmente sobre seus exércitos, as águas da Inglaterra se elevaram para proteger seu príncipe.

Outubro de 1483

Ricardo, o falso rei, abalado com a traição de seu grande amigo, o homem que ele promovera a condestável da Inglaterra, leva apenas um instante para perceber que a força reunida pelo duque de Buckingham é suficiente para derrotar o dobro da guarda real. Ele precisa formar um exército, ordenar que todos os homens fisicamente aptos na Inglaterra se unam a ele, sejam leais a ele como seu rei. A maioria se apresentou, embora lentamente. O duque de Norfolk conteve a rebelião nos condados do sul. Ele tem certeza de que Londres está a salvo, mas não tem dúvidas de que Buckingham está sublevando soldados em Gales e que Henrique Tudor partirá da Bretanha para se unir a ele lá. Se Henrique trouxer mil homens, os rebeldes e o exército do rei se equipararão, e ninguém poderá ter certeza do resultado. Se trouxer mais do que isso, Ricardo terá de lutar em desvantagem por sua sobrevivência e contra um exército liderado por Jasper Tudor, um dos maiores comandantes que Lancaster já teve.

Ricardo marcha para Coventry e mantém lorde Stanley, marido de Lady Margaret e padrasto de Henrique Tudor, junto dele.

Lorde Strange, filho de Stanley, não é encontrado em casa. Seus criados dizem que ele formou um imenso exército com seus arrendatários e partidários para servir a seu senhor. A preocupação de Ricardo é: ninguém sabe quem é esse senhor.

Ricardo lidera suas forças de Coventry para o sul, para isolar seu amigo traidor Buckingham da insurreição de nossas forças nos condados do sul. Ele imagina que o duque cruzará o rio Severn para entrar na Inglaterra e que não encontrará nenhum aliado, e sim o exército real inflexível aguardando-o na chuva torrencial.

Os soldados se deslocam vagarosamente pelas estradas enlameadas. Pontes foram levadas pela água, e eles têm de marchar muitos quilômetros até descobrir onde fazer a travessia. Os cavalos dos oficiais e a guarda montada avançam com dificuldade, afundados até o peito na lama; homens marcham com a cabeça baixa, ensopados até os ossos e, à noite, quando repousam, não conseguem acender fogueiras, pois está tudo molhado.

Inflexivelmente, Ricardo os obriga a prosseguir, sentindo um pouco de prazer ao pensar que o homem que ele amou e em que confiou acima de qualquer outro, Henry Stafford, duque de Buckingham, também está avançando pela lama, pelos rios cheios, pela chuva incessante. Esse é um tempo ruim para recrutar rebeldes, pensa Ricardo. Deve ser um tempo ruim para o jovem duque, que não é nenhum veterano como Ricardo. Deve ser um tempo ruim para um homem que depende de aliados vindos de além-mar. Certamente Buckingham não espera que Henrique Tudor tenha embarcado em uma tempestade como essa, e não conseguirá receber mensagens das forças dos Rivers nos condados do sul.

Então o rei recebe boas notícias. Buckingham não somente está enfrentando a chuva intensa, que nunca cessa, como é atacado constantemente pelos Vaughan, de Gales. Eles são os líderes nesse território e não nutrem nenhuma simpatia pelo jovem duque. Ele esperara que o deixassem se rebelar contra Ricardo, quem sabe até mesmo o apoiassem. Mas não se esqueceram de que foi ele que tirou Thomas Vaughan de seu senhor, o jovem rei, e o executou. A cada curva da estrada, há meia dúzia deles com as armas preparadas, prontos para disparar na primeira fileira de homens e escapar. A cada vale, há soldados escondidos nas árvores jogando pedras, disparando flechas, uma rajada de lanças, que atravessam a tempestade e atingem a força desgarrada de Buckingham, até os homens sentirem que a chuva e as lanças são a mesma coisa, e que estão combatendo um inimigo como a água, do qual não há escapatória, e que os ataca inexoravelmente e sem trégua.

Buckingham não consegue que seus mensageiros cheguem a Gales para convocar homens galeses leais aos Tudor. Seus batedores são derrubados assim que se distanciam da coluna principal, portanto seu exército não pode ser complementado com guerreiros implacáveis, como Lady Margaret prometeu. Pelo contrário, toda noite e a cada parada, até mesmo na estrada à luz do dia, seus homens se evadem. Dizem que é um líder desafortunado e que sua campanha será frustrada pela água. A cada vez que entram em formação, estão em menor número, e ele percebe que a coluna de soldados na estrada inundada não se estende muito. Quando percorre as fileiras, incitando os homens a avançar, prometendo-lhes a vitória, não o encaram. Mantêm a cabeça baixa, como se o seu discurso otimista e o som da chuva fossem um mesmo e único ruído sem sentido.

Buckingham não tem como saber ao certo, mas imagina que Henrique Tudor, o aliado que ele planeja trair, também está encontrando dificuldades por causa da chuva incessante. Está preso no porto pela mesma tormenta que está destruindo o exército de Buckingham. Henrique Tudor tem 5 mil mercenários, uma força maciça, invencível, paga e armada pelo duque da Bretanha — o suficiente para, sozinha, tomar a Inglaterra. Ele tem cavaleiros nobres, cavalos, canhões, cinco navios, uma expedição que não tem como fracassar — exceto pelo vento e pela chuva torrencial. Os navios balançam e fazem guinadas, até mesmo no abrigo da enseada, zunem na amarração. Os homens, amontoados dentro deles para a curta viagem pelo mar inglês, vomitam, mareados, miseráveis no porão. Henrique Tudor, na zona portuária, fica de lá para cá como um leão enjaulado, atento a uma brecha nas nuvens, à mudança do vento. O céu desaba sobre sua cabeça sem piedade. O horizonte está negro, anunciando mais chuva, o vento na direção do litoral, sempre na direção do litoral, fazendo seus navios se agitarem contra os muros da enseada.

Do outro lado do mar, sabe que seu destino está sendo decidido. Se Buckingham derrotar Ricardo sem ele, sabe que não terá chance de subir ao trono. Um usurpador será substituído por outro, e ele continuará no exílio. Tem de estar lá, na batalha, e matar aquele que for vitorioso. Sabe que tem de zarpar imediatamente, mas não pode: continua a chover torrencialmente. Não pode ir a lugar algum.

Buckingham não tem como saber disso. Não sabe de nada. Sua vida se resumiu a uma longa marcha na chuva copiosa, e sempre que olha por cima do ombro, vê menos homens. Estão exaustos, não comem uma refeição quente há dias, tropeçam afundados na lama até os joelhos e quando lhes diz "Logo chegaremos ao lugar da travessia, da travessia para a Inglaterra, e da terra seca, graças a Deus", eles assentem com a cabeça, mas não acreditam.

A estrada faz uma curva para a passagem do rio Severn, onde as águas são rasas e amplas o bastante para o exército atravessá-las e enfrentar o inimigo na Inglaterra, em vez de combater os elementos da natureza. Todos conhecem o local da travessia — Buckingham o promete há quilômetros. O leito do rio é firme e coberto de pedras, duro como uma estrada, e a água nunca é mais funda do que alguns centímetros. Nesse local, homens têm atravessado a fronteira de Gales há séculos: é o portão para a Inglaterra. Há uma hospedaria no lado galês e um povoado no lado inglês. Estão esperando que a passagem esteja inundada, que o rio esteja mais fundo. Talvez até mesmo haja sacos de areia na entrada da hospedaria, mas quando ouvem o bramido das águas, se detêm, horrorizados.

Não há passagem. Não distinguem absolutamente nenhuma terra. A hospedaria em Gales submergiu, o povoado no outro lado desapareceu completamente. Não há nem mesmo um rio; ele transbordou de tal modo que se tornou um lago, uma devastação pela água. Não veem a outra margem, a Inglaterra. Sequer veem rio abaixo, rio acima. Não é mais um rio, e sim um mar no meio do campo, com ondas e suas próprias tormentas. A água inundou a terra, engoliu-a como se não existisse nada ali. Não é Inglaterra nem Gales, é água, é a água triunfante. A água ocupou tudo, e nenhum homem a desafiará.

Com certeza, ninguém pode atravessar. Procuram em vão pontos de referência familiares, a trilha no baixio, mas agora o rio está muito fundo. Alguém pensa ver algo na enchente e, com um arrepio, distingue copas de árvores. O rio cobriu uma floresta: as árvores de Gales estão buscando ar desesperadamente. O mundo não é mais o mesmo. Os exércitos não podem se encontrar, a água se interpôs e conquistou tudo. A rebelião de Buckingham chegou ao fim.

Buckingham não diz uma palavra, não dá nenhuma ordem. Faz um pequeno gesto com a mão, como de rendição, um aceno com a palma levantada, não para os seus homens, mas para o dilúvio que o destruiu. É como se reconhecesse a vitória da água, o poder da água. Dá meia-volta com o cavalo e parte na direção contrária de sua profundeza revolta, e seus homens o deixam ir. Sabem que tudo acabou. Sabem que a rebelião acabou, derrotada pelas águas da Inglaterra, que se levantaram como se chamadas por sua própria deusa.

Novembro de 1483

Está escuro, são quase 23 horas. Estou de joelhos aos pés de minha cama, rezando antes de dormir, quando ouço uma leve batida na grande porta externa. Meu coração se sobressalta no mesmo instante, e penso em meu filho Eduardo, em meu filho Ricardo, e acho que voltaram para perto de mim. Levanto-me desajeitadamente, jogo uma capa sobre a camisola, puxo o capuz para a frente e corro para a porta.

Percebo que as ruas estão silenciosas, embora tenham ficado agitadas o dia inteiro com o retorno do rei Ricardo a Londres e os comentários intermináveis sobre como ele se vingará dos rebeldes, se arrombará o santuário e me atacará, agora que tem provas de que sublevei o país contra ele. Ricardo sabe disso e conhece os aliados que escolhi: Lady Margaret e o desleal duque de Buckingham.

Ninguém pode me dizer se meus parentes estão a salvo, se foram capturados ou se estão mortos: meus três irmãos queridos e meu filho Thomas Grey, que estava com os rebeldes em Hampshire e Kent. Ouço todo tipo de boato: que fugiram para se unir a Henrique Tudor na Bretanha, que morreram em combate, que foram executados por Ricardo, que mudaram de lado e se uniram ao rei. Tenho de esperar, assim como todo mundo no país, por notícias confiáveis.

A chuva acabou com as estradas, destruiu pontes e cidades inteiras. As notícias chegam a Londres em surtos de agitação, e ninguém pode saber ao certo o que é verdade. Mas a tempestade passou, a chuva cessou. Quando os rios baixarem, terei notícias de minha família e de seus combates. Rezo para que tenham conseguido partir para longe da Inglaterra. No caso de derrota, o plano era ir para junto da irmã de Eduardo, Margarida, na Borgonha, buscar meu filho Ricardo em seu esconderijo e, de lá, prosseguir a guerra. O rei Ricardo agora dominará o país com o poder de um tirano, tenho certeza.

Há uma batida insistente na porta e alguém força a aldrava. Isso não é coisa de fugitivo assustado, não de meu filho. Vou até o grande portal de madeira e deslizo a grade da portinhola. É um homem, da minha altura, o capuz bem puxado à frente, ocultando o rosto.

— Sim? — digo abruptamente.

— Preciso ver a rainha viúva — replica ele em um sussurro. — Uma mensagem muito importante.

— Sou a rainha viúva. Diga qual é a mensagem.

Ele olha de relance para a direita e para a esquerda.

— Irmã, deixe-me entrar — diz. Nem por um momento penso que seja um dos meus irmãos.

— Não sou sua irmã. Quem pensa que é?

Ele empurra o capuz para trás e ergue a tocha que carrega de modo que eu possa ver seu belo rosto moreno. Não é meu irmão, mas meu cunhado, o meu inimigo, Ricardo.

— Penso que sou o rei — responde ele, contrariado.

— Pois eu não — digo sem sorrir, mas ele ri.

— Está feito. Acabou. Fui ordenado e coroado e sua rebelião foi completamente derrotada. Sou rei, queira ou não. Estou sozinho e desarmado. Deixe-me entrar, irmã Elizabeth, para o bem de nós dois.

Apesar de tudo o que aconteceu, faço exatamente isso. Corro a tranca na portinhola, abro a porta e ele entra. Tranco-a atrás dele.

— O que quer? — pergunto. — Tenho um criado que está ouvindo. Há sangue entre mim e você, Ricardo. Matou meu irmão e matou meu filho. Nunca o perdoarei. Eu o amaldiçoei por isso.

— Não espero o seu perdão — diz ele. — Nem mesmo o quero. Sabe a que ponto chegaram suas tramas contra mim. Você teria me matado se tivesse tido uma chance. Era a guerra entre nós. Sabe disso tão bem quanto eu. E teve a sua vingança. Eu e você sabemos como me fez padecer. Você lançou um feitiço sobre mim, e meu peito dói, meu braço fraqueja inesperadamente. Meu braço que empunha a espada — lembra ele. — O que poderia ser pior para mim? Você amaldiçoou o braço em que seguro a espada. É melhor rezar para nunca precisar da minha proteção.

Olho para ele atentamente. Só tem 31 anos, mas suas olheiras e as linhas em seu rosto são as de um homem mais velho. Parece assombrado. Imagino que tema que seu braço lhe falte na batalha. Ele se esforçou a vida toda para ficar tão forte quanto seus irmãos mais altos e mais musculosos. Agora algo está consumindo sua força aos poucos. Dou de ombros.

— Se está doente, deve procurar um médico. Parece criança, culpando a magia por sua fraqueza. Talvez esteja imaginando tudo isso.

Ele balança a cabeça.

— Não vim me queixar. Estou aqui por outro motivo. — Faz uma pausa, olha para mim. Tem aquele olhar York franco, o olhar direto de meu marido. — Diga-me, o seu filho Eduardo está em segurança? — pergunta ele.

Sinto um baque de dor em meu coração.

— Por que pergunta? Por que logo você, de todas as pessoas? Logo você, que foi quem o levou?

— Pode simplesmente responder? Está com Eduardo e Ricardo?

— Não — respondo. Tenho vontade de chorar como uma mãe de coração partido, mas não na frente desse homem. — Por quê? Por que pergunta?

Ele dá um suspiro e se deixa cair na cadeira do porteiro, apoiando a cabeça nas mãos.

— Não estão na Torre? — pergunto. — Os meus filhos? Não mandou que os trancafiassem?

Ele balança novamente a cabeça, negando.

— Você os perdeu? Perdeu meus filhos?

Ainda em silêncio, ele assente.

— Estava rezando para que você os tivesse tirado de lá clandestinamente — replica ele. — Em nome de Deus, me diga a verdade! Se fez isso, não os perseguirei, não lhes farei mal. Pode escolher uma relíquia sobre a qual farei um juramento. Vou jurar deixá-los no local para onde os enviou. Nem mesmo perguntarei onde estão. Apenas me diga que os tem em segurança, para que eu saiba, tenho de saber. A dúvida está me deixando louco.

Muda, nego com um movimento da cabeça.

Ele passa a mão no rosto, nos olhos, como se ressecados por falta de sono.

— Fui direto para a Torre — prossegue, falando com a mão sobre o rosto. — Assim que retornei a Londres. Estava com medo. Todo mundo na Inglaterra diz que estão mortos. O pessoal de Lady Margaret Beaufort espalhou essa notícia. O duque de Buckingham assumiu como dele o seu exército, Elizabeth, combatendo para conquistar o trono para si mesmo, dizendo a todos que os príncipes tinham sido assassinados por mim, e que deviam vingá-los. Disse-lhes que os lideraria para vingar a morte dos príncipes.

— Você não os matou?

— Não — responde ele. — Por que os mataria? Pense! Reflita bem. Por que eu os mataria? Por que agora? Quando seus homens atacaram a Torre, eu os mantive bem guardados em seu interior. Eram vigiados noite e dia. Eu não poderia tê-los matado, nem que quisesse. Havia guardas o tempo todo, um deles saberia, e contaria. Eu os tornei bastardos e a desonrei. Seus filhos deixaram de ser uma ameaça para mim, assim como seus irmãos... homens derrotados.

— Você matou meu irmão Anthony — falo com escárnio.

— Ele era uma ameaça — replica Ricardo. — Anthony teria rebelado um exército e sabia como comandar. Era melhor soldado do que eu. Seus filhos, não. Suas filhas, não. Eles não me ameaçam. Eu não os ameaço. Não os matei.

— Então, onde estão? Onde está o meu filho Eduardo?

— Nem mesmo sei se estão mortos ou vivos — diz ele, arrasado. — Tampouco quem ordenou sua morte ou captura. Achei que você os tinha feito sair clandestinamente. Por isso vim aqui. Se não foi você, quem foi então? Autorizou alguém a levá-los? Alguém poderia estar com eles sem o seu conhecimento? Prendendo-os como reféns?

Balanço a cabeça. Não consigo pensar. É a pergunta mais séria que já tive de responder em toda a minha vida, e estou entorpecida pela aflição.

— Não consigo pensar — retruco em desespero.

— Esforce-se — diz ele. — Sabe quem são seus aliados. Seus amigos secretos. Meus inimigos ocultos. Sabe o que podem fazer. Sabe o que lhes prometeu, o que tramou com eles. Pense.

Levo as mãos à cabeça e dou alguns passos de um lado para o outro. Talvez Ricardo esteja mentindo para mim e tenha matado Eduardo e o pobre menino pajem, e veio jogar a culpa em outros. Mas, como ele mesmo diz, não tem razão alguma para ter feito isso, além do mais, por que não admitiria e enfrentaria o fato abertamente? Quem o acusaria, agora que derrotou a rebelião contra ele? Por que viria me procurar? Quando o meu marido assassinou o rei Henrique, mandou seu corpo ser exposto ao povo. Deu-lhe um belo funeral. O motivo para matá-lo foi dizer ao mundo que a linhagem do antigo rei havia terminado. Se Ricardo tivesse matado meus filhos para encerrar a linhagem de Eduardo, ele teria anunciado, agora que retornou vitorioso a Londres, e teria me dado os corpos para que eu os sepultasse. Poderia dizer que tinham adoecido. Melhor ainda, poderia dizer que Buckingham os matara. Jogaria a culpa no duque e lhes ofereceria um funeral real, e ninguém poderia fazer nada a não ser pranteá-los.

Portanto, talvez tenha sido o duque de Buckingham quem mandou matá-los, a verdade escondida por trás dos rumores sobre o assassinato dos príncipes. Sem os dois meninos, ele avançaria dois passos em direção ao trono. Ou Lady Margaret os mandara matar, para deixar o caminho livre para seu filho Henrique Tudor? Tudor e Buckingham são os que mais se beneficiariam com a morte dos meus filhos. Tornam-se os próximos herdeiros se eles estiverem mortos. Lady Margaret seria capaz de ordenar a morte de Eduardo e Ricardo enquanto alega ser minha amiga? Teria contrariado sua consciência devota para fazer uma coisa dessas? Buckingham seria capaz de matar seus próprios sobrinhos ao mesmo tempo que jurava que os libertaria?

— Procurou seus corpos? — pergunto, em tom muito baixo.

— Virei a Torre de cabeça para baixo, e os criados foram interrogados. Disseram que os colocaram na cama uma noite. De manhã, haviam desaparecido.

— São seus criados! — exclamo com indignação. — Obedecem às suas ordens. Meus filhos morreram quando estavam sob a sua tutela. Espera realmente que eu acredite que não teve nenhuma responsabilidade na morte deles? Espera realmente que eu acredite que desapareceram?

Ele assente com a cabeça.

— Quero que acredite que morreram ou foram raptados sem a minha ordem, sem o meu conhecimento, sem o meu consentimento, enquanto eu estava longe, me preparando para lutar. Para combater seus irmãos, na verdade. Uma noite.

— Que noite? — pergunto.

— Na noite em que começou a chover.

Penso na voz baixa que cantou uma canção de ninar para Elizabeth, tão baixo que não a ouvi.

— Ah, aquela noite.

Ele hesita.

— Acredita que sou inocente da morte deles?

Encaro-o, o homem que meu marido amou, seu irmão. O homem que lutou ao seu lado por minha família e meus filhos. O homem que matou meu irmão e meu filho Grey. O homem que pode ter matado Eduardo, meu filho real.

— Não — respondo friamente. — Não acredito em você. Não confio em você. Mas não tenho certeza. Estou terrivelmente insegura em relação a tudo.

Ele balança a cabeça, como se aceitando um julgamento injusto.

— É assim também para mim — observa ele, como um aparte. — Não sei de nada. Não confio em ninguém. Matamos a certeza nessas guerras entre primos, e só restou a desconfiança.

— Então o que vai fazer? — pergunto.

— Não farei nada, e não direi nada — decide ele, e sua voz soa desolada e cansada. — Ninguém ousará me fazer perguntas diretamente, embora todos passem a suspeitar de mim. Não direi nada e deixarei as pessoas acharem o que quiserem. Não sei o que aconteceu com seus meninos, mas ninguém nunca acreditará nisso. Se os encontrasse vivos, poderia expô-los e provar a minha inocência. Se encontrasse seus corpos, eu os mostraria e culparia Buckingham. Mas não os tenho, vivos ou mortos, portanto, não tenho como me defender. Todos vão pensar que matei dois meninos que estavam sob os meus cuidados, a sangue-frio, sem nenhuma razão. Vão me chamar de monstro. — Faz uma pausa. — Independentemente do que eu fizer pelo resto da vida, essa suspeita lançará sobre mim uma sombra inescrupulosa. Serei lembrado apenas por esse crime. — Balança a cabeça. — E não o cometi, e não sei quem o cometeu, nem mesmo sei se foi cometido. — Faz outra pausa.

— E o que *você* vai fazer? — pergunta, como se isso acabasse de lhe ocorrer.

— Eu?

— Refugiou-se aqui para que suas filhas ficassem seguras quando acreditava que seus meninos tinham de ser protegidos de mim — lembra ele. — Agora, o pior aconteceu. Os irmãos delas desapareceram. O que vai fazer com suas filhas, consigo mesma? Não há mais razão para ficar no santuário, não são mais a família real com um herdeiro que pode reivindicar seu direito. Você é apenas mãe de meninas.

Quando ele diz isso, a perda de Eduardo me atinge de repente; dou um gemido, e a dor em meu ventre é como as contrações do parto. Caio de joelhos no piso de pedra e me arqueio de dor. Posso ouvir meus gemidos e sinto meu corpo tremer.

Ele não se apressa em me confortar ou me levantar. Permanece sentado em sua cadeira, sua cabeça morena apoiada na mão, me observando enquanto choro como uma camponesa chora a morte de seu primeiro filho. Ele não diz nada para negar a minha dor nem para estancá-la. Deixa que eu chore. Fica sentado ao meu lado por um longo tempo e me deixa chorar.

Depois, pego a bainha de minha capa e passo-a em meu rosto molhado, sento-me nos calcanhares e olho para ele.

— Lamento a sua perda — diz Ricardo formalmente, como se eu não estivesse ajoelhada em um piso de pedra com meu cabelo solto e meu rosto molhado de lágrimas. — Não foi ordem minha nem ato meu. Apossei-me do trono sem machucar nenhum dos dois. Não lhes faria mal depois. Eram filhos de Eduardo. Eu os amava por ele. E só Deus sabe como o amei.

— Sei disso — digo, tão formal quanto ele.

Ele levanta-se.

— Vai deixar o santuário agora? — pergunta. — Não tem nada a lucrar ficando aqui.

— Não tenho nada — concordo. — Nada.

— Farei um acordo entre nós dois — diz ele. — Prometo a segurança e o bom tratamento de suas filhas se você sair. As mais velhas podem vir para a corte. Eu as tratarei como minhas sobrinhas, com honra. Você pode vir com elas. Arranjarei para que se casem com bons homens, com a sua aprovação.

— Vou para casa — digo. — E as levarei comigo.

Ele nega com a cabeça.

— Lamento, não posso permitir. Terei suas filhas na corte, e você pode morar em Heytesbury aos cuidados de Sir John Nesfield por algum tempo. Lamento, mas não posso confiar em você no meio de seus arrendatários e parentes. — Ele hesita. — Não posso mandá-la para onde terá meios de recrutar homens contra mim. Não posso permitir que encontre homens com quem possa conspirar. Não que eu suspeite de você, entenda: mas não posso confiar em ninguém. Nunca confio em ninguém, em lugar algum.

Há passos atrás dele; Ricardo gira e puxa a adaga, pronto para atacar. Avanço, seguro seu braço direito e o abaixo com facilidade: ele está terrivelmente fraco. Lembro-me da maldição que lhe lancei.

— Calma — digo. — Deve ser uma das meninas.

Ele recua e Elizabeth surge da escuridão e vem para o meu lado. Está de camisola, com uma capa por cima, e seu cabelo está trançado sob a touca. Ela agora está do meu tamanho. Fica em pé do meu lado e olha gravemente para o tio.

— Vossa Graça — diz ela, com uma reverência que não poderia ser mais discreta.

Ele quase não se curva para ela, está olhando-a, surpreso.

— Você cresceu, Elizabeth. — Ele hesita. — É a princesa Elizabeth? Mal a reconheço. Na última vez em que a vi era uma menina, e agora é... você.

Olho de relance para ela e, para meu espanto, vejo que enrubesce. Está enrubescendo sob o olhar perplexo dele. Ela põe a mão no cabelo, como se quisesse estar bem-vestida, e não descalça como uma criança.

— Vá para o seu quarto — digo-lhe abruptamente.

Ela faz uma mesura e se vira, obedecendo imediatamente, mas se detém à porta.

— É sobre Eduardo? — pergunta. — Meu irmão está seguro?

Ricardo olha para mim, perguntando se poderia responder a verdade. Viro-me para ela.

— Vá para o seu quarto. Falaremos mais tarde.

Ricardo levanta-se.

— Princesa Elizabeth — diz em voz baixa.

Ela se detém mais uma vez, embora tenha recebido ordem para sair, e se vira para ele.

— Sim, Vossa Graça?

— Lamento dizer que seus irmãos estão desaparecidos, mas quero que saiba que não por minha culpa. Desapareceram de seus aposentos na Torre, e ninguém consegue me dizer se estão vivos ou mortos. Vim ver sua mãe nesta noite pensando que talvez ela os tivesse resgatado.

O rápido olhar que ela me lança não lhe diz nada. Sei que está pensando que pelo menos o nosso menino Ricardo está a salvo em Flandres, mas ela permanece impassível.

— Meus irmãos estão desaparecidos? — repete ela, querendo a confirmação.

— Provavelmente estão mortos — digo, a dor tornando a minha voz rouca.

— Não sabe onde eles estão? — pergunta ela ao rei.

— Como gostaria de saber! — exclama ele. — Desconhecendo onde estão ou se estão a salvo, todos vão pensar que estão mortos e me acusarão.

— Estavam sob a sua guarda — lembro-lhe. — Por que alguém os faria reféns sem comunicar? No mínimo, deixou meu filho morrer enquanto estava lutando para manter o trono que era de Eduardo por direito.

Ele assente, como se aceitasse essa parte da culpa, e vira-se para partir. Elizabeth e eu observamos em silêncio ele destrancar a porta.

— Não perdoarei o erro cometido comigo e com minha casa — advirto-o. — Amaldiçoarei a casa de quem quer que tenha matado meus filhos, para que não tenha nenhum primogênito para herdar. Aquele que levou meu filho perderá os seus. Passará a vida ansiando por um herdeiro. Enterrará seu primogênito e sentirá saudades dele, pois não pude nem mesmo enterrar o meu.

Ele dá de ombros.

— Amaldiçoe-o, quem quer que tenha feito isso — diz ele, com indiferença. — Maldiga a sua casa. Pois essa pessoa me custou a reputação e a paz.

— Nós duas o amaldiçoaremos — replica Elizabeth ao meu lado, seu braço ao redor da minha cintura. — Ele pagará por ter levado o nosso menino. Ele se arrependerá dessa perda que nos infligiu. Ele lamentará essa crueldade hedionda. Sofrerá de remorso. Mesmo que nunca venhamos a saber quem é.

— Ah, nós vamos saber — interrompo-a, como um coro de bruxas. — Nós o reconheceremos pela morte de seus filhos. Quando o seu filho e herdeiro morrer, nós saberemos quem é. Saberemos que a maldição que lhe lançamos está atuando por todos esses anos, uma geração atrás da outra, até sua linhagem se extinguir. Quando colocar seu próprio filho no túmulo, será a nossa maldição que o sepultará. E então saberemos quem foi que levou o nosso menino, e o assassino saberá que a nossa maldição lhe tirou o que ele tirou de nós. Quando só tiver filhas para herdar, saberemos quem ele é.

Ele atravessa a porta e olha para trás, para nós duas, um sorriso retorcendo sua boca.

— Ainda não aprendeu que existe somente uma única coisa pior do que não ter seu desejo realizado? — pergunta. — Como eu fiz? Desejei ser rei e consegui, mas isso não me trouxe nenhuma alegria. Elizabeth, sua mãe não a alertou para ter cuidado com o que deseja?

— Ela me alertou sim — replica minha filha com a voz firme. — E como o senhor tomou o trono do meu pai, e aprisionou meu tio e meus queridos irmãos, aprendi a não desejar nada.

— Então, seria bom ela alertá-la contra os efeitos de sua maldição. — Vira-se para mim com um sorriso pesaroso. — Não se lembra do vento que você soprou para destruir Warwick, e que o afastou de Calais, causando a perda do bebê da filha dele? Foi uma vantagem para nós que ninguém mais poderia ter conjurado. Mas não se lembra de que a tormenta prosseguiu por tempo demais e quase afogou seu marido e todos os que estavam com ele?

Balanço a cabeça, confirmando.

— Suas maldições duram tempo demais — prossegue ele — e atingem as pessoas erradas. Talvez um dia venha a desejar que o meu braço direito estivesse forte o bastante para defendê-la. Talvez um dia venha a se arrepender da morte do filho e herdeiro de alguém, mesmo que sejam culpados, mesmo que a sua maldição se prove verdadeira.

~

A vingança de Ricardo, o rei, recaiu duramente sobre os lordes e líderes da rebelião. Ele perdoou os homens de posições inferiores por terem sido mal-orientados. Descobriu que Margaret Beaufort, a esposa de seu aliado, lorde Stanley, era a líder da conspiração e a intermediária entre seu filho e o duque de Buckingham, e baniu-a para a casa de seu marido, ordenando que fosse vigiada. Os aliados dela — o bispo Morton e o Dr. Lewis — fugiram do país. Meu filho Thomas Grey conseguiu escapar e está na corte de Henrique Tudor na Bretanha. É uma corte de homens jovens, rebeldes aspirantes, cheios de ambição e avidez.

O rei Ricardo queixa-se do meu filho Thomas Grey, como rebelde e infiel, como se traição e amor fossem crimes iguais. Acusa-o de traição e põe um preço por sua cabeça. Thomas me escreve da Bretanha e me diz que, se Henrique Tudor tivesse desembarcado, a rebelião certamente teria nos favorecido. Sua frota foi dispersada pela tempestade que Elizabeth e eu invocamos para prejudicar Buckingham. Diz que o rapaz que estava vindo nos salvar quase se afogou. Thomas não tem dúvida de que Henrique Tudor pode reunir um exército grande o bastante para derrubar até mesmo um príncipe York. Diz que Henrique virá de novo à Inglaterra, assim que as tempestades de inverno tiverem amainado, e que, dessa vez, ele vencerá.

E assumirá o trono ele próprio, escrevo a meu filho. *Não há mais a falsa aparência de que está lutando pela herança de meus filhos.*

Thomas responde: "Henrique Tudor só luta por ele próprio, e provavelmente sempre foi assim e sempre será. Mas o príncipe, como ele chama a si mesmo, trará a coroa para a Casa de York, pois se casará com Elizabeth e ela será a rainha da Inglaterra, e o filho dela será rei. Seu filho teria sido rei da Inglaterra", escreve Thomas. "Mas a sua filha ainda pode ser rainha. Posso dizer a Henrique que Elizabeth se casará com ele se derrotar Ricardo? Traria toda a nossa família e amigos para o seu lado, e não vejo que futuro a senhora e minhas meias-irmãs podem ter enquanto o usurpador Ricardo estiver no trono e vocês ficarem escondidas no santuário."

Respondo:

Diga-lhe que mantenho a palavra que dei à sua mãe, Lady Margaret. Elizabeth será sua esposa quando ele derrotar Ricardo e assumir o trono da Inglaterra. Que York e Lancaster sejam um só e que as guerras se encerrem.

Faço uma pausa e acrescento uma nota:

Pergunte-lhe se sua mãe sabe o que aconteceu com meu filho Eduardo.

Dezembro de 1483

Espero até a virada do ano, até a noite mais escura do ano, até a hora mais escura, entre meia-noite e uma hora, e então pego uma vela, jogo uma capa sobre meu vestido de inverno e bato na porta de Elizabeth.

— Estou indo — digo. — Quer vir comigo?

Ela está pronta. Segura uma vela e está usando sua capa e seu capuz puxado para a frente sobre o cabelo lustroso.

— Sim, é claro, a perda também é minha — replica ela. — Também quero me vingar. Os que mataram meu irmão me fizeram dar um passo em direção ao trono, ao coração do perigo, e um passo para longe da vida que eu teria construído para mim. Não lhes agradeço por isso tampouco. E meu irmão ficou sozinho e desprotegido, foi levado para longe de nós. Quem matou o nosso príncipe e o pobre menininho pajem tem de ter o coração de pedra. Quem quer que tenha sido o culpado, foi agraciado com uma maldição. Eu o amaldiçoarei.

— Recairá no filho dele — advirto-a — e no seu filho depois desse. Terminará com a sua linhagem.

Seus olhos fulguram verdes à luz da vela, como os olhos de um gato.

— Pois então, que assim seja — diz ela, como sua avó Jacquetta dizia quando estava maldizendo ou abençoando.

Sigo na frente e atravessamos a cripta silenciosa, descemos a escada de pedra até as catacumbas e outro lance de escadas de pedras frias, o chão gelado e úmido. Avançamos até ouvirmos o som do rio batendo na comporta.

Elizabeth destranca o portão de ferro e o puxamos juntas. O rio está cheio, no nível da enchente de inverno, sombrio e vítreo, passando velozmente por nós no escuro da noite. Mas não é nada em comparação à tempestade que Elizabeth e eu invocamos para manter Buckingham e Henrique Tudor fora de Londres. Se eu soubesse que alguém estava vindo resgatar meu filho naquela noite, teria pegado um barco nesse dilúvio e ido até ele. Teria desaparecido nas águas profundas para salvá-lo.

— Como vamos fazer? — Elizabeth está tremendo de frio e medo.

— Não vamos fazer nada — replico. — Simplesmente contamos a Melusina. Ela é nossa ancestral, é a nossa guia, ela sentirá a perda do nosso filho e herdeiro como nós sentimos. Ela vai procurar quem o levou e levará seu filho em troca.

Abro um pedaço de papel que estava em meu bolso e o entrego a Elizabeth.

— Leia em voz alta — digo. Seguro as duas velas enquanto ela lê para as águas que se movem ligeiras.

— Saiba que o nosso filho Eduardo estava na Torre de Londres, mantido prisioneiro injustamente por seu tio Ricardo, agora chamado de rei. Saiba que lhe demos um companheiro, um menino pobre, para substituir o nosso segundo filho, Ricardo, que mandamos para Flandres, onde você o guarda no rio Scheldt. Saiba que alguém raptou o nosso filho Eduardo ou o matou enquanto dormia. Mas, Melusina, não conseguimos encontrá-lo, e não nos deram seu corpo. Não sabemos quem são seus assassinos e não podemos levá-los para serem julgados, nem, se nosso menino ainda vive, podemos encontrá-lo e trazê-lo para casa. — Sua voz treme por um momento e tenho de enfiar as unhas nas palmas das mãos para não chorar. — Saiba que não há justiça a ser feita pelo mal que alguém nos fez, por isso viemos à sua procura, nossa milady mãe, e colocamos em suas escuras profundezas esta maldição: que você leve também o primogênito de quem quer que

382

tenha levado o nosso. O nosso menino foi levado quando ainda não era um homem, nem rei, embora tenha nascido para ser os dois. Portanto leve o filho de seu assassino enquanto ainda for um menino, antes de se tornar homem, antes de assumir a sua herança. E depois leve também seu neto, e quando levá-lo, saberemos por sua morte que isso é resultado da nossa maldição e que esse é o pagamento pela perda do nosso filho.

Ela termina de ler com os olhos rasos d'água.

— Dobre-o em forma de um barco — digo.

No mesmo instante ela faz uma perfeita miniatura de um barco. As meninas têm feito frotas de papel desde que começamos nosso confinamento aqui, à margem do rio. Ergo a vela.

— Acenda — digo em um sussurro, e ela leva o barco de papel à chama da vela de modo que a proa pega fogo. — Mande pelo rio — peço, e ela põe delicadamente o barquinho de papel na água.

O barco se agita, a chama bruxuleia quando o vento a sopra, e depois se inflama. A correnteza forte o leva, e ele vira e rodopia até desaparecer. Por um momento, vemos a chama, a maldição e seus reflexos emparelhados na água escura, e então eles são levados em remoinho pela força da correnteza, e só vemos a escuridão. Melusina ouviu as nossas palavras e levou nossa maldição para o seu reino de água.

— Está feito — digo, viro de costas para o rio e seguro a comporta aberta para ela passar.

— Isso é tudo? — pergunta ela, como se tivesse esperado que eu navegasse rio abaixo em um barquinho.

— É tudo. É tudo o que podemos fazer, agora que não sou rainha de nada, com meus filhos desaparecidos. Tudo o que posso fazer agora é maldizer. Mas só Deus sabe, é o que faço.

Natal de 1483

Preparo uma festa para as minhas filhas. Mando Jemma comprar brocado e fazemos vestidos novos, que elas usam junto com tiaras feitas com os últimos diamantes do tesouro real especialmente para o dia de Natal. O condado derrotado de Kent nos envia um belo capão, vinho e pão para a nossa ceia. Cantamos para nós mesmas, representamos a mascarada e nos imaginamos indo de casa em casa entoando as canções natalinas. Finalmente ponho as meninas para dormir, e elas estão felizes, como se tivessem se esquecido da corte York no Natal, quando todos os embaixadores diziam que nunca haviam visto uma corte mais suntuosa, quando o pai delas era o rei da Inglaterra e a mãe, a mais bela rainha que o país já tivera.

Elizabeth, minha filha, senta-se comigo diante do fogo, quebrando nozes e jogando as cascas nas brasas vermelhas, fazendo-as se inflamarem e saltarem.

— Seu irmão Thomas Grey me escreveu dizendo que Henrique Tudor vai se declarar rei da Inglaterra e seu noivo hoje, na Catedral de Rennes. Eu devia congratulá-la — digo.

Ela vira-se e me dá seu sorriso divertido.

— Sou uma mulher muito casada — replica. — Fui noiva do sobrinho de Warwick, depois do herdeiro da França, lembra-se? A senhora e papai me chamavam de La Dauphine, tive aulas extras de francês e me achei muito importante. Eu seria a rainha da França, eu estava certa disso. No entanto, olhe só para mim agora! Portanto, penso que vou esperar até Henrique Tudor ter desembarcado, travado sua batalha, ser coroado rei e me pedir em casamento pessoalmente, antes de eu me considerar uma mulher comprometida.

— Ainda assim, está na hora de você se casar — digo, como se para mim mesma, pensando em como ela ficou ruborizada quando seu tio Ricardo disse que estava tão crescida que ele não a reconhecera.

— Nada pode acontecer enquanto estivermos aqui — afirma.

— Henrique Tudor é inexperiente. — Estou pensando alto. — Passou a vida fugindo de nossos espiões, nunca combateu. A única batalha que já viu estava sob o comando do seu tutor William Herbert, e então ele lutou por nós! Quando desembarcar na Inglaterra, com você como sua noiva declarada, todos aqueles que nos amam o aceitarão. Todos ficarão do lado dele por ódio a Ricardo, embora mal o conheçam. Todos aqueles que se viram despojados de suas posições pelos nortistas que Ricardo reuniu se manifestarão a seu favor. A rebelião deixou um gosto amargo para muita gente. Ricardo venceu essa batalha, mas perdeu a confiança do povo. Promete justiça e liberdade, mas desde a rebelião a que incitou os lordes do norte, governa com seus amigos. Ninguém o perdoará por isso. Seu noivo terá milhares de recrutas, e virá com um exército da Bretanha. Mas tudo vai depender de ele ser tão valente quanto Ricardo em batalha. Ricardo é um veterano na guerra. Lutou em toda a Inglaterra quando era apenas um rapaz, sob o comando do seu pai. Henrique é novato no campo de batalha.

— Se ele vencer, e se honrar a sua promessa, serei rainha da Inglaterra. Eu lhe disse que, um dia, seria rainha da Inglaterra, eu sempre soube disso. É o meu destino. Mas nunca foi a minha ambição.

— Eu sei — replico com ternura. — Mas se é o seu destino, terá de cumprir o seu dever. Será uma boa rainha, eu sei. E estarei lá com você.

— Queria me casar com um homem que eu amasse, como a senhora se casou com meu pai — diz ela. — Queria me casar por amor, não com um estranho por ordem da mãe dele e da minha.

— Você nasceu princesa, e eu não — lembro. — E ainda assim, tive de aceitar o meu primeiro marido por ordem de meu pai. Somente quando enviuvei pude escolher por mim mesma. Terá de sobreviver a Henrique Tudor, e então poderá fazer o que quiser.

Ela dá um risinho, e seu rosto se ilumina ao pensar nisso.

— A sua avó casou-se com o jovem escudeiro do marido assim que ficou viúva — recordo. — Ou pense na mãe do rei Henrique, que se casou com um Tudor João-ninguém em segredo. Pelo menos, quando enviuvei, tive o bom senso de me apaixonar pelo rei da Inglaterra.

Ela dá de ombros.

— A senhora é ambiciosa. Eu não. Nunca se apaixonaria por alguém que não fosse rico ou influente. Mas eu não quero ser a rainha da Inglaterra. Não quero ocupar o trono do meu pobre irmão. Vi o preço que se paga por uma coroa. Papai nunca parou de lutar desde o dia em que a conquistou, e aqui estamos nós, cativas em um lugar pouco melhor do que uma prisão, porque a senhora ainda espera que ganhemos o trono. A senhora terá o trono, mesmo que isso signifique eu me casar com um lancastriano fugitivo.

— Quando Ricardo me enviar seus termos, sairemos — replico. — Prometo. Está na hora. Não passará outro Natal refugiada. Prometo, Elizabeth.

— Não precisamos sair para a glória, sabe? — diz ela em tom lamentoso. — Poderíamos ir simplesmente para uma casa agradável, e ser uma família comum.

— Está bem — replico, como se pudesse acreditar que somos uma família comum. Somos Plantageneta. Como poderíamos ser comuns?

Janeiro de 1484

Recebo notícias de meu filho Thomas Grey em uma carta datada do Natal de 1483. Ela chega manchada da viagem, vinda da corte esfarrapada de Henrique Tudor, na Bretanha.

Como prometeu, ele declarou sob juramento, na Catedral de Rennes, estar noivo de sua filha Elizabeth. Também reivindicou o título de rei da Inglaterra e foi aclamado por todos nós. Recebeu nossas homenagens e juramentos de lealdade, inclusive o meu. Ouvi um único homem lhe perguntar como podia se declarar herdeiro quando o jovem Eduardo poderia estar vivo, pelo que se supunha. Ele respondeu algo interessante... Disse que tinha prova de que o jovem rei Eduardo estava morto; afirmou que seu coração estava ferido por causa disso, e que deveríamos nos vingar do assassino: o usurpador Ricardo. Perguntei-lhe qual era a prova, e lembrei-lhe da sua dor por não poder sepultar um filho, não saber nada sobre ele. Ele respondeu que sabia por fonte segura que os homens de Ricardo haviam matado seus filhos. Disse que os asfixiaram enquanto dormiam e os enterraram sob uma escada na Torre.

Levei-o para o lado e disse que, no mínimo, poderíamos colocar criados ou subornar aqueles que estão lá e ordenar que encontrassem os corpos, se ele me dissesse onde estão, sob que escada na Torre. Eu

disse que se encontrássemos os corpos quando a invasão da Ingla-
terra começasse, poderíamos acusar Ricardo do assassinato, e o país
inteiro ficaria do nosso lado. "Que escada?", perguntei. "Onde estão
os corpos? Quem lhe falou do assassinato?"

Milady mãe, me falta a sua habilidade para ler os corações obscu-
ros dos homens, mas havia algo nele de que não gostei. Ele desviou o
olhar e disse que não adiantaria, que havia pensado nisso, mas que
um padre os havia desenterrado e levado em um baú para lhes ofe-
recer um sepultamento cristão, nas águas fundas do rio, para nunca
serem encontrados. Pedi-lhe o nome do padre, mas ele não sabia.
Perguntei-lhe como o padre sabia onde estavam enterrados e por que
os colocara no rio, em vez de entregá-los a você. Perguntei se seria
cristão um funeral em que corpos são jogados na água. Perguntei em
que parte do rio, e ele respondeu que não sabia. Perguntei quem havia
lhe contado tudo isso, e ele respondeu que havia sido a sua mãe, Lady
Margaret, e que confiaria sua própria vida a ela. Bastava ela ter lhe
dito para ele saber que era a verdade.

Não sei o que pensa disso.
Para mim, cheira mal.

Jogo a carta de Thomas no fogo que arde no hall. Pego uma pena para
lhe responder, desbasto a ponta, mordisco o alto da pena e escrevo.

Concordo. Henrique Tudor e seus aliados tiveram participação na
morte de meu filho. De que outra maneira ele saberia que estavam
mortos e como foi feito? Ricardo vai nos libertar neste mês. Deixe o
pretendente Tudor e retorne ao país. Ricardo vai perdoá-lo e podere-
mos ficar juntos. Independentemente do juramento que Henrique fez
na igreja e por mais homens que tenham lhe prestado homenagem,
Elizabeth nunca se casará com o assassino de seus irmãos, e se ele
for realmente o assassino, que minha maldição seja transmitida a
seu filho e a seu neto. Nenhum menino Tudor viverá para se tornar
homem se Henrique teve qualquer participação na morte de meu filho.

O fim do Dia de Reis e o retorno do Parlamento a Londres trouxeram-me as notícias indesejáveis de que os lordes favoreceram o rei Ricardo e declararam que o meu casamento não foi válido, que meus filhos são bastardos e que eu sou uma prostituta. Ricardo já havia declarado isso antes e ninguém o contestara. Agora é lei, e o Parlamento, como uma criancinha, aprova.

Não faço qualquer objeção ao Parlamento e não mando nenhum amigo objetar por nós. É o primeiro passo para nos libertarmos do esconderijo que se tornou a nossa prisão. É o primeiro passo na nossa transformação no que Elizabeth chama de "pessoas comuns". Se a lei do país diz que não passo da viúva de Sir Richard Grey e antiga amante do rei anterior, se a lei do país diz que tenho apenas filhas mulheres geradas fora do casamento, então temos pouco valor vivas ou mortas, prisioneiras ou livres. Não importa a ninguém onde estamos ou o que estamos fazendo. Só isso já nos liberta.

E o mais importante, acho, mas não digo nem mesmo a Elizabeth, que, quando estivermos vivendo tranquilamente em uma casa particular, meu filho Ricardo poderá se juntar a nós. Como fomos despojados da nossa realeza, meu filho poderá voltar para perto de mim. Quando deixar de ser príncipe, poderei tê-lo de volta. Tem sido Peter, um menino vivendo com uma família pobre em Tournai. Ele poderia ser Peter em minha casa em Grafton, meu pajem favorito, meu companheiro constante, meu coração, minha alegria.

Março de 1484

Recebo uma mensagem de Lady Margaret. Andava me perguntando quando teria notícias dessa minha querida amiga e aliada. O ataque planejado por ela à Torre fracassou desgraçadamente. Seu filho anuncia ao mundo que meus filhos foram assassinados, e que só sua mãe sabe os detalhes da morte e do sepultamento. A rebelião que ela idealizou acabou em derrota e em minhas suspeitas. No entanto, seu marido é favorecido pelo rei Ricardo, embora seu papel na rebelião seja conhecido. Certamente, é uma amiga em quem não se pode confiar e uma aliada duvidosa. Ela parece saber tudo, não fazer nada, e nunca é punida.

Ela explica que não pôde escrever nem me visitar porque foi cruelmente aprisionada por seu marido, lorde Stanley, o verdadeiro amigo de Ricardo, que ficou do lado do rei na insurreição recente. Ficou demonstrado agora que o filho de Stanley, lorde Strange, organizou um pequeno exército em apoio ao rei Ricardo, e que os boatos de que estava marchando para apoiar Henrique Tudor eram falsos. Sua lealdade nunca hesitou. Mas havia homens o bastante para atestar que os agentes de Lady Margaret iam e voltavam da Bretanha para convocar Henrique Tudor a reivindicar o trono. Havia espiões que podiam confirmar que o grande conselheiro e amigo bispo Morton persuadiu o duque de Buckingham a se voltar contra seu senhor

Ricardo. E havia até mesmo homens que podiam jurar que ela tinha feito um pacto comigo, que minha filha deveria se casar com o filho dela, e a prova disso foi o dia de Natal na Catedral de Rennes, quando Henrique Tudor declarou que seria marido de Elizabeth e jurou que seria rei da Inglaterra, e todo o seu séquito, inclusive meu filho Thomas Grey, ajoelhou-se e jurou lealdade a ele como rei da Inglaterra.

Imagino que o marido de Margaret Beaufort, Stanley, tenha precisado falar rápida e persuasivamente para convencer seu monarca apreensivo de que, apesar de sua mulher ser uma rebelde e conspiradora, ele nunca, sequer por um instante, pensou nas vantagens que obteria se seu enteado subisse ao trono. Mas ele parece ter conseguido fazer isso. Stanley *Sans Changer* permanece recebendo os favores do usurpador, e Margaret, sua mulher, é banida para a própria casa, proibida de ser servida por seus criados de sempre, proibida de escrever ou enviar mensagens, especialmente a seu filho, e roubada de suas terras, riqueza e herança. E tudo foi dado a seu marido na condição de mantê-la sob controle.

Para uma mulher poderosa, ela não parece muito desencorajada pelo fato de o marido se apossar de toda a sua riqueza e suas terras, e aprisioná-la em sua própria casa, jurando que ela nunca escreverá outra carta e planejará outra conspiração. Ela claramente não está tão abatida, pois aí está, me escrevendo e conspirando de novo. Com base nisso, suponho que Stanley *Sans Changer* está obedecendo fielmente a seus interesses pessoais, como talvez sempre fez — por um lado, prometendo lealdade ao rei, por outro, deixando sua mulher tramar com rebeldes.

Vossa Graça, querida irmã — pois assim devo chamar a mãe da jovem que será minha filha e a mulher que será uma mãe para o meu filho, começa ela. Seu estilo é floreado e sentimental. Há um borrão na carta, como se ela derramasse lágrimas de alegria ao pensar no casamento de nossos filhos. Olho para o borrão com repugnância. Mesmo que eu não suspeitasse que ela tivesse cometido a traição mais perversa, não me deixaria tocar por isso.

Preocupou-me muito saber por meu filho que o seu filho Thomas Grey pensou em deixar sua corte e teve de ser persuadido a retornar. Vossa Graça, querida irmã, qual pode ser o problema com ele? Pode assegurá-lo de que os interesses de sua família e os meus são os mesmos e que ele é um companheiro querido de meu filho Henrique? Por favor, peço que ordene, como uma mãe amorosa, que superem os problemas que tiveram no exílio para garantir as recompensas quando triunfarem. Se ele ouviu falar sobre alguma coisa ou teme algo, deveria falar com meu filho Henrique Tudor, que poderá tranquilizá-lo. O mundo está cheio de comentários maldosos, e Thomas não gostaria, agora, de parecer um desertor ou um covarde.

Eu não soube de nada, confinada como estou, mas entendo que o tirano Ricardo está planejando ter suas filhas em sua corte. Peço que não permita a ida delas. Henrique não gostaria de que sua noiva estivesse na corte de seu inimigo, exposta a todo tipo de tentação, e sei que você, como mãe, sentiria revolta por ter sua filha nas mãos do homem que assassinou seus dois filhos. Pense na ideia de pôr suas filhas sob o poder do homem que assassinou seus irmãos! Elas mesmas não seriam capazes de suportar vê-lo. É melhor ficar no santuário do que obrigá-las a beijar a mão dele e viver sob as ordens da rainha. Sei que se sentirá como eu me sinto: é impossível.

Pelo menos, para o seu próprio bem, ordene que suas filhas fiquem com você, discretamente, no campo, se Ricardo libertá-las, ou, em caso contrário, pacificamente no santuário, até o Dia Feliz em que Elizabeth será rainha de sua própria corte e minha amada filha, assim como sua.

Sua amiga mais fiel, aprisionada como você,
Lady Margaret Stanley

Levo a carta à minha filha Elizabeth e observo seu sorriso se transformar em gargalhada.

— Oh, meu Deus, que megera! — exclama ela.

— Elizabeth! É a sua futura sogra!

— Sim, no Dia Feliz. Por que ela não quer nossa mudança para a corte? Por que temos de ser protegidas da tentação?

Pego a carta de volta e a releio.

— Ricardo vai saber que você está noiva de Henrique Tudor. Ele anunciou de forma que todos tenham conhecimento desse fato. Ricardo sabe que isso coloca os Rivers do lado dos Tudor. A Casa de York agora segue você. Você é a nossa única herdeira. O interesse do rei é casar vocês todas bem e dentro de seu círculo de amigos e da sua família. Dessa maneira, Tudor ficaria isolado mais uma vez. A última coisa que Lady Margaret quer é você dançando com um belo lorde, fazendo Henrique parecer um tolo, sem sua noiva e sem seus partidários.

Ela dá de ombros.

— Contanto que saiamos daqui, me contentarei em viver com a senhora no campo, milady mãe.

— Eu sei — replico. — Mas Ricardo quer as meninas mais velhas na corte, onde as pessoas possam ver que estão seguras sob sua guarda. Você, Cecily e Anne irão, e Bridget e Catherine ficarão comigo. Ele quer que as pessoas saibam que permiti que ficassem com ele, que considero seguro que estejam sob seus cuidados. E eu prefiro que estejam na corte a que fiquem confinadas em casa.

— Por quê? — pergunta ela, voltando seus olhos cinza para mim. — Responda, não gosto de como isso soa. A senhora vai tramar alguma coisa, milady mãe, e não quero mais estar no centro de conspirações.

— Você é a herdeira da Casa de York — digo simplesmente. — Sempre vai estar no centro de conspirações.

— Mas aonde você vai? Por que não vai para a corte conosco?

Balanço a cabeça.

— Não suportaria ver a magricela Anne Neville no meu lugar, usando meus vestidos adaptados ao seu tamanho, minhas joias ao redor de seu pescoço esquelético. Eu não conseguiria fazer uma reverência a ela como rainha da Inglaterra. Eu não conseguiria, Elizabeth, nem para salvar a minha vida. E Ricardo nunca será um rei para mim. Conheci um rei legítimo e o amei. Fui uma rainha legítima. Esses são meros impostores para mim. Não os aceito. Vou ser colocada sob a responsabilidade de John Nesfield, que nos protegeu aqui. Viverei em sua mansão de Heytesbury, e acho que me convirá perfeitamente. Vocês irão para a corte e aprenderão a viver lá. Está na hora de ficarem longe de sua mãe e enfrentarem o mundo.

Ela se aproxima como uma menininha e me beija.

— Gosto mais disso do que de ser uma prisioneira — diz ela. — Embora vá ser estranho estar longe da senhora. Nunca me afastei da senhora durante toda a minha vida. — Faz uma pausa. — Mas não vai se sentir solitária? Não vai sentir muito a nossa falta?

Balanço a cabeça, puxo-a para perto e digo em um sussurro:

— Não vou ficar só, pois espero que Ricardo venha para casa. Espero ver meu filho de novo.

— E Eduardo? — pergunta ela.

Encaro seu olhar esperançoso sem fugir.

— Elizabeth, acho que ele deve estar morto, pois não vejo como alguém poderia tê-lo e não nos avisar. Acho que Buckingham e Henrique Tudor mandaram matar os dois meninos, sem saber que meu filho Ricardo estava bem-escondido, pensando terem limpado o caminho para o trono e colocando a culpa no rei. Se Eduardo estiver vivo, reze a Deus para que ele consiga vir a mim. Sempre haverá uma vela na janela para iluminar o seu caminho para casa, e minha porta nunca estará trancada, para o caso de, um dia, sua mão abri-la.

Seus olhos estão cheios de lágrimas.

— Não o espera mais?

— Não o espero — respondo.

Abril de 1484

Minha nova casa de Heytesbury fica em uma região bonita, Wiltshire, na região rural da planície de Salisbury. John Nesfield é um guardião afável. Ele vê os benefícios de estar do lado do rei e não quer, na verdade, bancar a minha babá. Assim que garantiu minha segurança, teve certeza de que eu não tentaria fugir, foi servir ao rei em Sheriff Hutton, onde Ricardo estabeleceu sua grande corte no norte. Está fazendo um palácio para ser comparado ao de Greenwich entre o povo do norte, que o respeita e ama sua mulher, a última Neville.

Nesfield ordena que eu administre sua casa como quiser, e rapidamente tenho ao meu redor os móveis e objetos que pedi dos palácios reais. Tenho uma ala infantil adequada e uma sala de aula para as meninas. Cultivo minhas frutas preferidas nos jardins e comprei bons cavalos para os estábulos.

Depois de tantos meses no santuário, acordo toda manhã com uma sensação de completo deleite ao poder abrir a porta e sair para o ar puro. É uma primavera quente, e ouvir o canto dos pássaros, ordenar que me tragam um cavalo da cocheira e montar pelo campo é uma alegria tão intensa que me sinto renascer. Coloco ovos de patas sob as fêmeas e observo os patinhos romperem-nos e cambalearem pelo pátio. Rio ao vê-los se dirigirem ao lago de patos com as fêmeas ralhando na margem, receosas da água. Observo os potros no padoque e converso com o mestre das cavalariças sobre quais darão bons cavalos de sela e quais deverão ser domados para carretar. Saio para os campos com o pastor e vejo os novos cordeiros. Converso com os criadores de gado sobre os bezerros e quando devem ser desmamados. Torno-me de novo o que já fui, uma lady do campo, que pensa na terra.

As meninas quase enlouquecem de alegria com a libertação do confinamento. Todo dia pego-as fazendo algo proibido: nadando no rio fundo e de correnteza forte, subindo nos montes de feno e arruinando a forragem, galgando as macieiras em flor, correndo no campo com o touro e, depois, em direção ao portão, gritando quando ele levanta sua cara grande e olha para elas. Não podem ser punidas por tal transbordamento de alegria. São como bezerros soltos no campo pela primeira vez. Precisam se divertir e correr muito, e não sabem o que fazer para expressar seu espanto com a altura do céu e a amplidão do mundo. Comem o dobro do que comiam no santuário. Rondam a cozinha e atormentam a cozinheira por restos de comida; as leiteiras se deliciam dando-lhes manteiga fresca para comerem com pão quente. Voltaram a ser crianças alegres, despreocupadas, deixaram de ser prisioneiras, temerosas da própria luz.

Estou no pátio da cavalariça, desmontando depois da cavalgada da manhã, quando me surpreendo ao ver Nesfield chegando a cavalo à porta principal da casa. Ao ver meu cavalo, ele vem para o pátio e desmonta, jogando as rédeas para um cavalariço. Pela maneira como desce do animal, pesadamente, com os ombros curvos, sei que algo grave aconteceu. Minha mão acaricia o pescoço do cavalo e pego sua crina, buscando algum conforto.

— O que foi, Sir John? Parece circunspecto.

— Achei que devia vir e lhe dar a notícia — replica ele brevemente.

— Elizabeth? Não foi minha filha, foi?

— Ela está bem — tranquiliza-me. — Foi o filho do rei, Eduardo, que Deus o tenha, que Deus o abençoe. Deus levou-o para o seu trono celestial.

Sinto minhas têmporas latejarem como um aviso.

— Está morto?

— Sempre foi frágil — replica Nesfield, a voz entrecortada. — Nunca foi um menino forte. Mas na investidura parecia tão bem que o chamamos de príncipe de Gales e não tivemos dúvidas de que herdaria... — Ele se interrompe, lembrando-se de que eu também tinha um filho que era príncipe de Gales, um herdeiro cuja ascensão ao trono parecia certa. — Desculpe — diz ele. — Não foi minha intenção... de qualquer maneira, o rei declarou luto na corte. Achei que a senhora deveria saber logo.

Balanço a cabeça gravemente, assentindo, mas minha mente dispara. Essa é uma morte provocada por Melusina? É obra da maldição? É prova do que eu disse, de que veríamos... que o filho e herdeiro do assassino de meu filho morreria, e desse modo eu saberia quem foi? Esse é o sinal dela para que eu saiba que Ricardo é o culpado?

— Enviarei meus pêsames ao rei e à rainha Anne — digo, e me viro para ir para casa.

— Ele não tem herdeiro — repete John Nesfield, como se não acreditasse na gravidade da notícia que acaba de transmitir. — Tudo isso, tudo o que fez, sua defesa do reino, sua... sua aceitação do trono, tudo o que fez, toda a luta... e agora não tem herdeiro para sucedê-lo.

— É verdade — concordo, minhas palavras proferidas como pedras de gelo. — Ele fez tudo isso por nada, perdeu seu filho e sua linhagem se extinguirá.

~

Fico sabendo por minha filha Elizabeth que a corte entrou em luto como se fosse um túmulo aberto, e é difícil para todos viver sem seu príncipe. Ricardo não quer ouvir risos ou música; todos são obrigados a se mover devagar; com os olhos baixos, e não há jogos ou esportes, embora o clima esteja esquentando e a corte esteja em meio a uma área verdejante do país, as colinas e vales ao redor abundando de caça. Ricardo está inconsolável. Seus 12 anos de casamento com Anne Neville só lhe deram um único filho, e agora ele o perdeu. Não é possível terem outro nessa fase tardia, e, mesmo que tenham, um bebê no berço não é garantia de um príncipe de Gales para essa Inglaterra incivilizada em que nós, os York, a transformamos. Quem melhor do que Ricardo para saber que um menino tem de se tornar adulto e ser forte o bastante para lutar por seus direitos, para lutar por sua vida, se tiver de ser o rei da Inglaterra?

Ele designa como seu herdeiro Eduardo, filho de seu irmão George de Clarence, o único menino York que resta no mundo. Mas em alguns meses, ouço um boato de que ele será deserdado. Isso não me causa surpresa. Ricardo se deu conta de que o menino é fraco demais para ocupar o trono, como todos já sabíamos. George, duque de Clarence, tinha um misto fatal de vaidade, ambição e loucura patente: nenhum filho seu teria capacidade para ser rei. Era um bebê doce e sorridente, mas lento de raciocínio, pobre criança. Qualquer um que quiser o trono da Inglaterra terá de ser rápido como uma cobra e sábio como uma serpente. Terá de ser um menino nascido para ser príncipe, educado na corte. Terá de ser um menino acostumado com o perigo, criado para ser valente. O pobre filho simplório de George nunca poderia sê-lo. Mas se ele não pode, quem pode? Pois Ricardo tem de nomear e deixar um herdeiro, e a Casa de York agora é composta só de meninas, até onde ele sabe. A única coisa que sei ao certo é que há um príncipe, como de um conto de fadas, esperando em Tournai, vivendo como um menino pobre, estudando, aprendendo música e idiomas, vigiado a distância por uma tia. Uma flor de York, crescendo forte em solo estrangeiro e esperando sua hora. E agora ele é o único herdeiro do trono York, e se seu tio souber que está vivo, talvez o nomeie seu herdeiro.

Escrevo para Elizabeth.

Soube das notícias da corte e fiquei preocupada — acha que a morte do filho de Ricardo foi um sinal de Melusina para nós de que o rei é o assassino de nossos meninos? Você o vê diariamente — acha que ele sabe que a nossa maldição causou sua destruição? Ele parece ser um homem que provocou o sofrimento de sua própria família? Ou acha que essa morte foi apenas um acidente e há outro homem que matou o nosso menino, e é o filho dele que deverá morrer para a nossa vingança?

Janeiro de 1485

É uma tarde gelada de meados de janeiro, e espero minhas filhas chegarem da corte. Espero-as a tempo do jantar e fico descendo e subindo os degraus no pórtico da entrada, soprando minhas mãos enluvadas para mantê-las quentes, enquanto o sol se põe vermelho como uma rosa Lancaster por cima das colinas a oeste. Ouço a batida de cascos e olho para a estrada. E lá está, uma grande guarda para as minhas três filhas, quase uma guarda real, e no meio delas, as três cabeças balançando e os três vestidos ondulando. Em um instante, seus cavalos são parados, elas desmontam, e beijo-as nas bochechas brilhantes e narizes frios, indiscriminadamente, segurando suas mãos e exclamando como cresceram e como estão lindas.

Precipitam-se para dentro de casa e se lançam sobre o jantar como se estivessem famintas, e as observo comer. Elizabeth nunca esteve com uma aparência melhor. Desabrochou longe do santuário e do medo, como eu sabia que iria acontecer. Está corada, seus olhos cintilam, e suas roupas! Olho mais uma vez, incrédula, para as roupas: o bordado, o brocado, a incrustação de pedras preciosas. São vestidos tão bons quanto os que usei quando era rainha.

— Deus meu, Elizabeth — digo. — Onde consegue seus vestidos? São tão sofisticados quanto qualquer coisa que tive quando era rainha da Inglaterra.

Seus olhos voltam-se para mim e o sorriso desaparece de seu rosto. Cecily dá uma risada abrupta. Elizabeth vira-se para ela agressivamente.

— Cale a boca. Já combinamos.

— Elizabeth!

— Mãe, não sabe como ela tem sido. Não foi feita para ser dama de honra de uma rainha. Tudo o que faz é espalhar mexericos.

— Meninas, mandei-as para a corte para aprenderem a ser elegantes e não para brigarem como peixeiras.

— Pergunte-lhe se está aprendendo elegância! — diz Cecily em tom audível, embora baixo. — Pergunte a Elizabeth como ela consegue ser elegante.

— Certamente vou perguntar, quando conversarmos e vocês duas estiverem na cama — replico com firmeza. — E isso vai acontecer logo se não conseguirem falar com educação uma com a outra. — Viro-me para Anne, que olha para mim. — Tem estudado? Tem tido aulas de música?

— Sim, milady mãe — responde ela, obedientemente. — Mas tivemos um feriado, pelo Natal, e fui para a corte de Westminster com todos os outros.

— Tivemos leitão aqui — diz Bridget às suas irmãs mais velhas, solenemente. — E Catherine comeu tanto marzipã que passou mal à noite.

Elizabeth ri, e a expressão apreensiva desaparece de seu rosto.

— Senti saudades de vocês, meus monstrinhos — diz ela carinhosamente. — Vamos brincar depois do jantar, e poderão dançar, se quiserem.

— Ou podemos jogar cartas — propõe Cecily. — A corte voltou a ter permissão para isso.

— O rei recuperou-se de sua perda? — pergunto. — E a rainha Anne?

Cecily lança um olhar triunfante à sua irmã Elizabeth, que fica vermelha.

— Ah, recuperou-se — replica Cecily, sua voz tremendo por reprimir o riso. — Ele parece muito recuperado. Estamos todos absolutamente surpresos. Não acha, Elizabeth?

Minha paciência, que nunca dura quando se trata muito tempo da malevolência feminina, ainda que por parte de minha própria filha, está esgotada a essa altura.

— Agora, chega — digo. — Elizabeth, venha à minha câmara particular, e vocês continuem seu jantar, e você, Cecily, reflita sobre a máxima: uma boa palavra vale doze palavras maldosas.

Levanto-me da mesa e saio rapidamente da sala. Percebo a relutância de Elizabeth ao me acompanhar, e, quando chegamos ao quarto, ela fecha a porta, e eu pergunto:

— Minha filha, do que se trata tudo isso?

Somente por um segundo parece que ela vai resistir e, então, estremece como uma corça acuada.

— Quis tanto o seu conselho, mas não podia lhe escrever. Tive de esperar até vê-la. Pretendia deixar para depois do jantar. Não a decepcionei, milady mãe...

Sento e faço sinal para que se sente do meu lado.

— É o meu tio Ricardo — diz ela baixinho. — Ele é... ah, milady mãe, ele é tudo para mim.

Percebo que estou paralisada. Somente minhas mãos se mexem, e as aperto com força para me manter calada.

— Ele foi tão bondoso comigo quando cheguei à corte, depois preocupou-se se eu estava satisfeita com meus deveres como dama de companhia. A rainha é muito gentil, uma senhora fácil de se servir, mas ele me procurava e perguntava como estava me sentindo. — Ela se interrompe. — Perguntou-me se sentia a sua falta e me disse que a senhora seria bem-vinda na corte quando quisesse, e que a corte a honraria. Falou do meu pai. Disse como o meu pai ficaria orgulhoso de mim se pudesse me ver agora, que me pareço com ele de certa maneira. Oh, mamãe, ele é um homem tão bom, não consigo acreditar que... que ele...

— Que ele? — repito, minha voz um fiapo de eco.

— Que ele gosta de mim.

— Ele gosta? — Sinto-me gélida, como se águas hibernais corressem por minha espinha. — Ele gosta de você?

Ela assente, balançando a cabeça ansiosamente.

— Ele nunca amou a rainha — replica ela. — Sentiu-se obrigado a se casar com ela para salvá-la de seu irmão George, duque de Clarence. — Olha-me de relance. — Você deve se lembrar. Estava lá, não estava? Iam prendê-la e mandá-la para um convento. George ia roubar sua herança.

Confirmo com um movimento da cabeça. Não me lembro de tudo dessa maneira, mas percebo que é uma história melhor para uma garota impressionável.

— Ele sabia que, se George fosse o tutor dela, tomaria a sua fortuna. Ela estava ansiosa para se casar, e ele achou que era a melhor coisa que ele poderia fazer. Casou-se com ela para assegurar sua herança, e para a sua própria segurança, para ficar com a consciência em paz.

— Mesmo? — digo. Minha lembrança é a de que George tinha uma herdeira Neville e Ricardo apanhou a outra, e brigaram feito cães pela herança das duas. Mas vejo que o rei contou à minha filha a versão mais cavalheiresca da história.

— A rainha Anne não está bem. — Elizabeth baixa a cabeça para murmurar. — Ela não pode ter outro filho, o rei tem certeza. Perguntou aos médicos e eles afirmaram que ela não conceberá. Ele precisa de um herdeiro para a Inglaterra. Perguntou-me se achava possível que um dos nossos meninos tivesse conseguido escapar.

Minha mente se aguça de repente, como uma espada soltando faísca na pedra de amolar.

— E o que você respondeu?

Ela sorri para mim.

— Eu confiaria em lhe dizer a verdade, eu lhe confiaria qualquer coisa, mas sabia que a senhora ia querer que eu mentisse — replica ela docemente. — Respondi que só sabíamos o que ele havia nos contado. E ele repetiu que aquilo havia partido o seu coração, mas que não sabia onde estavam os meninos. Disse que, se soubesse, os faria seus herdeiros. Mãe, pense nisso. Foi o que ele disse: que, se soubesse onde os nossos meninos estão, os salvaria e os tornaria seus herdeiros.

Ah, tornaria?, penso. Mas que garantia eu tenho de que não mandaria um assassino?

— Isso é bom — respondo com a voz inalterada. — Mas ainda assim, não deve lhe contar sobre o nosso Ricardo. Ainda não confio nele, mesmo que você sim.

— Confio! — exclama ela. — Realmente confio nele. Eu lhe confiaria a minha própria vida. Nunca conheci um homem assim.

Faço uma pausa. Não adianta lembrar-lhe que não conheceu homem algum. Passou a maior parte da vida sendo uma princesa mantida como uma estátua de porcelana em uma caixa de ouro. Tornou-se maior de idade enquanto era uma prisioneira, vivendo com sua mãe e suas irmãs. Os únicos homens que viu foram padres e criados. Não foi preparada para um homem atraente que manipula suas emoções, seduzindo-a, incitando-a a amar.

— Até onde foi isso? — pergunto, sem fazer rodeios. — Até onde isso foi entre vocês dois?

— É complicado — replica ela. — E sinto tanto pela rainha Anne.

Balanço a cabeça. A pena que minha filha sente da rainha Anne não a impedirá de aceitar seu marido, é o meu palpite. Afinal, ela é minha filha. E nada me deteve quando soube o desejo do meu coração.

— Até onde foi? — pergunto de novo. — Considerando a reação de Cecily, presumo que circulem rumores.

Ela cora.

— Cecily não sabe de nada. Ela vê o que todo mundo vê, e está com inveja por eu atrair toda a atenção. Ela vê a rainha me favorecendo e me emprestando seus vestidos e suas joias. Tratando-me como filha e me mandando dançar com Ricardo, insistindo para que ele caminhe e cavalgue comigo quando ela está mal demais para sair. É verdade, mamãe, é a própria rainha que me manda fazer companhia a ele. Diz que ninguém o distrai e o anima como eu e, portanto, a corte diz que ela me favorece excessivamente. Que ele me favorece excessivamente. Que não passo de uma dama de companhia, mas que sou tratada como...

— Como o quê?

Ela curva a cabeça e murmura:

— A primeira dama da corte.

— Por causa dos seus vestidos?

Ela confirma com um movimento da cabeça.

— São os vestidos da própria rainha. Ela manda fazer os meus imitando seus modelos. Gosta que usemos o mesmo.

— É ela que a veste assim?

Elizabeth confirma. Ela não faz ideia de como me constrange.

— Está dizendo que ela manda fazer vestidos para você com o mesmo material dos dela? No mesmo modelo?

Minha filha hesita.

— E, é claro, ela não fica bem neles. — Não diz mais nada, mas penso em Anne Neville, triste, cansada, doente, do lado dessa menina viçosa.

— E você é a primeira atrás dela? Tem precedência?

— Ninguém fala da lei que nos declarou bastardos. Todos me chamam de princesa. E quando a rainha não janta, como acontece com frequência, sou eu que me sento do lado do rei.

— Então é a rainha Anne que a coloca na companhia dele, até mesmo em seu próprio palácio, para todos verem. Não é Ricardo? Então o que acontece?

— Ele diz que me ama — replica ela em voz baixa. Está se esforçando para ser modesta, mas seu orgulho e a alegria flamejam em seus olhos. — Diz que sou o primeiro amor da sua vida e que serei o último.

Levanto-me de minha cadeira, vou até a janela e abro a cortina de modo a ver as estrelas brilhantes e frias acima da terra obscurecida de Wiltshire. Acho que sei o que Ricardo está fazendo e não acredito, sequer por um instante, que ele esteja apaixonado por minha filha, nem que a rainha mande fazer vestidos para ela por amor.

Ricardo está jogando uma partida difícil, usando minha filha como um peão, para nos desonrar e transformar Henrique Tudor em um tolo que se comprometeu a fazê-la sua esposa. Tudor vai ficar sabendo — tão rapidamente quanto os espiões de sua mãe puderem despachar a notícia

— que a sua noiva está apaixonada por seu inimigo e é conhecida por toda a corte como sua amante, enquanto a rainha os observa sorrindo. Ricardo está fazendo isso para prejudicar Henrique Tudor, embora desonre sua própria sobrinha. A rainha Anne prefere ser complacente a ter de enfrentar Ricardo. As duas garotas Neville foram capachos para seus homens: Anne é uma criada obediente desde o primeiro dia de seu casamento. Além do mais, não pode recusar nada ao marido. Ele é o rei da Inglaterra sem um herdeiro varão, e ela é estéril. Ela deve rezar para que ele não a ponha fora do caminho. Não tem absolutamente nenhum poder: nenhum filho e herdeiro, nenhum bebê no berço, nenhuma chance de conceber. Não tem absolutamente nenhuma carta para jogar. É uma mulher estéril sem fortuna própria — só está apta para o convento ou para a sepultura. Tem de sorrir e obedecer; protestos não a levarão a lugar algum. Mesmo contribuindo para a destruição da reputação de minha filha, Anne não vai ganhar nada mais do que uma anulação honrada.

— Ele lhe disse para romper seu noivado com Henrique Tudor? — pergunto.

— Não! Não tem nada a ver com isso!

— Ah. — Balanço a cabeça, como se entendendo. — Mas você percebe que isso será uma humilhação tremenda para Henrique Tudor quando a notícia se espalhar.

— De qualquer maneira, eu nunca me casaria com ele — explode ela. — Eu o odeio. Acho que foi ele que mandou homens para matarem nossos meninos. Para que assim viesse para Londres e se apossasse do trono. Sabíamos disso. Por isso convocamos a chuva. Mas agora... agora...

— Agora o quê?

— Ricardo diz que rejeitará Anne Neville e se casará comigo — diz ela em um sussurro. Seu rosto está iluminado de alegria. — Diz que me fará rainha e que meu filho se sentará no trono de meu pai. Faremos uma dinastia da Casa de York, e a rosa branca será a rosa da Inglaterra para sempre. — Hesita. — Sei que não consegue confiar nele, milady mãe, mas é o homem que eu amo. Não pode amá-lo por mim?

Penso que essa é a pergunta mais antiga e mais difícil entre mãe e filha. Posso amá-lo por ela?

Não. Esse é o homem que invejou meu marido, que matou meu irmão e meu filho Richard Grey, que se apossou do trono de meu filho Eduardo e que o expôs ao perigo, se não a coisa pior. Mas não preciso responder a verdade a essa minha filha tão sincera. Não preciso ser franca com essa criança transparente. Apaixonou-se por meu inimigo e quer um final feliz.

Abro os braços para ela.

— Tudo o que sempre quis foi a sua felicidade. Se ele a ama e é sincero com você, e você o ama, não quero mais nada — minto.

Ela vem para os meus braços e descansa a cabeça em meu ombro. Mas não é nenhuma tola, a minha filha. Ergue a cabeça e sorri para mim.

— Serei rainha da Inglaterra — diz ela. — Pelo menos isso agradará a você.

～

Minhas filhas ficam comigo por quase um mês e levamos a vida de uma família comum, como Elizabeth queria antes. Na segunda semana, neva, e encontramos o trenó de Nesfield, o atrelamos a uma das carroças e fazemos uma excursão a um dos vizinhos. Mas a neve derrete e temos de passar a noite fora. No dia seguinte, temos de caminhar para casa na lama e na neve parcialmente derretida, e como o vizinho não pode nos emprestar cavalos, revezamos em nosso cavalo grande em pelo. Levamos quase o dia todo para chegar em casa, e rimos e cantamos durante todo o caminho.

No meio da segunda semana, chega um mensageiro da corte com uma carta para mim e outra para Elizabeth. Levo minha filha para a minha câmara particular, para longe das garotas, que invadiram a cozinha e estão fazendo marzipã e frutas cristalizadas para o jantar. Abrimos as cartas, cada uma em um extremo da escrivaninha.

A minha veio do rei.

Imagino que Elizabeth tenha falado com você sobre o grande amor que nutro por ela, e quero lhe contar os meus planos. Pretendo que minha mulher admita que passou da idade de ter filhos, que passe a morar na Abadia de Bermondsey e que me isente de meus votos. Buscarei a dispensa do papa e então me casarei com a sua filha, e ela será a rainha da Inglaterra. Você assumirá o título de Milady, a Mãe da Rainha, e lhe devolverei os palácios de Sheen e Greenwich no dia do casamento, assim como a sua pensão real. Suas filhas viverão com você na corte, e arranjará seus casamentos. Serão reconhecidas como irmãs da rainha da Inglaterra e da família real de York.

Se um de seus filhos estiver escondido e você conhecer seu paradeiro, poderá mandar buscá-lo em segurança. Eu o farei meu herdeiro até Elizabeth dar à luz um filho meu.

Eu me casarei com sua filha por amor, mas estou certo de que pode ver que essa será a solução de todos os nossos problemas. Espero a sua aprovação, mas prosseguirei independentemente dela. Permaneço seu parente afetuoso.

RR

Releio a carta duas vezes e acabo sorrindo com pesar diante de seu estilo franco. "Solução de todos os nossos problemas" é, creio eu, uma maneira suave de descrever uma vingança de sangue que levou meu irmão e meu filho Grey e que me fez fomentar uma rebelião contra ele e maldizer o seu braço que empunha a espada. Mas Ricardo é um York — os York encaram a vitória como sua obrigação —, e essa proposta é boa para mim e os meus. Se o meu filho Ricardo puder vir para casa em segurança e voltar a ser um príncipe, agora na corte de sua irmã, terei conseguido tudo o que jurei reconquistar, e meu irmão e meu filho não terão morrido em vão.

Olho de relance para Elizabeth. Ela está ruborizada e seus olhos estão cheios de lágrimas luminosas.

— Ele propõe casamento? — pergunto.

— Ele jura que me ama. Diz que sente saudades de mim. Quer que eu volte para a corte. Pede que a senhora vá comigo. Quer que todo mundo saiba que serei sua esposa. Diz que a rainha Anne está disposta a se retirar.

Balanço a cabeça, anuindo.

— Não irei enquanto ela estiver lá — digo. — E você pode retornar à corte, mas terá de se comportar com mais discrição. Mesmo que a rainha a mande passear com ele, levará uma acompanhante. E não se sentará no lugar dela.

Ela está prestes a interromper, mas levanto a mão.

— É sério, Elizabeth, não quero que seja chamada de amante do rei, especialmente se espera ser esposa dele.

— Mas eu o amo — diz ela simplesmente, como se isso fosse tudo o que importasse.

Olho para ela e sei que minha expressão é dura.

— Pode amá-lo — replico. — Mas se quer que ele se case com você e torne-a sua rainha, terá de fazer mais do que meramente amar.

Ela segura sua carta no coração.

— Ele me ama.

— Talvez, mas não se casará com você se circular o mais insignificante comentário contra sua reputação. Ninguém consegue ser rainha da Inglaterra sendo adorável. Terá de jogar suas cartas corretamente.

Ela respira fundo. Minha filha não é nenhuma tola, e é inteiramente uma York.

— Diga-me o que tenho de fazer — diz ela.

Fevereiro de 1485

Despeço-me de minhas filhas em um dia escuro de fevereiro, e observo a guarda delas trotar pela neblina que rodopia ao nosso redor durante o dia todo. Deixo de vê-las em instantes, como se tivessem se transformado em nuvem, em água. O ruído dos cascos logo é abafado, e, então, silenciado.

A casa parece muito vazia sem as meninas mais velhas. E sem elas, meus pensamentos e preces se dirigem a meus filhos, meu bebê morto George, meu menino perdido Eduardo e meu menino ausente Ricardo. Não soube nada de Eduardo desde o momento em que foi para a Torre, e nada de Ricardo desde aquela primeira carta, em que conta que está bem e que responde pelo nome de Peter.

Apesar de minha cautela, apesar de meus próprios medos, começo a ter esperança. Começo a pensar que se o rei Ricardo se casar com Elizabeth e torná-la sua rainha, serei bem-vinda à corte de novo, ocuparei meu lugar de Milady, a Mãe da Rainha. Eu me certificarei de que posso confiar em Ricardo, e mandarei buscar meu filho.

Se o rei cumprir a sua palavra e nomeá-lo seu herdeiro, seremos restaurados: meu filho no lugar para o qual nasceu, minha filha como rainha da Inglaterra. Não será como Eduardo e eu pensamos que seria quando tivemos um príncipe de Gales e um duque de York, e achamos, como dois jovens tolos, que viveríamos para sempre. Mas será um resultado satisfatório. Se Elizabeth puder se casar por amor e ser rainha da Inglaterra, se meu filho puder ser rei, sucedendo a Ricardo, então o resultado será satisfatório.

Quando eu estiver na corte, exercendo meu poder, despacharei homens para procurarem o corpo de meu filho, esteja ele debaixo de uma escada, como Henrique Tudor nos afirmou, ou submerso no rio, como se corrigiu depois; quer tenha sido deixado em algum galpão escuro onde se armazena madeira, ou esteja oculto no chão sagrado da capela. Vou encontrar o seu corpo e localizar seus assassinos. Vou descobrir o que aconteceu: se foi sequestrado e morreu acidentalmente na luta, se foi raptado e morreu de doença, se foi assassinado na Torre e ali enterrado, como Henrique Tudor tem tanta certeza. Vou saber o seu fim, sepultá-lo com honra e ordenar missas pela sua alma, a serem celebradas eternamente.

Março de 1485

Elizabeth me escreve brevemente contando o agravamento do estado de saúde da rainha. Não diz mais nada — não precisa dizer mais —, nós duas percebemos que, se a rainha morrer, não haverá necessidade de anulação ou de instalá-la em uma abadia. Ela estará fora do caminho da maneira mais fácil e conveniente possível. A rainha sofre de tristeza, chora por horas seguidas sem motivo, e o rei nunca vai para perto dela. Minha filha relata isso como a leal dama de honra da rainha, e não me diz se escapole dos aposentos da doente para caminhar com o rei pelos jardins, se os ranúnculos na cerca viva e as margaridas na relva lembram a eles que a vida é transitória e cheia de alegrias, assim como lembram à rainha que é efêmera e triste.

Então, certa manhã, em meados de março, acordo e me deparo com um céu escuro, o sol escondido atrás de um círculo de escuridão. As galinhas não saem do galinheiro, os patos enfiam a cabeça sob as asas e se agacham às margens do rio. Levo minhas duas filhas para fora e vagamos inquietas, olhando os cavalos no campo. Eles se deitam e depois se levantam de novo, como se não soubessem se é dia ou noite.

— É um presságio? — pergunta Bridget. De todos os meus filhos, ela é a que mais busca a vontade de Deus em tudo.

— É um movimento dos céus — digo. — Já vi acontecer com a lua, mas nunca com o sol. Vai passar.

— Significa um presságio para a Casa de York? — ecoa Catherine. — Como os três sóis em Towton?

— Não sei — retruco. — Mas acho que nenhum de nós está em perigo. Sentiria em seu coração se a sua irmã estivesse em dificuldades?

Bridget parece pensativa por um momento, mas depois volta a ser uma criança comum e sacode a cabeça, negando.

— Só se Deus falasse comigo bem alto — responde ela. — Só se Ele gritasse e o padre dissesse que era Ele.

— Então acho que não temos nada a temer — digo. Não tenho nenhum pressentimento, embora o sol obscurecido torne o mundo ao nosso redor sinistro e desconhecido.

Na verdade, são três dias até John Nesfield chegar a Heytesbury com um estandarte negro e a notícia de que a rainha, depois de um longo período doente, faleceu. Veio para me contar, mas faz questão de espalhar a informação por toda a região, e os outros servidores de Ricardo procederão da mesma forma. Todos vão enfatizar que houve uma doença longa e que a rainha, finalmente, foi para o seu merecido paraíso, pranteada por um marido devoto e amoroso.

— É claro que há quem diga que foi envenenada — fala a cozinheira animadamente para mim. — De qualquer maneira, é o que estão dizendo no mercado de Salisbury. Foi o carreteiro quem me contou.

— Que absurdo! Quem envenenaria a rainha? — pergunto.

— Dizem que foi o próprio rei — replica, inclinando a cabeça para o lado e fazendo uma expressão inteligente, como se conhecesse segredos importantes da corte.

— Que assassinou a esposa? — pergunto. — Acham que ele mataria a mulher com quem foi casado durante 12 anos? Assim de repente?

— Não falam nada de bom sobre ele em Salisbury — comenta ela. — No começo, gostavam dele e achavam que traria justiça e salários justos para o povo, mas desde que impôs os lordes nortistas acima de tudo... Bem, não há nada que não poderiam dizer contra ele.

— Você pode lhes dizer que a rainha sempre teve a saúde delicada e que nunca se recuperou da perda de seu filho — digo com firmeza.

A cozinheira sorri radiante para mim.

— E não devo dizer nada sobre quem vai ser a nova rainha?

Fico em silêncio. Não havia me dado conta de que os comentários tinham ido tão longe.

— Não deve dizer nada sobre isso — replico simplesmente.

Estava esperando por essa carta desde que me foi dada a notícia de que a rainha Anne estava morta e de que se comentava que Ricardo se casaria com a minha filha. A carta de Lady Margaret chega até mim manchada de lágrimas, como sempre.

Para Lady Elizabeth Grey
Vossa Senhoria,

Chegou ao meu conhecimento que a sua filha Elizabeth, a bastarda declarada do falecido rei Eduardo, pecou contra Deus e seu próprio voto e se desonrou com seu tio, o usurpador Ricardo, um procedimento tão errado e desnaturado que os próprios anjos tapam os olhos para não ver. Em consequência, adverti meu filho Henrique Tudor, legítimo rei da Inglaterra, a não conceder sua mão em casamento a tal garota desonrada tanto pela Lei do Parlamento quanto por seu comportamento, e providenciei para que se case com uma jovem de nascimento muito superior e comportamento muito mais cristão.

Lamento que, em sua viuvez e humilhação, tenha precisado curvar a cabeça sob o peso de mais uma tristeza, a vergonha de sua filha, e afirmo que me lembrarei da senhora em minhas preces quando mencionar a insensatez e frivolidade deste mundo.

Continuo sua amiga em Cristo,

A quem rezo para que a senhora, em sua velhice, possa aprender a verdadeira sabedoria e dignidade de uma mulher.

Lady Margaret Stanley.

Rio da grandiloquência da mulher, mas quando a risada cessa, sinto um arrepio, um calafrio, um augúrio. Lady Margaret passou a vida esperando pelo trono que eu dizia ser meu. Tenho todas as razões para pensar que seu filho Henrique Tudor também vai continuar esperando o trono da Inglaterra, se dizendo rei, atraindo os banidos, os rebeldes, os descontentes: homens que não podem viver neste país. Vai continuar assombrando o trono York até estar morto, e talvez seja melhor que trave uma guerra e morra, antes cedo do que tarde.

Ricardo, especialmente com minha filha ao lado, pode superar qualquer crítica e certamente vencer qualquer batalha contra qualquer força sublevada por Henrique Tudor. Mas o comichão em minha nuca me diz outra coisa. Pego a carta de novo e sinto a convicção férrea dessa herdeira Lancaster. Essa é uma mulher cheia de orgulho. Não se alimenta de nada a não ser da própria ambição por quase trinta anos. Eu faria bem em me precaver, agora que decidiu que sou tão impotente que ela não precisa mais fingir amizade.

Eu me pergunto em quem ela pensou para esposa de Henrique. Acho que está procurando uma herdeira, talvez a garota Herbert, mas ninguém a não ser a minha filha será capaz de trazer o amor da Inglaterra e a lealdade da Casa de York ao pretendente Tudor. Lady Margaret pode extravasar seu rancor, não tem importância. Se Henrique quiser governar a Inglaterra, terá de se aliar a York. Terão de negociar conosco de uma maneira ou de outra. Pego a pena.

Cara Lady Stanley,

Lamento realmente ler que andou ouvindo tal difamação e mexerico, e que isso a tenha levado a duvidar da boa-fé e honra de minha filha Elizabeth, que está, como sempre esteve, acima de qualquer suspeita. Não tenho a menor dúvida de que essa reflexão sombria de sua parte, e da parte de seu filho, a lembrará, e a ele também, que a Inglaterra não tem outra herdeira York de tamanha importância.

Ela é amada por seu tio e era amada por sua tia, como deveria ser. Mas somente murmúrios da sarjeta insinuariam qualquer impropriedade.

Agradeço suas preces, é claro. Vou presumir que o noivado se mantém por suas várias vantagens óbvias, a menos que queira seriamente recuar, o que acho tão improvável que mando meus melhores votos e meu agradecimento pelas orações, que sei que serão especialmente bem-acolhidas por Deus, por virem de um coração tão humilde e respeitável.

Elizabeth R

Assino "Elizabeth R", o que nunca faço atualmente. Mas quando dobro o papel, pingo a cera e o lacro com meu selo, vejo que estou sorrindo por causa da minha arrogância. "Elizabeth Regina", digo ao pergaminho. "E serei Milady, a Mãe da Rainha, enquanto você continuará sendo Lady Stanley, com um filho morto no campo de batalha. Elizabeth R. Pois engula essa", digo à carta. "Sua velha gárgula."

Abril de 1485

Mãe, *precisa vir para a corte*, escreve Elizabeth em uma carta apressada, dobrada e selada duas vezes.

Está tudo dando horrivelmente errado. Sua Graça, o rei, acha que deve ir para Londres e contar aos lordes que não se casará comigo, que nunca teve qualquer intenção nesse sentido para pôr fim aos rumores de que ele envenenou a pobre rainha. Pessoas malvadas estão dizendo que ele estava determinado a se casar comigo e não pôde esperar pela morte dela ou por um acordo, e agora ele acha que tem de anunciar que não é nada para mim além de tio.

Disse-lhe que não há necessidade de uma declaração dessas, que poderíamos esperar em silêncio os comentários cessarem, mas ele só ouve Richard Ratcliffe e William Catesby, e eles juram que o norte se voltará contra ele se insultar a memória da esposa, uma Neville de Northumberland.

Pior ainda, disse que, por minha reputação, tenho de me afastar da corte, mas não quer permitir que eu vá para junto da senhora. Está me mandando em visita a Lady Margaret e lorde Thomas Stanley, logo eles, de todas as pessoas horríveis. Ele disse que lorde

Thomas é um dos poucos homens a quem pode confiar a minha segurança, independentemente do que acontecer. E ninguém vai poder duvidar da minha reputação se Lady Margaret me receber em sua casa.

Mãe, a senhora tem de impedir isso. Não posso ficar com eles: serei atormentada por Lady Margaret, que deve pensar que traí meu noivado com seu filho, e que fatalmente me odiará em nome dele. Tem de escrever a Ricardo, ou mesmo vir à corte, e lhe dizer que seremos felizes, que todos ficaremos bem, que tudo o que temos a fazer é esperar que esse tempo de maledicências passe, e então poderemos nos casar. Ele não tem conselheiros em quem confiar, não tem Conselho Privado que possa lhe dizer a verdade. Ele depende desses homens a quem chamam de o Rato e o Gato, os quais temem que eu o influencie contra eles, por vingança pelo que fizeram à nossa família.

Mãe, eu o amo. Ele é a minha única alegria neste mundo. Sou sua em seu coração e seus pensamentos, em corpo, em tudo. A senhora me disse que seria preciso mais do que amor para eu me tornar rainha da Inglaterra: tem de me dizer o que fazer. Não posso viver com os Stanley. O que vou fazer agora?

Na verdade, não sei o que ela vai fazer, minha pobre menina. Está apaixonada por um homem cuja sobrevivência depende de ele ser capaz de dominar a lealdade da Inglaterra e, se ele disser ao país que espera se casar com sua sobrinha antes de o corpo de sua mulher esfriar na sepultura, doará o norte todo a Henrique Tudor em um instante. Não aceitarão calmamente um insulto a Anne Neville, viva ou morta, e é do norte que Ricardo sempre tira a sua força. Ele não se atreverá a ofender os homens de Yorkshire ou Cúmbria, Durham ou Northumberland. Não pode nem mesmo correr o risco, não enquanto Henrique Tudor recruta homens, reúne seu exército e espera somente pela primavera.

Digo ao mensageiro para comer alguma coisa, passar a noite aqui e estar pronto para levar minha resposta pela manhã. Então caminho pela margem do rio e escuto o som tranquilo da água sobre as pedras brancas. Espero que Melusina fale comigo, ou que eu encontre na água um fio amarrado a um anel em forma de coroa. Mas tenho de ir para casa sem nenhuma mensagem, e tenho de escrever a Elizabeth sem nada para me guiar a não ser meus anos na corte, e minha percepção do quanto Ricardo pode ousar.

Filha,

Sei o quanto está aflita — percebo isso em cada linha de sua carta. Seja corajosa. Esta estação nos dirá tudo, e tudo terá mudado no verão. Vá para a casa dos Stanley e faça o que puder para agradar os dois. Lady Margaret é uma mulher devota e determinada. Você não poderia ter uma guardiã mais inclinada a pôr um fim em um escândalo. A reputação dela a tornará imaculada como uma virgem, e é assim que deve parecer — independentemente do que acontecer em seguida.

Se gostar dela, se conseguir que ela goste de você, tanto melhor. É uma artimanha sobre a qual nunca exerci controle, mas, no mínimo, conviva agradavelmente com ela, pois não será por muito tempo.

Ricardo a está colocando em um lugar seguro, longe de escândalos, longe do perigo, até Henrique Tudor desafiá-lo pelo trono e a guerra acabar. Quando isso acontecer, e Ricardo vencer, como acho que vencerá, poderá buscá-la na casa dos Stanley com honra e se casar com você como parte das celebrações da vitória.

Filha querida, não espero que goste da visita aos Stanley, mas são a melhor família da Inglaterra a quem você poderá demonstrar que reconhece seu noivado com Henrique Tudor e que está vivendo castamente. Quando a batalha terminar e Henrique Tudor estiver morto, ninguém vai poder dizer uma única palavra contra você, e a reprovação do norte poderá ser superada. Nesse meio-tempo, deixe Lady Margaret pensar que você está feliz com sua promessa a Henrique Tudor, e que acredita em sua vitória.

Não será uma época fácil para você, mas Ricardo tem de estar livre para convocar seus homens e lutar. Enquanto os homens têm de lutar, as mulheres têm de esperar e planejar. Esse é o seu tempo de espera e planejamento, e deve ser firme e discreta.

A franqueza tem menos importância.

Meu amor e minha bênção,
sua mãe.

Algo me desperta cedo, ao alvorecer. Farejo o ar como se fosse uma lebre em uma campina, sentada em suas pernas traseiras. Alguma coisa está acontecendo. Até mesmo aqui no interior, em Wiltshire, posso farejar a mudança de vento, quase sinto o cheiro do sal do mar. O vento vem do sul, diretamente do sul; é um vento para uma invasão, que sopra na direção da terra, e de alguma maneira sei, tão claramente como se pudesse vê-las, sobre as armas que estão sendo embarcadas, os homens que andam a passos largos pela prancha de desembarque e pulam para os barcos, os estandartes colhidos e sustentados na proa, os soldados que se agrupam no cais. Sei que Henrique formou a sua força, tem seus navios no porto, seus capitães tramam uma rota: está pronto para zarpar.

Gostaria de saber onde vai desembarcar. Mas tenho dúvidas sobre se ele mesmo sabe. Vão soltar os cabos na popa e na proa e jogá-los a bordo, vão içar as velas, e meia dúzia de navios navegará cautelosamente para fora do abrigo do porto. Quando chegarem ao mar, as velas enfunarão, as escotas rangerão, os barcos oscilarão nas ondas encrespadas, mas farão a viagem da melhor maneira possível. Devem rumar para o litoral sul — rebeldes sempre são bem-acolhidos na Cornualha ou em Kent — ou para Gales, onde o nome Tudor pode atrair milhares. O vento os conduzirá, e terão de torcer pelo melhor. Quando avistarem terra, calcularão onde chegaram, e então navegarão na direção do vento em busca de um ancoradouro seguro.

Ricardo não é nenhum tolo — ele sabia que viriam assim que as tempestades de inverno cessassem. Ele está em seu grande castelo em Nottingham, no centro da Inglaterra, convocando suas reservas e nomeando seus lordes, preparado para o confronto que sabia que aconteceria nesse ano, e que teria acontecido no ano anterior se não fosse o vento que eu e Elizabeth sopramos para manter Buckingham longe de Londres e do meu filho.

Nesse ano, Henrique vem com um vento que sopra a seu favor: a batalha terá de ser travada. O garoto Tudor é da Casa de Lancaster, e essa é a batalha final na guerra dos primos. Não tenho dúvidas de que York vai vencer, como geralmente vence. Warwick desapareceu — até mesmo suas filhas Isabel e Anne estão mortas — não restou nenhum grande general Lancaster. Há somente Jasper Tudor e o filho de Margaret Beaufort contra Ricardo em todo o seu poder, com todos os soldados da Inglaterra. Tanto Ricardo quanto Henrique não têm herdeiros. Os dois sabem que são eles mesmos a única causa por que lutam. Os dois sabem que a guerra vai terminar com a morte do outro. Vi muitas batalhas no meu tempo como esposa e viúva da Inglaterra, mas nunca uma tão definitiva quanto essa. Prevejo um embate breve e brutal, um homem morto no fim, e a coroa da Inglaterra e a mão de minha filha para o vencedor.

E espero ver Margaret Beaufort vestida de preto, de luto pela morte de seu filho.

A tristeza dele será o começo de uma nova vida para mim e os meus. Finalmente, acho que poderei mandar buscar meu filho Ricardo. Acho que está na hora.

～

Esperei acertar essa parte do meu plano há dois anos, desde que mandei meu filho para longe. Escrevo a Sir Edward Brampton, yorkista leal, grande mercador, homem experiente, às vezes, pirata. Certamente um homem que não teme um pequeno risco e que gosta de uma aventura.

Ele chega no mesmo dia em que a cozinheira está tagarelando sobre a notícia do desembarque de Henrique Tudor. Os navios de Tudor foram impulsionados para o litoral, para o ancoradouro de Milford, e ele está marchando por Gales e recrutando homens para lutar por sua bandeira.

Ricardo está reunindo soldados e marchando de Nottingham. O país está em guerra mais uma vez, e qualquer coisa pode acontecer.

— Tempos conturbados de novo — diz Sir Edward cortesmente. Vou ao encontro dele longe de casa, à margem do rio, onde uma mata de salgueiro nos protege da trilha. O cavalo de Sir Edward e o meu pastam a grama curta juntos enquanto nós dois ficamos procurando o meneio da truta marrom na água clara. Tenho motivos para nos mantermos fora de vista: Sir Edward é um homem que chama a atenção, ricamente vestido, o cabelo preto. Sempre foi um favorito meu, afilhado de Eduardo, meu marido, que apoiou sua conversão do judaísmo. Sempre amou Eduardo por ser seu padrinho, e eu lhe confiaria a minha vida, ou algo mais precioso do que isso. Confiei nele quando comandou o navio que levou meu filho Ricardo, e confio nele agora, quando espero que o traga de volta.

— Tempos que, penso, possam ser bons para mim e os meus — observo.

— Estou a seu dispor — diz ele. — E o país está tão absorto na convocação das tropas que acho que posso fazer qualquer coisa pela senhora, de maneira despercebida.

— Eu sei — sorrio para ele. — Não me esqueço de que serviu a mim antes, quando levou um menino a bordo de seu navio para Flandres.

— O que posso fazer pela senhora agora?

— Pode ir à cidade de Tournai, em Flandres — digo. — A St. Jean Bridge. O homem que cuida da comporta é chamado de Jehan Werbecque.

Ele assente com um movimento da cabeça, decorando o nome.

— E o que vou procurar lá? — pergunta ele, em tom bem baixo.

Mal consigo dizer o segredo que guardei por tanto tempo.

— Vai procurar o meu filho — replico. — Meu filho Ricardo. Vai procurá-lo e trazê-lo de volta para mim.

Seu rosto grave se ergue, seus olhos castanhos brilhando.

— É seguro ele retornar? Vai ser restaurado ao trono do pai? — pergunta ele. — Fez um acordo com o rei Ricardo e o filho de Eduardo será rei?

— Se Deus quiser — replico. — Sim.

∾

Melusina, a mulher que não podia esquecer seu elemento água, deixou os filhos com seu marido, foi embora com suas filhas. Os meninos se tornaram homens, duques de Borgonha, governantes da cristandade. As meninas herdaram a Visão de sua mãe e seu conhecimento do saber misterioso. Nunca mais viu seu marido, nunca deixou de sentir sua falta. Na hora da morte, ele a ouve cantar. Então compreende, como ela sempre soube, que não tem importância se uma esposa é metade peixe, se um marido é mortal. Se houver amor, nada — nem natureza, nem mesmo a própria morte — pode se pôr no meio de dois que se amam.

~

É meia-noite, a hora que combinamos. Ouço uma batida discreta na porta da cozinha; desço com a vela acesa, protegendo a chama para que não se apague, e a abro. A chama lança uma luz cálida na cozinha. Os criados estão dormindo na palha dispersa nos cantos. O cachorro ergue a cabeça quando passo, porém ninguém mais me vê.

A noite está quente, quieta, a vela não bruxuleia quando abro a porta e vejo um homem grande e um menino, um menino de 11 anos, nos degraus da entrada.

— Entrem — digo baixinho. Conduzo-os para dentro, e subimos a escada de madeira até minha câmara particular, onde as lamparinas estão acesas, o fogo queima brilhante e há vinho servido nos copos.

Então me viro, ponho a vela na mesa com minhas mãos trêmulas, e olho para o menino que Sir Edward Brampton trouxe para mim.

— É você? É realmente você? — falo em um murmúrio.

Ele cresceu, sua cabeça bate no meu ombro, mas o reconheceria em qualquer lugar por seu cabelo cor de bronze, como o do pai, e seus olhos cor de avelã. Tem o sorriso maroto familiar e uma maneira ainda infantil de inclinar a cabeça. Quando estendo os braços, ele vem para mim, como se ainda fosse o menininho, meu segundo filho, meu filho tão desejado, que nasceu em tempo de paz e fartura e que deveria achar o mundo um lugar fácil em que se viver.

422

Eu o cheiro, como se fosse uma gata que encontra seu filhote perdido. Sua pele cheira como antes. Seu cabelo está perfumado com a pomada de outra pessoa, e suas roupas cheiram a sal da viagem, mas a pele de seu pescoço e a região atrás das orelhas têm o cheiro do meu menino, meu bebê. Eu o reconheceria em qualquer lugar como o meu filho.

— Meu menino — digo, e sinto meu coração inflar de amor por ele. — Meu menino — repito. — Meu Ricardo.

Ele põe os braços ao redor de minha cintura e me abraça com força.

— Estive em navios, estive por toda parte, falo três línguas — diz ele, a voz amortecida, seu rosto contra meu ombro.

— Meu menino.

— Agora não é tão ruim. Foi estranho no começo. Aprendi música e retórica. Sei tocar alaúde. Compus uma música para a senhora.

— Meu menino.

— Chamam-me de Piers. É Peter, em inglês. Chamam-me de Perkin, um apelido. — Recua e olha para mim. — Como vai me chamar?

Balanço a cabeça. Não consigo falar.

— Sua milady mãe vai chamá-lo de Piers, por enquanto — responde Sir Edward da lareira, onde está se aquecendo. — Ainda não foi restaurado. Deve manter o nome dado em Tournai.

Ele assente com um movimento da cabeça. Percebo que sua identidade tornou-se uma capa para ele: aprendeu a vesti-la e a tirá-la. Penso no homem que me obrigou a mandar esse pequeno príncipe para o exílio, a escondê-lo na casa de um barqueiro, a mandá-lo para a escola como um menino sem recursos, e acho que nunca o perdoarei, seja ele quem for. Minha maldição está sobre ele e seus primogênitos morrerão, e não sentirei remorso.

— Vou deixá-los a sós — diz Sir Edward, delicadamente.

Ele vai para o quarto e me sento em minha cadeira do lado do fogo. Meu filho puxa um banquinho para os pés e se senta do meu lado, às vezes recostando-se nas minhas pernas, de modo que eu possa passar a mão em seu cabelo, às vezes se virando para me explicar alguma coisa. Falamos da sua ausência, do que aprendeu enquanto esteve longe de mim. Sua vida não foi a de um príncipe real, mas recebeu uma boa educação — graças à irmã de Eduardo, Margarida. Ela enviou dinheiro aos monges como uma doação para a educação de um menino pobre. Especificou que ele deveria aprender latim e direito, história e como governar. Mandou que lhe ensinassem geografia e as fronteiras do mundo conhecido e — lembrando meu irmão Anthony — que lhe ensinassem a aritmética e a erudição árabe, além da filosofia dos antigos.

— E quando eu ficar mais velho, Sua Graça, Lady Margarida, diz que retornarei à Inglaterra e assumirei o trono do meu pai — diz meu filho.

— Ela disse que alguns homens já esperaram mais tempo do que eu e tinham chances piores do que as minhas. Disse para eu pensar em Henrique Tudor, que agora acha que tem uma chance; Henrique Tudor, que teve de fugir da Inglaterra quando era mais novo do que eu e que agora retorna com um exército!

— Ele passou a vida no exílio. Queira Deus que você não.

— Vamos ver a batalha? — pergunta ele ansiosamente.

Sorrio.

— Não, o campo de batalha não é lugar para um menino. Mas quando seu tio Ricardo vencer e marchar para Londres, nos uniremos a ele e às suas irmãs.

— E então vou poder voltar para casa? Vou voltar para a corte? E ficar com a senhora para sempre?

— Sim — replico. — Sim. Ficaremos juntos de novo, como deve ser.

Afasto uma mecha de cabelo louro de seus olhos. Ele dá um suspiro e põe a cabeça em meu colo. Por um momento ficamos muito quietos. Ouço a velha casa ranger ao nosso redor, como se se acomodasse para a noite, e lá fora, na escuridão, uma coruja pia.

— E o meu irmão Eduardo? — pergunta ele em voz baixa. — Sempre esperei que o tivesse escondido em algum lugar.

— Lady Margarida não disse nada? Sir Edward?

— Disseram que não se sabe, que não se pode ter certeza. Achei que você saberia.

— Temo que esteja morto — replico em tom brando. — Assassinado por homens pagos pelo duque de Buckingham e por Henrique Tudor. Acho que perdemos seu irmão.

— Quando eu crescer, vou vingá-lo — diz ele, orgulhosamente, um príncipe York em todos os sentidos.

Ponho minha mão sobre a cabeça dele.

— Quando crescer, e se for rei, poderá viver em paz — replico. — Eu o terei vingado, isso não é para você. Vai ter acabado. Mandei rezar missas pela alma dele.

— Mas não pela minha! — diz ele com seu sorriso largo pueril e insolente.

— Sim, para a sua, pois tenho de manter as aparências, assim como você. Tenho de fingir que o perdi, assim como perdi seu irmão, mas quando rezo por você, sei que está vivo e seguro, e que voltará para casa. E, além disso, não lhe fará mal algum ter as boas mulheres da Abadia de Bermondsey rezando por você.

— Elas podem rezar para que eu retorne são e salvo para casa — diz ele.

— Elas rezam — replico. — Todas nós. Tenho rezado por você três vezes ao dia, desde que partiu, e penso em você a todo instante.

Ele recosta a cabeça nos meus joelhos e passo os dedos por seu cabelo louro. Atrás das orelhas há fios ondulados, e enrolo os cachos nos dedos, como anéis dourados. Somente quando ele ressona baixinho, como um cãozinho, me dou conta de que se passaram horas e ele adormeceu rapidamente. Somente quando sinto o peso de sua cabeça quente nos meus joelhos percebo que ele está realmente em casa, um príncipe que veio para o seu reino e que, quando a batalha estiver encerrada e vencida, a rosa branca de York florescerá mais uma vez nas sebes verdejantes da Inglaterra.

Nota da Autora

Este novo romance, o primeiro de uma série sobre os Plantageneta, se originou de minha descoberta de uma das rainhas mais interessantes e instigantes da Inglaterra: Elizabeth Woodville. A maior parte da história contada sobre ela é verdadeira, e não uma ficção — ela levou uma vida muito além da minha imaginação! Na verdade, foi de uma beleza notória, descendente dos duques de Borgonha que alimentavam a tradição de que descendiam de Melusina, a deusa das águas. Quando descobri esse fato, me dei conta de que, através de Elizabeth Woodville, uma rainha despre-zada e que inspirou pouca simpatia, eu poderia reescrever a história de uma soberana da Inglaterra que, além disso, era descendente de uma deusa e filha de uma mulher julgada culpada de bruxaria.

Dado o meu interesse pela visão medieval da magia, do que esta nos conta sobre o poder das mulheres e o preconceito que figuras poderosas enfrentaram, percebi aí um terreno fértil para mim como pesquisadora e escritora — e assim foi.

Sabemos que Elizabeth conheceu Eduardo ao procurá-lo para lhe pedir ajuda financeira e que se casou com ele secretamente, mas o encontro na estrada, quando ela se postou sob o carvalho (que ainda hoje cresce em Grafton Regis, Northamptonshire), é uma lenda popular e pode ou não ser verdade. Ela ter puxado a adaga dele para se defender do estupro foi um rumor contemporâneo. Não se sabe se foi um fato histórico. Porém, grande parte de sua vida com Eduardo foi bem registrada, e eu baseei meu romance nas histórias e nos fatos, onde quer que estivessem. Evidentemente, às vezes tive de escolher entre versões rivais e contraditórias, e às vezes tive de preencher lacunas da história com explicações ou relatos criados por mim.

Há mais ficção neste romance do que nos anteriores, uma vez que remonta a um tempo anterior aos Tudor, cujo registro é mais fragmentado. Além disso, era um país em guerra e várias decisões eram tomadas no momento, sem deixar nenhum registro documental. Algumas das decisões mais importantes eram secretas, e com frequência tive de deduzir, a partir das provas sobreviventes, as razões para certas ações ou, até mesmo, para o que aconteceu. Por exemplo, não temos prova confiável da suposta "Conspiração Buckingham", mas sabemos que Lady Margaret Stanley, seu filho Henrique Tudor, Elizabeth Woodville e o duque de Buckingham foram os principais líderes da rebelião contra Ricardo. Claramente, todos tinham razões diferentes para os riscos que assumiram. Temos alguma evidência dos intermediários e alguma ideia dos planos, mas a estratégia exata e a estrutura de comando eram secretas e permanecem assim. Examinei provas remanescentes e as consequências da conspiração, e proponho, aqui, como podem ser relacionadas. O elemento sobrenatural da tempestade é, evidentemente, ficcional, e foi uma delícia imaginá-lo.

Da mesma maneira, não sabemos até hoje (segundo centenas de teorias) o que aconteceu exatamente aos príncipes na Torre. Especulo que Elizabeth Woodville tenha preparado um refúgio para o seu segundo filho, o príncipe Ricardo, depois que seu primeiro filho, o príncipe Eduardo, lhe foi tirado. Genuinamente, tenho dúvidas sobre ela ter mandado seu segundo filho para as mãos do homem que ela suspeitava de ter aprisionado o primeiro. A sugestão provocadora de vários historiadores sérios de que o príncipe Ricardo possa ter sobrevivido me levou a especular que ela não o teria enviado para a Torre, mas usado um menino para ficar no lugar dele. Mas tenho de avisar o leitor de que não existe prova cabal disso.

Mais uma vez, não há nenhuma evidência definitiva em relação a como os meninos morreram, se foram assassinados, nem quem deu a ordem. E, é claro, nunca houve corpos identificados positivamente como sendo os dos príncipes. Sugiro que o rei Ricardo não os teria assassinado, pois não haveria muito a ganhar e sim a perder com isso. E não acredito que Elizabeth Woodville tivesse colocado suas filhas aos seus cuidados se achasse que era o assassino de seus filhos. Parece também que ela chamou seu filho Thomas Grey de volta da corte de Henrique Tudor, o que talvez indique que estava desencantada com a pretensão Tudor e aliada a Ricardo. Tudo isso permanece um mistério, e simplesmente acrescento minha sugestão a tantas outras propostas por historiadores, algumas das quais encontram-se nos livros listados na bibliografia.

Estou em dívida com o estudioso professor David Baldwin, autor de *Elizabeth Woodville: Mother of the Princes in the Tower*, tanto por sua descrição clara e compreensiva da rainha em seu livro quanto por seus conselhos para este romance. Também sou grata aos muitos historiadores e entusiastas cujos estudos têm como base seu amor por esse período, do qual agora compartilho e espero que vocês também.

Mais informações sobre a pesquisa e escrita deste livro podem ser encontradas no meu website PhilippaGregory.com, onde há detalhes de seminários sobre este livro ministrados durante um tour pelo Reino Unido, pelos Estados Unidos e pelo mundo todo, e em webcasts regulares.

Bibliografia

Baldwin, David. *Elizabeth Woodville: Mother of the Princes in the Tower*. Stroud, Gloucestershire: Sutton Publishing, 2002.

——. *The Lost Prince: The Survival of Richard of York*. Stroud, Gloucestershire: Sutton Publishing, 2007.

Castor, Helen. *Blood & Roses: The Paston Family in the Fifteenth Century*. Londres: Faber and Faber, 2004.

Cheetham, Anthony. *The Life and Times of Richard III*. Londres: Weidenfeld & Nicolson, 1972.

Chrimes, S. B. *Henry VII*. Londres: Eyre Methuen, 1972.

——. *Lancastrians, Yorkists, and Henry VII*. Londres: Macmillan, 1964.

Cooper, Charles Henry. *Memoir of Margaret: Countess of Richmond and Derby*. Cambridge University Press, 1874.

Crosland, Margaret. *The Mysterious Mistress: The Life and Legend of Jane Shore*. Stroud, Gloucestershire: Sutton Publishing, 2006.

Fields, Bertram. *Royal Blood: Richard III and the Mystery of the Princes*. Nova York: Regan Books, 1998.

Gairdner, James. "Did Henry VII Murder the Princes?" *English Historical Review VI* (1891): 444-464.

Goodman, Anthony. *The Wars of the Roses: Military Activity and English Society, 1452-97*. Londres: Routledge & Kegan Paul, 1981.

——. *The Wars of the Roses: The Soldiers' Experience*. Londres: Tempus, 2005.

Hammond, P.W., and Anne F. Sutton. *Richard III: The Road to Bosworth Field*. Londres: Constable, 1985.

Harvey, Nancy Lenz. *Elizabeth of York, Tudor Queen*. Londres: Arthur Baker, 1973.

Hicks, Michael. *Anne Neville: Queen of Richard III*. Londres: Tempus, 2007.

———. *The Prince in the Tower: The Short Life & Mysterious Disappearance of Edward V*. Londres: Tempus, 2007.

———. *Richard III*. Londres: Tempus, 2003.

Jones, Michael K., and Malcolm G. Underwood. *The King's Mother: Lady Margaret Beaufort, Countess of Richmond and Derby*. Cambridge University Press, 1992.

Kendall, Paul Murray: *Richard the Third*. Nova York: W.W. Norton, 1975.

MacGibbon, David. *Elizabeth Woodville (1437-1492): Her Life and Times*. Londres: Arthur Baker, 1938.

Mancinus, Dominicus. *The Usurpation of Richard the Third: Dominicus Mancinus ad Angelum Catonem de occupatione Regni Anglie per Ricardum Tercium Libellus*, tradução e introdução de C. A. J. Armstrong. Oxford: Clarendom Press, 1969.

Markham, Clements, R. "Richard III: A Doubtful Verdict Reviewd", *English Historical Review VI* (1891): 250-283.

Neillands, Robin. *The Wars of the Roses*. Londres: Cassell, 1992.

Plowden, Alison. *The House of Tudor*. Londres: Weidenfeld & Nicolson, 1976.

Pollard, A. J. *Richard III and the Princes in the Tower*. Stroud, Gloucestershire: Sutton Publishing, 2002.

Prestwich, Michael. *Plantagenet England, 1225-1360*. Oxford: Clarendon Press, 2005.

Read, Conyers. *The Tudors: Personalities and Practical Politics in Sixteen Century England*. Oxford University Press, 1936.

Ross, Charles. *Edward IV*. Londres: Eyre Methuen, 1974.

———. *Richard III*. Londres: Eyre Methuen, 1981.

Seward, Desmond. *A Brief History of the Hundred Years War: The English in France, 1337-1453*. Londres: Constable and Company, 1978.

———. *Richard III, England's Black Legend*. Londres: Country Life Books, 1983.

Simon, Linda. *Of Virtue Rare: Margaret Beaufort, Matriarch of the House of Tudor*. Boston: Houghton Mifflin, 1982.

St. Aubyn, Giles. *The Year of Three Kings, 1483*. Londres: Collins, 1983.

Thomas, Keith. *Religion and the Decline of Magic: Studies in Popular Beliefs in Sixteenth and Seventeenth Century England*. Londres: Weidenfeld & Nicolson, 1971.

Weir, Alison. *Lancaster and York: The Wars of the Roses*. Londres: Jonathan Cape, 1995.

———. *The Princes in the Tower*. Londres: Bodley Head, 1992.

Williams, Neville. *The Life and Times of Henry VII*. Londres: Weidenfeld & Nicolson, 1973.

Willamson, Audrey. *The Miystery of the Princes: An Investigation into a Supposed Murder.* Stroud, Gloucestershire: Sutton Publishing, 1978.

Wilson-Smith, Timothy. *Joan of Arc: Maid, Myth and History,* Stroud, Gloucestershire: Sutton Publishing, 2006.

Wroe, Ann. *Perkin: A Story of Deception.* Londres: Jonathan Cape, 2003.

Este livro foi composto na tipologia Minion Pro
Regular, em corpo 11,5/16, e impresso em papel
off-white no Sistema Digital Instant Duplex da
Divisão Gráfica da Distribuidora Record.